小児気管支喘息治療・管理ガイドライン 2020

Japanese Pediatric Guideline for The Treatment and Management of Asthma

監修 足立雄一／滝沢琢己／二村昌樹／藤澤隆夫
作成 一般社団法人日本小児アレルギー学会

小児気管支喘息治療・管理ガイドライン 2020
作成にあたって

　この度、一般社団法人日本小児アレルギー学会は、2017 年に発刊したガイドラインの一部を更新するとともに新たな内容を加えて『小児気管支喘息治療・管理ガイドライン 2020』（JPGL2020）を上梓することになった。JPGL は、2000 年に初版が発刊されて以来、2002 年、2007 年、2012 年、2017 年、そして今回と、その時々の最新のエビデンスを取り入れる形で改訂を行ってきた。この 20 年間でガイドラインが広く普及することで小児喘息診療の均てん化が図られ、その結果として喘息の急性増悪（発作）による時間外受診数・入院数が激減し、喘息死もほぼゼロとなっている。これほど短期間に大きく予後が改善した疾患は他にはなく、本ガイドラインが果たしてきた役割は大きいと自負している。しかし、喘息は罹患数が若干減少傾向にあるものの、依然として小児の慢性疾患の中で最も患者数の多い疾患の一つであり、良好なコントロール状態を達成できていない患者も残ることから、引き続きガイドラインの普及を図る必要がある。

　JPGL では前回（2017 年）からいくつかのクリニカルクエスチョン（CQ）を設定し、既存のデータをシステマティックレビューによって解析することで、エビデンスに基づいた治療ならびに管理を提示している。今回の JPGL2020 の編集ならびに発行に向けた作業は、日本小児アレルギー学会の会員の皆様および理事の深いご理解と支援のもとで開始され、その改訂作業にあたってはガイドライン作成委員会委員の意欲と熱意は強く、特に若手から中堅医師で構成された執筆協力者とシステマティックレビューチームの貢献は多大であった。委員各位の熱意と献身的な労力に対し、あらためて心からの感謝と敬意を表したい。また、臨床現場でガイドラインをより活用できるようにと、購入者が全文をウェブ上で閲覧できるシステムを新たに導入した。

　いままで JPGL では多くの課題に対応してきたが、喘息の予防、生物学的製剤を含めた難治喘息の治療・管理、免疫療法、移行医療など新たな課題はまだまだ山積している。本書が、これら新たな課題の解決への糸口となるとともに、今後も一層充実して継続発刊できることを願い、本ガイドラインの序文とする。

2020 年 10 月

一般社団法人日本小児アレルギー学会

喘息治療・管理ガイドライン委員会委員長　足立雄一

理事長　藤澤隆夫

目　次

第 1 章　JPGL2020 の作成方法・CQ

1. JPGL2020 の目的 ……………………………………………………………………… 2
2. 本ガイドラインの基本姿勢 ………………………………………………………… 2
3. JPGL2020 作成と改訂の経緯 ……………………………………………………… 4
4. 利用者 ……………………………………………………………………………………… 5
5. 作成委員会の構成 …………………………………………………………………… 5
6. 本書の構成 ……………………………………………………………………………… 8
7. 作成方針 ………………………………………………………………………………… 8
8. クリニカルクエスチョン（clinical question, CQ）の一覧 ……………… 9
9. システマティックレビュー（SR）の方法 …………………………………… 9
　　1）エビデンスの収集 ……………………………………………………………… 10
　　2）スクリーニング ………………………………………………………………… 10
　　3）RCT からの情報抽出と個々の評価 ……………………………………… 10
　　4）エビデンス総体の評価 ……………………………………………………… 10
　　5）SR レポートの作成 …………………………………………………………… 10
10. エビデンスレベルと推奨グレードの設定方法 ……………………………… 11
11. JPGL2017 からの主な変更点 …………………………………………………… 11
12. 今後の予定 …………………………………………………………………………… 12
　　1）本ガイドラインの広報 ……………………………………………………… 12
　　2）本ガイドラインの普及・遵守状況の評価 …………………………… 12
　　3）改訂の予定 ……………………………………………………………………… 12
13. 謝辞 ……………………………………………………………………………………… 12
Clinical Question（CQ）と推奨文、推奨度・エビデンス一覧 ……… 13
Clinical Question（CQ）1〜12 ……………………………………… 15〜26

第 2 章　定義、病態生理、診断、重症度分類

1. 喘息とは ………………………………………………………………………………… 28
2. 病態生理 ………………………………………………………………………………… 29
　　1）気道炎症 ………………………………………………………………………… 30
　　2）気道リモデリング …………………………………………………………… 31
　　3）気道過敏性 ……………………………………………………………………… 32
　　4）気流制限 ………………………………………………………………………… 32
　　5）アレルゲン曝露による気道狭窄と気道炎症 ……………………… 33

3. 診断 ·································· 33
　　1）症状・所見 ·························· 34
　　2）アレルギー疾患の既往歴・家族歴 ·········· 35
　　3）検査所見 ·························· 35
　　4）鑑別診断 ·························· 35
4. 病型 ·································· 37
5. 重症度の評価 ························ 37
6. 予後（転帰） ························ 39

第3章　疫　学

1. 日本の疫学調査 ······················ 42
2. 喘息有病率・喘鳴期間有症率 ············ 43
　　1）近年の国内大規模調査結果 ·············· 43
　　2）経年的変化 ························ 43
　　3）年齢差・性差 ······················ 45
　　4）地域による喘鳴期間有症率の比較 ·········· 45
3. 喘息診療 ···························· 45
　　1）入院数 ·························· 45
　　2）重症度とコントロール ·················· 45
　　3）長期管理薬の使用状況 ·················· 46
　　4）アレルギー疾患の合併 ·················· 46
　　5）発症と予後 ························ 46
4. 喘息死 ······························ 48
　　1）喘息死亡数と喘息死亡率 ················ 48
　　2）小児の喘息死亡数と喘息死亡率の経年的変化 ···· 48
　　3）喘息死の実態 ······················ 48

第4章　危険因子とその対策

1. 喘息発症に関わる個体因子 ·············· 55
　　1）家族歴と性差 ······················ 55
　　2）素因 ·························· 55
　　3）遺伝 ·························· 56
2. 喘息発症・増悪に関わる環境因子とその対策 ·· 56
　　1）アレルゲン ························ 56
　　2）呼吸器感染症 ······················ 58
　　3）室内空気・大気汚染物質 ················ 60
　　4）マイクロバイオーム ·················· 61
　　5）その他の因子 ······················ 61
3. 海外の喘息ガイドラインにおける喘息の予防指針 ·· 63

第 5 章　病態評価のための検査法

1. アレルギーに関するバイオマーカーの評価 ································ 74
　　1）血清総 IgE 値 ··· 74
　　2）末梢血好酸球数 ··· 74
　　3）アレルゲン特異的 IgE 抗体検査とプリックテスト ·················· 74
　　4）呼気中一酸化窒素濃度（FeNO）と喀痰中好酸球数 ·················· 75
2. 呼吸機能の評価法 ··· 75
　　1）スパイロメータによる評価 ··· 75
　　2）ピークフロー（PEF）モニタリング ································· 79
　　3）強制オシレーション法（FOT） ···································· 80
　　4）気道過敏性試験 ··· 81
3. 気道炎症の評価 ··· 85
　　1）FeNO ·· 85
　　2）喀痰細胞診 ··· 86
4. 新しい検査法 ··· 86
　　1）肺音解析 ··· 86
　　2）好酸球顆粒タンパク質 ··· 86
　　3）ペリオスチン ··· 86

第 6 章　患者教育、吸入指導

1. 小児喘息治療・管理における患者教育の位置づけ（意義） ················· 92
2. 患者・家族とのパートナーシップの確立 ································· 93
　　1）患者教育の対象 ··· 93
　　2）信頼関係の構築と患者側のニーズの把握 ····························· 94
3. 治療目標の設定と共有 ··· 94
　　1）急性増悪予防（または発作予防）を基盤とした治療目標と治療姿勢 ······ 94
　　2）病態生理の説明 ··· 94
　　3）治療目標の共有 ··· 94
4. アドヒアランス（adherence）の向上 ··································· 95
　　1）理解と納得の上に成り立つアドヒアランス ··························· 95
　　2）行動医学モデルが指摘するアドヒアランスを高める条件 ··············· 95
　　3）喘息日誌（セルフモニタリング）と個別対応プラン（アクションプラン）の活用 ··· 96
　　4）発達段階に応じた教育 ··· 96
　　5）患者教育の課題 ··· 98
　　6）伝える工夫 ··· 98
　　7）医療スタッフによる指導 ··· 98
　　8）教材や喘息治療情報の提供 ··· 99

5. 小児喘息における心理学的アプローチ ……………………………………………… 99
    1) 急性増悪（発作）の心身医学的機序 ……………………………………………… 99
    2) 行動分析に基づく心理学的アプローチとストレスマネジメント ………………… 99
6. 小児喘息と QOL ……………………………………………………………………… 100
    1) 喘息児と保護者の QOL ……………………………………………………………… 102
    2) 喘息児の QOL ………………………………………………………………………… 102
    3) 保護者の QOL ………………………………………………………………………… 102
7. 効率的な吸入療法 …………………………………………………………………… 102
    1) 吸入療法の特徴 ……………………………………………………………………… 102
    2) 吸入機器の種類と特徴 ……………………………………………………………… 102
    3) 吸入機器の種類と年齢に応じた選択 ……………………………………………… 104
    4) 吸入指導の重要性 …………………………………………………………………… 105
8. 定量吸入器の吸入方法 ……………………………………………………………… 108
    1) ドライパウダー定量吸入器（DPI） ……………………………………………… 108
    2) 加圧噴霧式定量吸入器（pMDI） ………………………………………………… 108
9. 吸入補助具（スペーサー） ………………………………………………………… 108
    1) 吸入方法 ……………………………………………………………………………… 110
    2) 推奨されるスペーサー ……………………………………………………………… 110
    3) 静電気の問題 ………………………………………………………………………… 111
10. ネブライザー ………………………………………………………………………… 111

第 7 章　長期管理に関する薬物療法

1. 長期管理の目標と実践：薬物療法の位置づけ …………………………………… 116
2. 小児喘息の長期管理に用いられる薬剤 …………………………………………… 117
    1) 吸入ステロイド薬（ICS） ………………………………………………………… 118
    2) 吸入ステロイド薬/長時間作用性吸入 β_2 刺激薬（LABA）配合剤 …………… 120
    3) ロイコトリエン受容体拮抗薬（LTRA） ………………………………………… 121
    4) LTRA 以外の抗アレルギー薬 ……………………………………………………… 122
    5) テオフィリン徐放製剤 ……………………………………………………………… 122
    6) 生物学的製剤 ………………………………………………………………………… 122
    在宅自己注射について ………………………………………………………………… 124
3. 短期追加治療に用いられる薬剤 …………………………………………………… 124
    LABA 以外の長時間作用性 β_2 刺激薬 …………………………………………… 125
4. 長期管理における薬物療法の進め方 ……………………………………………… 125
    1) 長期管理における薬物療法開始時の重症度評価と治療開始ステップ ………… 125
    2) 長期管理中の評価項目 ……………………………………………………………… 126
    3) 長期管理の考え方 …………………………………………………………………… 129
    4) 各治療ステップにおける薬物療法の進め方 ……………………………………… 131
    5) 難治性喘息について ………………………………………………………………… 136

vii

第 8 章　急性増悪（発作）への対応

1. 家庭での対応 ··· 147
   1) 「強い喘息発作のサイン」の有無による対応 ···················· 147
   2) 「強い喘息発作のサイン」がある場合の対応 ···················· 147
   3) 「強い喘息発作のサイン」がない場合の対応 ···················· 148
   4) 喘息児とその家族に対する指導のポイント ····················· 149
2. 医療機関での対応 ··· 150
   1) 救急外来治療で把握すべきこと ···································· 150
   2) 小発作に対する治療 ··· 151
   3) 中発作に対する治療 ··· 152
   4) 大発作・呼吸不全に対する治療（入院での対応） ············ 155
   5) 入院治療の調整と退院の基準 ······································ 160
   6) 退院時の指導 ··· 160
3. 一般的な急性増悪（発作）の治療薬 ··································· 160
   1) β_2 刺激薬 ··· 160
   2) イソプロテレノール ··· 162
   3) 全身性ステロイド薬 ··· 162
   4) 吸入ステロイド薬 ··· 163
   5) テオフィリン薬 ·· 163
   6) アドレナリン ··· 163
   7) 抗菌薬 ··· 164
   8) 粘液溶解薬と去痰薬 ··· 164
   9) 鎮咳薬 ··· 164

第 9 章　乳幼児期の特殊性とその対応

1. 特徴と課題 ··· 169
2. 病態生理 ··· 170
3. 喘鳴性疾患の病型分類（フェノタイプ） ······························ 171
4. 診断 ··· 172
5. 鑑別診断 ··· 175

第 10 章　思春期・青年期喘息と移行期医療

1. 思春期・青年期までの喘息寛解率 ………………………………………… 182
2. 思春期・青年期の喘息の特徴 ……………………………………………… 183
　1）アレルギー素因 ………………………………………………………… 183
　2）呼吸機能 ………………………………………………………………… 183
　3）気道過敏性 ……………………………………………………………… 184
　4）肥満や内分泌疾患 ……………………………………………………… 184
　5）月経前喘息 ……………………………………………………………… 184
　6）生活習慣の変化・アドヒアランスに伴う問題 ……………………… 184
3. JPGL から『喘息予防・管理ガイドライン』（JGL）へ ………………… 184
4. 移行期医療（内科的診療へ向けて）……………………………………… 187
5. 思春期・青年期の患者指導 ………………………………………………… 188
　1）学童期の患者指導 ……………………………………………………… 188
　2）思春期・青年期の患者指導 …………………………………………… 188
6. 内科への転科について ……………………………………………………… 189
7. 喘息と妊娠 …………………………………………………………………… 189

第 11 章　合併症とその対策

1. 慢性期の合併症 ……………………………………………………………… 194
　1）アレルギー性鼻炎 ……………………………………………………… 194
　2）鼻副鼻腔炎 ……………………………………………………………… 195
　3）胃食道逆流症（GERD）………………………………………………… 197
　4）肥満 ……………………………………………………………………… 197
　5）心的要因・発達障がい ………………………………………………… 198
　6）食物アレルギー ………………………………………………………… 198
2. 急性増悪（発作）期の呼吸器合併症 ……………………………………… 198
　1）air leak（空気漏出）症候群 ………………………………………… 198
　2）無気肺と肺虚脱 ………………………………………………………… 199

第 12 章　日常管理

1. 社会生活（学校保健など）………………………………………………… 206
　1）通学、通園への配慮 …………………………………………………… 207
　2）急性増悪（発作）時の対応 …………………………………………… 207
　3）体育と運動誘発喘息（EIA）…………………………………………… 207
　4）行事への参加 …………………………………………………………… 207
　5）その他 …………………………………………………………………… 210

2. 運動への対応 210
　1）EIA の病態・機序 210
　2）EIA の診断 211
　3）EIA の臨床的意義 211
　4）EIA の予防 211
　5）アスリートと喘息 211
3. 予防接種 212
　1）予防接種ガイドラインにおける日本小児アレルギー学会の見解 212
　2）喘息児への接種時の注意点 213
4. 手術時の対応 213
　1）術前の評価 214
　2）術前のコントロール 214
　3）麻酔科医への十分な申し送り 215
　4）麻酔における注意 215
　5）術後管理 216
5. 災害時に備えて 216
　1）『災害時のこどものアレルギー疾患対応パンフレット』 216
　2）『災害派遣医療スタッフ向けのアレルギー児対応マニュアル』 217
　3）『アレルギー疾患のこどものための「災害の備え」パンフレット』 217

第13章　JPGL の今後の課題

1. エビデンスに基づくガイドライン 223
2. 乳幼児喘息 223
3. 思春期・青年期喘息 224
4. 生物学的製剤 225
5. アレルゲン免疫療法の可能性 225
6. バイオマーカー 226
7. トータルケアとしての喘息診療 227
8. 感染症と喘息 227
9. アレルギー疾患対策基本法に基づく診療の均てん化と研究推進 228
10. よりよい治療を目指して 229

第14章　主な抗喘息薬一覧表 231

略語一覧

略語	英語表記	日本語表記
ACT	Asthma Control Test	喘息コントロールテスト
AIRJ	Asthma Insights and Reality in Japan	日本における喘息患者実態電話調査
AIT	allergen-specific immunotherapy	アレルゲン特異的免疫療法
ATS	American Thoracic Society	米国胸部疾患学会
ATS-DLD 質問表	American Thoracic Society-Division of Lung Diseases	米国胸部疾患学会肺疾患質問票
AUC	area under the curve	ROC 曲線下面積
BALF	broncho-alveolar lavege fluid	気管支肺胞洗浄液
BDP	beclomethasone dipropionate	ベクロメタゾンプロピオン酸エステル
Best ACT-P	Best Asthma Control Test Preschooler	未就学児喘息コントロールテスト
BIS	budesonide inhalation suspension	ブデソニド吸入懸濁液
BMI	Body Mass Index	体格指数
BTS	British Thoracic Society	英国胸部疾患学会
C-ACT	Childhood Asthma Control Test	小児喘息コントロールテスト
CASES	Childhood Asthma's Self-Efficasy Scale	小児喘息の長期管理に対するセルフエフィカシー（自己効力感）尺度
CIC	ciclesonide	シクレソニド
COVID-19	coronavirus Disease 2019	新型コロナウイルス感染症
CysLTs	Cysteinyl leukotrienes	システイニルロイコトリエン
DPI	dry powder inhaler	ドライパウダー定量吸入器
DSCG	disodium cromoglicate	クロモグリク酸ナトリウム
EBM	evidence-based medicine	根拠に基づいた医療
ECP	eosinophil cationic protein	好酸球塩基性タンパク質
ECRHS 質問票	European Community Respiratory Health Survey	欧州共同体呼吸器健康調査質問票
EDN	eosinophil derived neurotoxin	好酸球顆粒タンパク質
EIA	exercise induced asthma	運動誘発喘息
EIB	exercise induced bronchoconstriction	運動誘発気管支収縮
EPR3	Expert Panel Report 3: Guidelines for the Diagnosis and Management of Athma	米国の喘息診断・管理指針、第 3 版
ERS	European Respiratory Society	欧州呼吸器学会
EV-D68	enterovirus D68	エンテロウイルス D68
EWAS	epigenome-wide association study	エピゲノムワイド関連解析
FcεR I	Fcεreceptor I	高親和性 IgE 受容体
FeNO	fractional exhaled nitric oxide	呼気中一酸化窒素濃度
FEV$_1$	forced expiratory volume in 1 second	1 秒量
FF	fluticasone furan carboxylate	フルチカゾンフランカルボン酸エステル
FFC	formoterol fumarate hydrate/fluticasone propionate	ホルモテロールフマル酸塩水和物・フルチカゾンプロピオン酸エステル配合剤
FM	formoterol fumarate hydrate	ホルモテロールフマル酸塩水和物
FOT	forced oscillation technique	強制オシレーション法
FP	fluticasone propinate	フルチカゾンプロピオン酸エステル
FVC	forced vital capacity	努力肺活量
GER	gastroesophageal reflux	胃食道逆流
GERD	gastroesophageal reflux disease	胃食道逆流症
GINA	Grobal Initiative for Asthma	国際的な喘息診断・管理指針
GWAS	genome-wide association study	ゲノムワイド関連解析

略語	英語表記	日本語表記
ICS	inhaled corticosteroid	吸入ステロイド薬
IgE	Immunoglobulin E	免疫グロブリンE
IL	interleukin	インターロイキン
ILC2	group2 innate lymphoid cell	グループ2自然リンパ球
ISAAC	International Study of Asthma and Allergies in Childhood	小児喘息・アレルギー疾患国際研究
JPAC	Japanese Pediatric Asthma Control Program	小児喘息重症度判定・コントロールテスト
LABA	long acting β_2 agonist	長時間作用性吸入 β_2 刺激薬
LAMA	long acting muscarinic antagonist	長時間作用性抗コリン薬
LT	leukotriene	ロイコトリエン
LTRA	leukotriene receptor antagonist	ロイコトリエン受容体拮抗薬
mAPI	modified asthma predictive index	修正版喘息発症予測指標
MF	mometasone furoate	モメタゾンフランカルボン酸エステル
MMF	maximum mid-expiratory flow rate	中間呼気速度変化/最大中間呼気速度
MRI	magnetic resonance imaging	磁気共鳴画像
NO	nitric oxide	一酸化窒素
NSAIDs	non-steroidal antiinflammatory drugs	非ステロイド性抗炎症薬
PAR	protease-activated receptor	プロテアーゼ活性型受容体
PC$_{20}$	provocative concentration 20	1秒量を20%低下させるのに要した薬物濃度
PDE	phosphodiesterase	ホスホジエステラーゼ
PEF	peak expiratory flow	最大呼気速度/最大呼気流量/ピークフロー
PM2.5	particulate matter	微小粒子状物質
pMDI	pressurized metered-dose inhaler	加圧噴霧式定量吸入器
PPI	proton pump inhibitor	プロトンポンプ阻害薬
RAD	reactive airway disease	反応性気道疾患
RCT	randomized controlled trial	無作為化比較試験
Rrs	respiratory resistance	呼吸抵抗
RSウイルス	respiratory syncytial virus	RSウイルス
SABA	short acting β_2 agonist	短時間作用性吸入 β_2 刺激薬
SCIT	subcutaneous immunotherapy	皮下免疫療法
SFC	salmeterol xinafoate/fluticasone propionate combination	サルメテロールキシナホ酸塩・フルチカゾンプロピオン酸エステル配合剤
SLIT	sublingual immunotherapy	舌下免疫療法
SLM	salmeterol	サルメテロール
SM	salmeterol xinafoate	サルメテロールキシナホ酸塩
SpO$_2$	oxygen saturation of peripheral artery	動脈血酸素飽和度
SVC	slow vital capacity	静的肺活量
TGF	transforming growth factor	トランスフォーミング増殖因子
Th2細胞	type 2 T helper cell	2型ヘルパーT細胞
TSLP	thymic stromal lymphopoietin	胸腺間質性リンパ球新生因子
TUE	therapeutic use exemption	薬物の治療目的使用に関わる除外措置
VCD	vocal cord dysfunction	声帯機能不全
VI	vilanterol trifenatate/fluticasone furoate	ビランテロールトリフェニル酢酸塩・フルチカゾンフランカルボン酸エステル
VOCs	volatile organic compounds	揮発性有機化合物
WADA	World Anti-Doping Agency	世界アンチ・ドーピング機構
Xrs	respiratory system reactance	呼吸リアクタンス
Zrs	respiratory system impedance	呼吸インピーダンス

図表一覧

表 1-1	推奨の強さ（GRADE システム/Minds 2014）	3
表 1-2	エビデンス総体の質（GRADE/Minds 2014）	3
表 1-3	ガイドライン統括委員会（委員：五十音順）	5
表 1-4	ガイドライン作成委員会（委員・外部委員・顧問）	6
表 1-5	ガイドライン執筆協力者	7
表 1-6	システマティックレビューチーム	7
表 1-7	Clinical Question における推奨基準（JPGL2017 ガイドライン委員会で決定）	11
図 2-1	小児喘息の成因と病態	29
図 2-2	喘息の病態	30
図 2-3	喘息診断のフローチャート	33
図 2-4	喘息／喘息以外を疑う症状	34
表 2-1	鑑別を要する疾患	35
図 2-5	喉頭内視鏡の所見	37
表 2-2	小児喘息の重症度分類	38
表 3-1	近年の国内大規模調査結果	43
図 3-1	喘息有病率の経年変化（西日本小学児童調査）	44
表 3-2	日本人小児の喘鳴有症率の年齢変化	44
図 3-2	日本人小児の喘鳴のフェノタイプ	44
図 3-3	推計喘息入院患者数の経年的変化	46
図 3-4	喘息の発症年齢	47
表 3-3	喘息死亡数の推移	49
図 3-5	年齢階級別喘息死亡率の推移	49
表 4-1	喘息の危険因子	55
図 4-1	室内環境整備のポイント	57
表 4-2	家塵中ダニの除去のためのポイント	58
表 4-3	海外の喘息ガイドラインにおける喘息の発症予防指針	63
表 4-4	海外の喘息ガイドラインにおける喘息の増悪予防指針	64
表 5-1	喘息の病態とその評価	73
表 5-2	喘息の診断・モニタリングのための検査と主な判定基準	73
図 5-1	スパイロメトリー	76
図 5-2	フローボリューム曲線のさまざまなパターン	76
表 5-3	努力肺活量（FVC）測定の手順	77
図 5-3	正しいフローボリューム曲線を得るために	78
表 5-4	ピークフロー測定の意義	79
表 5-5	ピークフローメータ使用法の指導の手順	79
図 5-4	メタコリン吸入試験	82
表 5-6	運動負荷試験の方法	84
図 5-5	運動負荷前後の1秒量の変化（運動誘発喘息患者）	85

xiii

図 6-1	小児喘息における患者教育	93
表 6-1	子ども・保護者への発達段階別指導内容	97
図 6-2	喘息児に対する心身医学的診断と治療のフローチャート	100
図 6-3	小児喘息における心理的アプローチ	101
表 6-2	吸入機器の種類と特徴	103
図 6-4	年齢層別吸入機器と補助具の組み合わせ	104
図 6-5	吸入療法導入時における指導	106
表 6-3	吸入指導の際に注意するポイント	107
図 6-6	吸入療法継続時における指導	107
表 6-4	ドライパウダー定量吸入器（DPI）の吸入方法	108
図 6-7	pMDI＋スペーサー、ネブライザーを使用した吸入方法	109
表 6-5	加圧噴霧式定量吸入器（pMDI）からの直接吸入の方法	110
図 6-8	代表的なスペーサー	111
表 7-1	小児喘息の治療目標	117
表 7-2	小児喘息の長期管理の要点	117
図 7-1	コントロール状態に基づいた小児喘息の長期管理のサイクル	118
表 7-3	わが国で小児喘息に保険適用のある吸入ステロイド薬	119
表 7-4	長期管理薬未使用患者の重症度評価と治療ステップの目安	126
表 7-5	喘息の長期管理の評価ステップ	127
表 7-6	喘息の増悪因子と対応	128
表 7-7	喘息コントロール状態を評価するための質問票	129
図 7-2	長期管理における薬物療法の流れ	130
表 7-8	小児喘息の長期管理プラン（5歳以下）	132
表 7-9	小児喘息の長期管理プラン（6〜15歳）	133
表 7-10	生物学的製剤の対象年齢、用量・用法	134
表 7-11	生物学的製剤の使用に際しての評価項目	135
表 7-12	生物学的製剤の使用に際してのチェックリスト	135
表 7-13	「小児慢性特定疾病医療費助成」における喘息の対象基準	136
図 7-3	難治性喘息の概念	137
図 8-1	小児の「強い喘息発作のサイン」と家庭での対応	148
表 8-1	急性増悪（発作）治療のための発作強度判定	149
表 8-2	救急外来治療で把握すべきこと	151
図 8-2	急性増悪（発作）の医療機関での対応	153
表 8-3	中発作における入院治療の適応	153
表 8-4	医療機関での急性増悪（発作）に対する薬物療法プラン	154
表 8-5	全身性ステロイド薬の併用を考慮すべき患者	154
表 8-6	喘息の急性増悪（発作）時のアミノフィリン投与量の目安	155
表 8-7	帰宅可能とする判断要件と患者への指導内容	155
表 8-8	入院治療の適応	156
表 8-9	全身性ステロイド薬の投与方法	157

表 8-10	イソプロテレノール持続吸入療法実施の要点	158
表 8-11	気管挿管による人工呼吸管理の適応基準	159
表 8-12	気管挿管による人工呼吸管理法の実際	160
表 8-13	退院の要件	161
表 8-14	退院時の患者・家族への指導内容	161
表 9-1	乳幼児喘鳴の病型分類（フェノタイプ）の考え方	171
図 9-1	乳幼児の喘鳴性疾患の分類（Tucson Children's Respiratory Study）	172
図 9-2	（a）乳幼児喘息の診断のフローチャート	173
図 9-2	（b）診断的治療	174
表 9-2	乳幼児 IgE 関連喘息の診断に有用な所見	174
図 9-3	乳幼児呼気性喘鳴の年齢による推移	175
表 9-3	乳幼児喘息の鑑別疾患	176
表 9-4	（a）乳幼児喘息と急性喘鳴疾患の鑑別	176
表 9-4	（b）乳幼児喘息と反復性喘鳴疾患の鑑別	177
図 10-1	思春期・青年期喘息治療の概念図	183
表 10-1	小児と成人における治療前の重症度と対応する治療ステップ： JPGL と JGL をつなぐ	185
表 10-2	小児期からフォローしている患者が思春期後期・青年期になっても コントロール不十分な場合の対応（治療ステップの考え方）	186
図 10-2	小児期からフォローしている患者が思春期後期・青年期になっても コントロール不十分な場合の対応（再評価すべきこと）	187
表 10-3	思春期・青年期喘息の長期管理・治療・患者指導	188
表 10-4	思春期までに患者本人が理解し説明できること（患者本人がすべきこと）	189
図 11-1	合併症を考慮した喘息診療	195
表 11-1	アレルギー性鼻炎診療の要点	196
図 11-2	急性増悪（発作）時の縦隔気腫、皮下気腫	199
図 11-3	急性増悪（発作）に伴った気胸	199
図 11-4	右中葉無気肺	200
図 11-5	気管支鋳型粘液栓	200
表 12-1	アレルギー疾患用の学校生活管理指導表	208
表 12-2	保育所におけるアレルギー疾患生活管理指導表	209
表 12-3	EIA の予防に効果的な対応	212
表 12-4	喘息児における周術期の対応	215
表 12-5	災害への日頃からの備え（喘息用）	217
表 13-1	これからの研究課題の例	229

「小児気管支喘息治療・管理ガイドライン 2020」の利益相反

　日本小児アレルギー学会が策定した「利益相反（COI）指針」に基づき、本学会は「利益相反委員会」を設置し、指針の運用に関する細則を定め、学会員の利益相反（conflict of interest, COI）の状況を公正に管理している。

　このたび、「小児気管支喘息治療・管理ガイドライン 2020」を作成するにあたり、ガイドライン統括委員、作成委員および執筆協力者、システマティックレビューチームはアレルギー疾患の診断・治療に関係する企業・組織または団体との経済的関係に基づき、利益相反の状況について自己申告を行った。以下にその申告項目と申告された該当の企業・団体名を報告する。

　日本小児アレルギー学会は、産業界などからの資金で実施される臨床研究の公正性、透明性を保ちつつ、今後も、アレルギー学の進歩、普及、啓発を図り、もってわが国の学術、教育、アレルギー疾患の管理・予防に寄与していく所存である。

2020 年 10 月

一般社団法人日本小児アレルギー学会

申告項目：以下の項目についてガイドライン統括委員、作成委員および執筆協力者、システマティックレビューチームが、アレルギー疾患の診断・治療に関係する企業・組織または団体から何らかの報酬を得たかを申告した。申告は有か無の回答で、有の場合は、該当の企業・団体名を明記した。なお、1、2、3 の項目については申告者の配偶者、1 親等内の親族、または収入・財産を共有する者の申告も含む。対象期間は過去 3 年度〔2017 年度（1 月1 日～12 月 31 日）～2019 年度（1 月 1 日～12 月 31 日）〕以内とした。
1. 役員報酬額、2. 株式の利益、3. 特許使用料、4. 講演料、5. 原稿料、6. 研究費・助成金など、7. 奨学（奨励）寄付など、8. 企業などが提供する寄付講座、9. 旅費、贈答品などの受領

該当企業・団体：報酬を得ていると申告された企業・団体は次の通り（五十音順）。
アステラス製薬株式会社、アストラゼネカ株式会社、小野薬品工業株式会社、キッコーマン株式会社、杏林製薬株式会社、グラクソ・スミスクライン株式会社、第一三共株式会社、大鵬薬品工業株式会社、帝人ファーマ株式会社、鳥居薬品株式会社、日本ベーリンガーインゲルハイム株式会社、ノバルティスファーマ株式会社、ピアス株式会社、ファイザー株式会社、マイラン EPD 合同会社、マルホ株式会社、株式会社ヤクルト本社、DBV Technologies、Meiji Seika ファルマ株式会社、MSD 株式会社、Regeneron Pharmaceuticals Inc

電子書籍版のご案内

　本書では、パソコン、スマートフォン、タブレットなどのモバイル端末で閲覧ができる電子書籍版をご用意しています。

　フリーワード検索や、参考文献のリンク付与など、より臨床現場で活用いただける仕様となっています。

【閲覧方法】

　パソコン、スマートフォン、タブレットなどのモバイル端末のいずれかを用いて、巻末の奥付ページに収載した URL からアクセスして閲覧ください。

【ご注意】

＊電子書籍版の閲覧期限は、次の改訂版が発刊されるまでといたします。

＊電子書籍版の著作権は一般社団法人日本小児アレルギー学会に、出版権は株式会社協和企画に帰属します。許可を得ない第三者への配布、他人へのコピー譲渡、共有することはすべて著作権法および規約違反です。不正利用に対しては必要な対応をいたします。

第1章 JPGL2020の作成方法・CQ

第1章 JPGL2020の作成方法・CQ

日本小児アレルギー学会は『小児気管支喘息治療・管理ガイドライン2017』（JPGL2017）を改訂して、今回、JPGL2020を公表した。JPGL2020では、JPGL2017から引き続き公益財団法人日本医療機能評価機構の医療情報サービス事業Mindsの『Minds診療ガイドライン作成マニュアル2017』に沿って作成することを基本方針とした。第1章では、JPGL2020の作成方法について紹介する。

1. JPGL2020の目的

わが国では、治療薬の開発と普及に伴って小児の気管支喘息（以下、喘息）の入院数や喘息死は減少した。しかし、有病率は依然として高く、不十分な管理により容易に重症化する。したがって、小児の喘息治療に携わる者には、薬剤の選択、使用方法、そして日常管理の指導に至るまでの一連の理解が求められる。JPGL2020の目的は、わが国における小児の喘息の標準的な治療・管理方法を提示し、喘息児のQOLを改善させるために必要な情報を医療者に提供することである。本冊子とこれを補完するWeb版（日本小児アレルギー学会ホームページにて無料公開）を併用し、すべての小児喘息患者に標準的な治療が提供されることを期待する。

2. 本ガイドラインの基本姿勢

小児の喘息は、小児の幅広い年齢層に認められる疾患であり、有病率は約5％と高い。激減しているものの、依然として20歳未満の喘息死は存在している。これらに鑑み、喘息治療・管理における環境整備ならびに薬物療法の最新の情報を広く医療者に提供することは、喘息児およびその保護者にとっても朗報となる。

本ガイドラインは、患者を中心とした医療を目指すための診療ガイドラインであり、現時点での最新のエビデンスに基づいた内容とした。特に、医療行為として重要な課題については、エビデンスの質やレベルを示し、推奨とその強さはGRADEシステム（**表1-1**）[1]またはMinds（2014）（**表1-2**）[2]により決定した。小児喘息の病態および発症機序は十分には解明されておらず、予防、診断、治療のエビデンスが不十分な点も多い。十分なエビデンスが存在しないと判断された場合でも、臨床的に長年実績のある方法、理論的根拠のある方法、喘息治療に際して必ず実施しなければならない医療行為については専門家の意見を加えて、わが国における小児喘息の治療・管理における標準的指針を示した。

表1-1　推奨の強さ（GRADE システム/Minds 2014）

推奨の強さ			
行うことを強く推奨する	行うことを弱く推奨する（提案する）	行わないことを弱く推奨する(提案する)	行わないことを強く推奨する
1	2	3	4

表1-2　エビデンス総体の質（GRADE/Minds 2014）

エビデンスの質			
効果の推定値に強く確信がある	効果の推定値に中程度の確信がある	効果の推定値に対する確信は限定的である	効果の推定値がほとんど確信できない
A（強）	B（中）	C（弱）	D（とても弱い）

本ガイドラインにおける喘息の治療・管理の基本的な考え方は、これまでの JPGL を踏襲している。

・治療・管理を開始する前に他の疾患を除外し、喘息を適切に診断する。

・診断と同時に、治療前の臨床症状に基づいて重症度の判定を行う。

・治療・管理を進めるにあたっては、喘息の病態が慢性の気道炎症と気道過敏性であることを考慮する。

・治療戦略で特に重要なものは、アレルゲンおよび増悪因子を排除する環境調整、薬物による抗炎症治療、それらを支える教育・啓発である。

・重症度の判定に基づいて治療を開始した後も継続的にコントロール状態を評価し、薬剤の過剰投与が生じないように留意しながら良好なコントロール状態を維持して QOL の改善を図り、呼吸機能の正常化を目指す。また、コントロール状態に影響を及ぼす合併症への対応も行う。

・良好なコントロール状態を維持するため、薬物療法ならびに環境整備の意義や方法などを患児および家族が理解し、治療に対する意欲を維持できるように教育・啓発に努めるとともに多方面から十分な支援を行う。

現時点で残された課題は第13章に示したが、今後も学術の進歩・発展、社会の要請に対応しながら、新たなエビデンスを反映させて、3～5年ごとによりよいものに更新させていく。

なお、JPGL2020 は他の診療ガイドラインと同様に、担当医の処方裁量権を拘束するものではなく、医事紛争や医療訴訟における判断基準を示すものではない。患者の背景や合併病態により個別に治療方針を決めることを妨げないが、担当医が JPGL2020 とは異なる治療方針をとる場合には、患者への十分な説明を行うとともに診療録にその理由を記載することに留意すべきである。

3. JPGL2020 作成と改訂の経緯

　すべての患者にエビデンスに基づいた標準的な治療を提供すべきであるという考え方は、慢性疾患の治療・管理を行う上での基本となっている。わが国における喘息に対する最初のガイドラインは、1993 年に発刊された『アレルギー疾患治療ガイドライン』の「気管支喘息」の項目である。これは主に成人喘息を対象にしたガイドラインであり、その一部に小児喘息の治療・管理法が提示されたのみであった。

　2000 年になり、小児の特性に鑑みて小児専用のガイドラインである JPGL2000 が発刊された。その後、使用する医師からの要望および新たな知見の追加や治療薬の開発、かつ治療に対する考え方の変化に対応して、2002 年、2005 年、2008 年、2012 年に改訂を加えてきた。2017 年には CQ を設定してエビデンスに基づいたガイドラインであることをより明確化した（過去の作成委員会一覧は Web 版を参照）。

　当初の JPGL の特徴は、乳児から 15 歳までの長期管理を、2 歳未満、2〜5 歳、6〜15 歳の 3 群に分類した点であり、JPGL2002 からは 2 歳未満（乳児喘息）への早期対応が重要と考えて新たに章を設けた。この考え方は小児喘息の管理に一定の進歩をもたらしたが、その後の知見の集積で 2 歳未満の児を区別する特別な意義が少なくなったことより、JPGL2017 からは長期管理について 5 歳以下と 6〜15 歳の 2 つの年齢群の分類とした。

　喘息の重症度については、成人や海外ガイドラインとは 1 段階違った重症度の表現を用い（成人における『喘息予防・管理ガイドライン』の軽症持続型が JPGL の中等症持続型に該当する）、軽症例に対しても早期から抗炎症作用を有する薬剤による介入を推奨する治療方針としている。また、臨床症状をもとに判断する「見かけ上の重症度」と、その時点での治療を加味して判断する「真の重症度」に区別して、判断が容易になるように工夫されている。さらに、JPGL2012 より重症度を明確に診断した上で、治療開始後は患児の喘息コントロール状況を判断しながら治療ステップを上下することにして、現場でより使いやすいガイドラインとした。

　JPGL2000 を発刊して以来、わが国の小児喘息死亡率、長期入院療法を要する患者数、喘息の急性増悪（発作）による入院や予定外受診は著減しており、JPGL の普及が大きい役割を果たしたと考えられる。

　JPGL2017 からはガイドラインの統括委員会、作成委員会、システマティックレビューチームをそれぞれ組織し、作成委員会には外部委員も加わった。そして、作成の最終段階で日本小児アレルギー学会の代議員を含めたパブリックコメントを求めて修正や補足を加えた。

4. 利用者

　喘息は、小児の慢性疾患のうち最も頻度の高い疾患の1つである。したがって、大多数は第一線の実地医家によって診断・治療・管理がなされる。そこで、JPGL2020は、主たる利用者を実地医家として作成された。また、小児喘息治療の成否は自己管理、生活様式、環境などに依存するため、患者教育をはじめとした包括的な管理を多職種で取り組む必要がある。そこで看護師・薬剤師などのチーム医療関係者もJPGL2020の利用対象となる。さらに、小児喘息はその多くが寛解・治癒せずに成人に移行する疾患でもあるので、小児期から持続した成人喘息を診療する関係者にも利用される。

5. 作成委員会の構成

　JPGLは、日本小児アレルギー学会の公式ガイドラインである。前回のJPGL2017より診療ガイドライン担当組織構成（三層構造）を取り入れ、学会全体で責任をもって作成するとの方針のもとで、学会理事がガイドライン統括委員会（**表1-3**）を形成し、その委員長には日本小児アレルギー学会理事長が就任した。ガイドライン作成グループ（**表1-4**）は、ガイドライン統括委員の一部が兼任した学会代議員である委員13人、日本小児呼吸器学会、日

表1-3　ガイドライン統括委員会（委員：五十音順）

統括委員長	藤澤　隆夫	国立病院機構三重病院
委員	足立　雄一	富山大学学術研究部医学系小児科学講座
	荒川　浩一	社会福祉法人希望の家附属北関東アレルギー研究所
	飯野　　晃	なすのがはらクリニック
	池田　政憲	岡山大学大学院医歯薬学総合研究科小児医科学
	今井　孝成	昭和大学医学部小児科学講座
	海老澤元宏	国立病院機構相模原病院臨床研究センター
	大嶋　勇成	福井大学医学系部門医学領域小児科学
	大矢　幸弘	国立成育医療研究センター・アレルギーセンター
	勝沼　俊雄	東京慈恵会医科大学附属第三病院小児科
	亀田　　誠	大阪はびきの医療センター小児科
	楠　　　隆	龍谷大学農学部食品栄養学科小児保健栄養学研究室
	是松　聖悟	中津市立中津市民病院
	下条　直樹	千葉大学予防医学センター
	手塚純一郎	福岡市立こども病院アレルギー・呼吸器科
	南部　光彦	なんぶ小児科アレルギー科
	西小森隆太	久留米大学医学部小児科
	長谷川俊史	山口大学大学院医学系研究科医学専攻小児科学講座
	三浦　克志	宮城県立こども病院アレルギー科
	森川　みき	森川小児科アレルギー科クリニック
	吉原　重美	獨協医科大学医学部小児科学

表 1-4 ガイドライン作成委員会 (委員・外部委員・顧問)

委員長	足立 雄一	第 1 章、第 14 章		富山大学学術研究部医学系小児科学講座
副委員長	滝沢 琢己	第 7 章		群馬大学大学院医学系研究科小児科学分野
副委員長	二村 昌樹	第 1 章		国立病院機構名古屋医療センター小児科
委員	下条 直樹	第 2 章		千葉大学予防医学センター
	飯野 晃	第 3 章		なすのがはらクリニック
	海老澤元宏	第 4 章		国立病院機構相模原病院臨床研究センター
	望月 博之	第 5 章		東海大学医学部総合診療学系小児科学
	大矢 幸弘	第 6 章		国立成育医療研究センター・アレルギーセンター
	勝沼 俊雄	第 8 章		東京慈恵会医科大学附属第三病院小児科
	吉原 重美	第 9 章		獨協医科大学医学部小児科学
	亀田 誠	第 10 章		大阪はびきの医療センター小児科
	井上 壽茂	第 11 章		住友病院小児科
	福家 辰樹	第 12 章		国立成育医療研究センター・アレルギーセンター総合アレルギー科
	藤澤 隆夫	第 13 章		国立病院機構三重病院
外部委員	岩永 賢司	日本アレルギー学会（内科医）		近畿大学医学部呼吸器・アレルギー内科
	栗山真理子	患者会（患者の母親）		NPO アレルギー児を支える全国ネット「アラジーポット」
	黒木 春郎	日本外来小児科学会（小児プライマリケア医）		外房こどもクリニック
	園部まり子	患者会（患者の母親）		NPO 法人アレルギーを考える母の会
	高瀬 真人	日本小児呼吸器学会（小児呼吸器科医）		日本医科大学多摩永山病院小児科
	益子 育代	日本小児臨床アレルギー学会（看護師・小児アレルギーエデュケーター）		なすのがはらクリニック
顧問	西間 三馨	日本小児アレルギー学会元理事長		国立病院機構福岡病院

本外来小児科学会、日本アレルギー学会、日本小児臨床アレルギー学会、患者団体からの外部委員 6 人の作成委員と、委員が推薦した執筆協力者（15 人）（**表 1-5**）を加えて構成した。また、JPGL2000 から JPGL 作成に深く関わってきた日本小児アレルギー学会の経験者を顧問とした（**表 1-4**）。システマティックレビュー（SR）チームは、JPGL2017 のメンバーに公募で選考されたメンバーを加えて 22 人が選考された（**表 1-6**）。

表1-5　ガイドライン執筆協力者

		担当章
山出　史也	千葉大学医学部附属病院小児科	第 2 章
吉田　幸一	東京都立小児総合医療センターアレルギー科	第 3 章
永倉　顕一	国立病院機構相模原病院小児科	第 4 章
平井　康太	東海大学医学部付属八王子病院小児科	第 5 章
宮地裕美子	国立成育医療研究センター・アレルギーセンター 総合アレルギー科	第 6 章
伊藤　靖典	富山大学医学部小児科	第 7 章
八木　久子	群馬大学大学院医学系研究科小児科学分野	第 7 章
三浦　克志	宮城県立こども病院アレルギー科	第 8 章
堀野　智史	宮城県立こども病院アレルギー科	第 8 章
福田　啓伸	なすこどもクリニック小児科・アレルギー科	第 9 章
吉田　之範	大阪はびきの医療センター小児科	第 10 章
高橋　真市	住友病院小児科	第 11 章
夏目　統	浜松医科大学小児科	第 12 章
長尾みづほ	国立病院機構三重病院臨床研究部／アレルギー科／小児科	第 13 章
山田　佳之	群馬県立小児医療センターアレルギー感染免疫・呼吸器科	第 14 章

表1-6　システマティックレビューチーム

			担当 CQ
SR リーダー	岡藤　郁夫	神戸市立医療センター中央市民病院小児科	－
副リーダー	山本貴和子	国立成育医療研究センター・アレルギーセンター 総合アレルギー科	－
SR 委員	中島　陽一	藤田医科大学医学部小児科学	CQ1, CQ7
	田中　裕也	兵庫県立こども病院アレルギー科	CQ1, CQ7
	鈴木　修一	国立病院機構下志津病院小児科／アレルギー科	CQ1, CQ7
	佐藤幸一郎	国立病院機構高崎総合医療センター小児科	CQ1, CQ7
	村井　宏生	福井大学医学系部門医学領域小児科学	CQ2, CQ6, CQ7
	三浦　太郎	東京医科大学八王子医療センター小児科	CQ2, CQ6, CQ7
	平口　雪子	大阪府済生会中津病院小児科、免疫・アレルギーセンター	CQ2, CQ6, CQ7
	高岡　有理	大阪はびきの医療センター小児科	CQ3, CQ4
	真部　哲治	まなべ小児科クリニック	CQ3, CQ4
	桑原　優	愛媛大学大学院医学系研究科地域救急医療学講座	CQ3, CQ4
	赤司　賢一	東京慈恵会医科大学附属第三病院小児科	CQ5, CQ9
	錦戸　知喜	大阪母子医療センター呼吸器・アレルギー科	CQ5, CQ7, CQ9
	杉本　真弓	徳島大学病院小児科	CQ5, CQ9
	前田　麻由	昭和大学医学部小児科学講座	CQ8, CQ12
	川本　典生	岐阜大学大学院医学系研究科小児病態学	CQ8, CQ12
	高橋　亨平	国立病院機構相模原病院小児科	CQ8, CQ12
	山出　晶子	千葉県こども病院アレルギー・膠原病科	CQ10, CQ11
	和田　拓也	富山市立富山市民病院小児科	CQ10, CQ11
	北沢　博	東北医科薬科大学医学部小児科	CQ10, CQ11
	齋藤麻耶子	国立成育医療研究センター・アレルギーセンター 総合アレルギー科	CQ10, CQ11

6. 本書の構成

　JPGL は治療の一部において Minds 診療ガイドライン作成方法に準拠した。具体的には、「長期管理」（第 7 章）および「急性増悪（発作）」（第 8 章）、「乳幼児喘息」（第 9 章）において、最適な治療方法として何を選択すべきかなど重要な臨床課題を重点的に取り上げ、ガイドライン作成委員会で Clinical Question（CQ）を設定した。JPGL2017 で設定した CQ を含めて SR チームが CQ について論文を検索してエビデンスレベルを評価し、ガイドライン作成委員会がその内容を検討した。その結果は、本章末に Clinical Question（CQ）と推奨文、その解説の形式でまとめた。

　その他の章においては、教科書的な記述方法とし、喘息全般の最新の知見を確認できるようにした。各章の担当委員は、エビデンスレベルを検討して高いと判断した報告をもとに作成した。また、エビデンスレベルの高い報告が少ない項目については、従来通りに、専門家の経験と意見に基づいて記述せざるを得なかった箇所も存在する。

7. 作成方針

　JPGL2020 は、利益相反（COI）に配慮した透明性の高い診療ガイドラインとすることを基本方針とした。診療ガイドラインの透明性・公平性を担保するために、過去の診療ガイドラインの作業方法を踏襲して、各委員にはボランティアとしての作業を依頼し、会議のために必要不可欠な経費は日本小児アレルギー学会が負担し、製薬企業、その他の団体からの資金は一切受けないことを確認した。

　ガイドライン作成委員および協力者は、日本アレルギー学会および関連学会の「臨床研究の利益相反（COI）に関する共通指針」に基づいて作成された日本小児アレルギー学会の COI 申請方針に沿って、喘息および関連疾患に関与する企業との間の経済的関係につき、下記の基準に沿って書類を作成して、学会事務局に申告することを義務づけた。

①作成委員またはその 1 親等以内の親族が個人として何らかの報酬を得た企業・団体役員報酬など（100 万円以上）、株式（100 万円以上または当該株式の 5％以上保有）、特許使用料（100 万円以上）、講演料・原稿料（50 万円以上）、研究費・助成金など（500 万円以上）、旅費・贈答品など（5 万円以上）

②作成委員の所属部門と何らかの産学連携活動を行っている企業・団体。奨学（奨励）寄付など（100 万円以上）、企業などが提供する寄付講座への所属

　日本小児アレルギー学会 COI 委員会にて全員の申請内容を審査した。

8. クリニカルクエスチョン（clinical question, CQ）の一覧

JPGL2017で推奨なしとした1個のCQを除く7個のCQに、今回の改訂で5個を加えた合計12個とした。

【長期管理】

CQ1：小児喘息患者の長期管理において、吸入ステロイド薬（ICS）の長期使用と成長抑制との関連はあるか？

CQ2：小児喘息患者において、吸入ステロイド薬（ICS）で長期管理中のステップアップする際はICSの増量とICSに長時間作用性吸入β_2刺激薬（LABA）を追加する方法（ICS/LABA）のどちらが有用か？

CQ3：小児喘息患者において、吸入ステロイド薬（ICS）で長期管理中の追加治療としてロイコトリエン受容体拮抗薬（LTRA）は有用か？

CQ4：小児喘息患者の長期管理において、呼気中の一酸化窒素（NO）濃度（FeNO）値に基づく管理は有用か？

CQ5：小児喘息患者の長期管理において、有症状時にのみ吸入ステロイド薬（ICS）を吸入（間欠吸入）することは有用か？

CQ6：小児喘息患者の長期管理において、ロイコトリエン受容体拮抗薬（LTRA）と吸入ステロイド薬（ICS）のどちらが有用か？

CQ7：小児喘息患者の長期管理において、ダニアレルゲン特異的免疫療法は有用か？

【急性増悪（発作）】

CQ8：小児喘息患者の急性増悪（発作）時に吸入ステロイド薬（ICS）の増量は有用か？

CQ9：小児喘息患者において、急性増悪（発作）時に短時間作用性吸入β_2刺激薬（SABA）を反復吸入する場合は、スペーサーを用いた加圧噴霧式定量吸入器（pMDI）による吸入と吸入液の電動ネブライザーによる吸入とどちらが有用か？

CQ10：小児喘息患者の急性増悪（発作）時の入院治療に全身性ステロイド薬は有用か？

CQ11：小児喘息患者の急性増悪（発作）時に特定の経口ステロイド薬の使用法（種類、用量、期間など）が推奨されるか？

【乳幼児喘息】

CQ12：小児のウイルス感染による喘鳴の治療にロイコトリエン受容体拮抗薬（LTRA）は有用か？

9. システマティックレビュー（SR）の方法

SRはMindsの「診療ガイドライン作成マニュアル」に沿って行った[2,3]。

1）エビデンスの収集

各 CQ の回答を導くために、Cochrane Database of Systematic Reviews（以下、コクランレビュー）などに収載されている既存の SR を参照した。

参照した論文の検索日以降に報告された無作為化比較対照試験（randomized controlled trial, RCT）も抽出するため、同じ検索式を用いて、MEDLINE、Embase、CENTRAL のデータベースから 2017 年 12 月 31 日までの掲載論文を検索した。JPGL2017 のコクランレビュー以外にも CQ に関連すると考えられた SR の論文で対象としていた RCT も抽出した。

また、医学中央雑誌についても、検索式「（（小児/TH or 小児/AL）and（喘息/TH or 気管支喘息/AL））and（PT＝原著論文 RD＝ランダム化比較試験）」を用いて、2017 年 12 月 31 日までの掲載論文の検索を行った。

JPGL2017 で採用されていた CQ については、JPGL2017 で行った 2016 年 5 月以降の追加検索とした。

2）スクリーニング

コクランレビューなどの SR に採用されている RCT のうち、小児（20 歳未満）を対象の中心としているもののみを抽出した。また、データベースから収集された論文から、目的に合致するものを SR チームの複数のメンバーがそれぞれ独立して抽出し、結果を照合した。結果が一致しなかったときは別のメンバーを加えて協議した。なお、本 SR で対象とした論文は、①RCT、②対象年齢が 20 歳未満の小児、③英語または日本語による記載のすべてを満たすものとした。

3）RCT からの情報抽出と個々の評価

得られた RCT から、対象者、介入内容、比較対照、評価項目、結果を含めた情報を抽出した。また、わが国における小児喘息診療への適応を前提としたバイアスリスクをそれぞれの RCT で評価した。

4）エビデンス総体の評価

対象となった RCT は、内容を質的に統合する定性的 SR によってエビデンス総体を評価した。また、コクランレビュー以降に報告された RCT が存在し、評価指標が他の RCT と統合可能な場合には、メタ解析による定量的な SR を行うこととした。

5）SR レポートの作成

SR にて得られた結果は、SR 報告書にまとめてガイドライン作成委員会に提出した。

表1-7　Clinical Question における推奨基準（JPGL2017 ガイドライン委員会で決定)

- 1つの推奨または提案の選択肢に8割を超える投票があった場合は、その選択肢の推奨または提案を採用する。
- 1つの推奨または提案の選択肢に6割を超える投票があり、かつその介入や方針に強く反対する推奨が2割を下回った場合は、その選択肢の推奨または提案を採用する。
- 同一の介入や方針への推奨および提案で合わせて7割を超え、かつ強く反対する推奨が2割を下回った場合は、その介入や方針を提案する。
- 上記のいずれにも当てはまらない場合は、再度協議の上で推奨度を決定する。

10. エビデンスレベルと推奨グレードの設定方法

　各 SR 作成チームが、CQ に対する推奨の強さを決定するための評価項目として、各 CQ に対して収集し得たすべての研究報告をアウトカムごとに評価し、エビデンス総体を作成した。評価に際して、研究報告の一貫性、利益と害の大きさ、わが国の喘息医療への適応について考慮した。それを、アウトカム横断的に統合し、全体会議における承認を経てエビデンス総体の総括として最終決定した（**表1-2**）。なお、JPGL2020 で新規に採用した CQ については SR の詳細を日本小児アレルギー学会ガイドライン委員会報告に別途報告した。

　推奨の強さは、GRADE システムに従い、エビデンス総体の総括を参考にして、外部委員を含めたガイドライン作成委員会の無記名投票により、推奨が決定された（**表1-7**）。投票前に医療費を含めた保険診療上の実行可能性、患者への利益と害などについてガイドライン作成委員会で意見交換した。新規採用以外の CQ は、ガイドライン作成委員会で追加検索の結果を考慮して、現行の推奨に変更が必要かを検討した。JPGL2017 から引き続き採用した7つの CQ については、推奨の変更なしとの結論に至った。

11. JPGL2017 からの主な変更点

　「思春期・青年期喘息」を「思春期・青年期喘息と移行期医療」と章のタイトルを変更し、小児期から成人期の治療管理について詳細に解説した。小児喘息の一部は成人期まで持ち越すため、JPGL から成人用の『喘息予防・管理ガイドライン』（JGL）へ途切れなく一貫した治療管理を行うための要点を記載した。また学童期と思春期には患者自身の能動的な受療行動を促し、必要なタイミングで成人喘息の専門医への移行させることの必要性についても解説した。

　病態生理に関して、喘息に関する免疫学的な病態の図を提示し、サイトカインなどの影響をイメージしやすくした。

　長期管理では、薬物療法プランの図をステップアップがよりイメージしやすくなるよう階段状の図に変更した。また重症喘息への使用機会が増えた生物学的製剤については、使用に

際して評価すべき項目をまとめた。

乳幼児喘息については、診断的治療の詳細な手順をフローチャートで具体的に図示した。

合併症の章は呼吸器関連に限定せずに記載し、アレルギー性鼻炎などの合併症を考慮した喘息診療について解説した。

12. 今後の予定

1）本ガイドラインの広報

日本小児アレルギー学会 HP への一部公開、ダイジェスト版、英語版作成に加えて、患者向けのガイドラインも新たに作成する予定である。

2）本ガイドラインの普及・遵守状況の評価

本ガイドラインが実際の臨床現場でどのように利用されているか、日本小児アレルギー学会ガイドライン評価委員会において、アンケート調査などを用いて評価を行う予定である。

3）改訂の予定

前述のアンケート調査結果や臨床現場からの本ガイドラインへの意見をもとに、また新たに確立されたエビデンスを取り込み、3～5 年後には改訂を行う予定である。

13. 謝辞

本務の時間外にボランティアでこのガイドライン改訂作業に多くの労力と時間を割いていただいたガイドライン作成委員、協力者および SR チームの方々には心から謝意を表します。また、日本小児アレルギー学会事務局の村山氏、山本氏には煩雑な事務処理に多大なご助力をいただいたことを深謝いたします。

改訂した JPGL2020 が小児喘息死亡ゼロ、すべての患児の治癒を目指す道程のツールとして役立つことがあれば幸いです。

[参考文献]

1）相原守夫. 診療ガイドラインのための GRADE システム　―第 2 版―. 青森, 凸版メディア, 2015.

2）小島原典子, 中山健夫, 森實敏夫, 他. Minds 診療ガイドライン作成マニュアル Ver.2.0（http://minds4.jcqhc.or.jp/minds/guideline/manual.html）

3）二村昌樹, 岡藤郁夫, 山本貴和子, 他. 診療ガイドラインにおけるシステマティックレビューの方法. 日小ア誌. 2017；31：89-95.

Clinical Question（CQ）と推奨文、推奨度・エビデンス一覧

		推奨度	エビデンスレベル
CQ 1	小児喘息患者の長期管理において、吸入ステロイド薬（ICS）の長期使用と成長抑制との関連はあるか？		
	ICS の長期使用は成長抑制と関連する可能性があるため、適切な投与を心がけることが推奨される。	1	B
CQ 2	小児喘息患者において、吸入ステロイド薬（ICS）で長期管理中にステップアップする際は ICS の増量と ICS に長時間作用性吸入 β_2 刺激薬（LABA）を追加する方法（ICS/LABA）のどちらが有用か？		
	ICS で長期管理中の小児喘息患者のステップアップとして、ICS 増量と ICS への LABA 追加（ICS/LABA）の有用性に明らかな差はなく、いずれも提案される。	2	B
CQ 3	小児喘息患者において、吸入ステロイド薬（ICS）で長期管理中の追加治療としてロイコトリエン受容体拮抗薬（LTRA）は有用か？		
	ICS で長期管理中の小児喘息患者において LTRA の追加治療が提案される。	2	C
CQ 4 New	小児喘息患者の長期管理において、呼気中の一酸化窒素（NO）濃度（FeNO）値に基づく管理は有用か？		
	臨床症状と FeNO 値を合わせてコントロール状態を評価して長期管理することが提案される。	2	B
CQ 5	小児喘息患者の長期管理において、有症状時にのみ吸入ステロイド薬（ICS）を吸入（間欠吸入）することは有用か？		
	現時点では ICS の間欠吸入を標準治療としないことが提案される。	3	C
CQ 6	小児喘息患者の長期管理において、ロイコトリエン受容体拮抗薬（LTRA）と吸入ステロイド薬（ICS）のどちらが有用か？		
	中等症持続型以上の基本治療では ICS を用いることが提案される。	2	B
CQ 7 New	小児喘息患者の長期管理において、ダニアレルゲン特異的免疫療法は有用か？		
	ダニに感作された小児喘息患者にダニアレルゲン特異的免疫療法を標準治療とすることが提案される。ただし、現時点では舌下免疫療法は喘息への保険適用がない。	2	B

CQ 8	小児喘息患者の急性増悪（発作）時に吸入ステロイド薬（ICS）の増量は有用か？		
	急性増悪（発作）時に ICS を増量しないことが提案される。	3	B
CQ 9	小児喘息患者において、急性増悪（発作）時に短時間作用性吸入 β_2 刺激薬（SABA）を反復吸入する場合は、スペーサーを用いた加圧噴霧式定量吸入器（pMDI）による吸入と吸入液の電動ネブライザーによる吸入とどちらが有用か？		
	SABA の吸入方法として、スペーサーを用いた pMDI による吸入と吸入液の電動ネブライザーによる吸入のいずれも提案される。	2	C
CQ 10 New	小児喘息患者の急性増悪（発作）時の入院治療に全身性ステロイド薬は有用か？		
	入院治療に全身性ステロイド薬を投与することが提案される。	2	C
CQ 11 New	小児喘息患者の急性増悪（発作）時に特定の経口ステロイド薬の使用法（種類、用量、期間など）が推奨されるか？		
	急性増悪（発作）時に特定の経口ステロイド薬の使用法は提案されない。	3	D
CQ 12 New	小児のウイルス感染による喘鳴の治療にロイコトリエン受容体拮抗薬（LTRA）は有用か？		
	小児のウイルス感染による喘鳴の治療として、LTRA を投与しないことが提案される。	3	B

CQ1～CQ3、CQ5、CQ6、CQ8、CQ9 は、『JPGL2017』から引き続き採用した CQ であり、CQ4、CQ7、CQ10～CQ12 は、『JPGL2020』で新規に採用した CQ である。

CQ 1	小児喘息患者の長期管理において、吸入ステロイド薬（ICS）の長期使用と成長抑制との関連はあるか？

(JPGL2017-CQ1)

推奨	ICSの長期使用は成長抑制と関連する可能性があるため、適切な投与を心がけることが推奨される。

推奨度	エビデンスレベル	投票結果	
1	B (中)	1. 適切な投与の心がけを推奨 2. 適切な投与の心がけを提案 3. 心がけは不要であると提案 4. 心がけは不要であると推奨	67%（10/15） 33%（5/15） 0%（0/15） 0%（0/15）

解 説

　小児におけるICSの成長抑制について検討した無作為化比較対照試験は25試験あった。4試験は1～5歳の乳幼児、それ以外は5～18歳を対象として、6製剤のICSについて検討されていた。メタ解析の結果、治療期間が1年の場合にICSはプラセボと比較して線形成長速度で0.48cm/年の成長抑制が認められた。2年目以降の成長抑制は両群間で有意差がないか、あってもその差は小さかった。また、成人期までフォローした1試験ではICS使用群で、男は0.8cmの成長抑制で有意差はなく、女は1.8cmの成長抑制で有意差あり、男女平均では1.2cmの有意な成長抑制が認められた。成長への影響は、吸入デバイスや投与量よりもICS製剤の種類による可能性が示唆された。製剤間の差やさらに長期的な影響については今後の検討が望まれる。現時点では、ICSは長期使用によって成長抑制を来す可能性があるが、喘息治療における最も有用な薬剤である。適切な診断と評価を行い、リスクとベネフィットを十分に考慮して、適切なICS投与を心がけることが推奨される。

[参考文献]

1) Zhang L, Prietsch SO, Ducharme FM. Inhaled corticosteroids in children with persistent asthma：effects on growth. [Reprint of Cochrane Database Syst Rev. 2014；(7)：CD009471]. Evid Based Child Health. 2014；9：829-930.

2) 田中裕也，中島陽一，佐々木真利，他．日本小児アレルギー学会ガイドライン委員会報告．日小ア誌．2017；31：208-15.

3) 濱崎雄平，荒川浩一，西間三馨．吸入ステロイド薬（inhaled corticosteroids：ICS）についての日本小児アレルギー学会の見解：ICSの適切な使用が重要．日小ア誌．2014；28：882-3.（web 7-1）

CQ 2	小児喘息患者において、吸入ステロイド薬（ICS）で長期管理中にステップアップする際はICSの増量とICSに長時間作用性吸入β_2刺激薬（LABA）を追加する方法（ICS/LABA）のどちらが有用か？

(JPGL2017-CQ2)

推 奨	ICSで長期管理中の小児喘息患者のステップアップとして、ICS増量とICSへのLABA追加（ICS/LABA）の有用性に明らかな差はなく、いずれも提案される。

推奨度	エビデンスレベル	投票結果	
2	B (中)	1. いずれも同等に推奨	7%（ 1/15）
		2. いずれも同等に提案	73%（11/15）
		3. 一方のみを提案	20%（ 3/15）
		4. 一方のみを推奨	0%（ 0/15）

解 説

　ICS増量とICSへのLABA追加を比較した検討のうち、小児を対象にした無作為化比較対照試験は8試験が存在していた。メタ解析の結果、ICSへのLABA追加はICS増量と比較して、全身性ステロイド薬を要する急性増悪（発作）の回数に有意差はなかった。また、入院を要した急性増悪（発作）、救急受診、夜間喘息症状スコア、有害事象においても有意差を認めなかった。PEF値の改善と成長抑制への影響の少なさでLABA追加が優れているという結果であった。したがって、LABA追加が一部に優れる面もあるが、気道炎症を含めた病態あるいは予後に関しての影響は検討されておらず、ICS増量とICSへのLABA追加との優劣は、現時点では明らかではなく、いずれも提案される。

[参考文献]

1) Chauhan BF, Chartrand C, Ni Chroinin M, et al. Addition of long-acting beta2-agonists to inhaled corticosteroids for chronic asthma in children. Cochrane Database Syst Rev. 2015；(11)：CD007949.
2) 磯崎　淳，稲毛英介，八木久子，他．日本小児アレルギー学会ガイドライン委員会報告．日小ア誌．2017；31：200-7.

CQ 3	小児喘息患者において、吸入ステロイド薬（ICS）で長期管理中の追加治療としてロイコトリエン受容体拮抗薬（LTRA）は有用か？

(JPGL2017-CQ3)

推奨 ICSで長期管理中の小児喘息患者においてLTRAの追加治療が提案される。

推奨度	エビデンスレベル	投票結果	
2	**C (弱)**	1. 追加治療とすることを推奨	7%（1/15）
		2. 追加治療とすることを提案	73%（11/15）
		3. 追加治療としないことを提案	20%（3/15）
		4. 追加治療としないことを推奨	0%（0/15）

解 説

　喘息コントロールが不良なICS投与例へのLTRA追加効果を検討した小児を対象とした無作為化比較対照試験（RCT）は3試験あった。それらは、すべて6歳以上であり、JPGLの中用量相当のICS投与例を対象としていた。メタ解析の結果、LTRAの追加は全身性ステロイド薬や入院を要する急性増悪（発作）の回数を減少させず、呼吸機能検査でも%FEV$_1$を改善させなかった。ただし、低用量ICS投与例、気道ウイルス感染により増悪の多い5歳以下、LTRAへの反応のよい遺伝子タイプを有する症例を対象としたRCTは存在せず、エビデンスが乏しいのが現状である。一方、わが国では、特に低年齢児あるいは低用量ICS投与例に対しLTRAは広く一般臨床で用いられ、その有用性を経験している。それらに鑑み、ICSへのLTRAの追加治療は提案される。

[参考文献]

1) Chauhan BF, Ben Salah R, Ducharme FM. Addition of anti-leukotriene agents to inhaled corticosteroids in children with persistent asthma. Cochrane Database Syst Rev. 2013；(10)：CD009585.

2) 真部哲治，村井宏生，高岡有理，他．日本小児アレルギー学会ガイドライン委員会報告．日小ア誌．2017；31：224-30.

CQ 4 New	小児喘息患者の長期管理において、呼気中の一酸化窒素（NO）濃度（FeNO）値に基づく管理は有用か？

推奨 臨床症状とFeNO値を合わせてコントロール状態を評価して長期管理することが提案される。

推奨度	エビデンスレベル	投票結果	
2	**B** (中)	1. 臨床症状とFeNO値を合わせて管理することを推奨	15%（3/20）
		2. 臨床症状とFeNO値を合わせて管理することを提案	80%（16/20）
		3. 臨床症状とFeNO値を合わせて管理しないことを提案	5%（1/20）
		4. 臨床症状とFeNO値を合わせて管理しないことを推奨	0%（0/20）

解説

　小児喘息の長期管理において、FeNO値による評価を加えた効果を検討した無作為化比較対照試験は9試験あった。対象者のほとんどが6歳以上のアトピー型で、試験開始時には吸入ステロイド薬（ICS）使用にかかわらず症状コントロールが不良であった。1試験のみアレルギー性鼻炎などFeNO値を上昇させ得る疾患の合併を除外していた。長期管理薬を調節するFeNOの基準値は、3試験で20 ppb、6試験で10〜50 ppbの範囲と異なる基準を採用していた。FeNO値による評価を追加することで、急性増悪（発作）を起こした人数ならびに全身性ステロイド薬を要する急性増悪（発作）を起こした人数は有意に減少した。一方で、急性増悪（発作）の頻度、呼吸機能、症状スコア、QOL、ICS減量に関しては有意な改善は認められなかった。以上より、FeNO値に基づく管理には小児喘息の長期管理において有用な点もあり、臨床症状と合わせてコントロール状態を評価することが提案される。ただし、FeNO値はさまざまな状況に影響を受けるため、その判断には十分な注意が必要である。

[参考文献]

1) Petsky HL, Kew KM, Chang AB. Exhaled nitric oxide levels to guide treatment for children with asthma. Cochrane Database Syst Rev. 2016；11 (11)：CD011439.
2) 真部哲治, 高岡有理, 桑原　優, 他. 喘息治療・管理ガイドライン委員会報告. 日小ア誌. 2020；34：419-27.

CQ 5	小児喘息患者の長期管理において、有症状時にのみ吸入ステロイド薬（ICS）を吸入（間欠吸入）することは有用か？

(JPGL2017-CQ4)

推奨 現時点では ICS の間欠吸入を標準治療としないことが提案される。

推奨度	エビデンスレベル	投票結果	
3	C (弱)	1. 標準治療とすることを推奨	0%　(0/15)
		2. 標準治療とすることを提案	27%　(4/15)
		3. 標準治療としないことを提案	33%　(5/15)
		4. 標準治療としないことを推奨	40%　(6/15)

解 説

　持続型喘息の治療として、JPGL では ICS 連日吸入が推奨されている。小児を対象とした無作為化比較対照試験は 6 試験で、未就学児 490 人と学童 145 人が含まれていた。有症状時のみの ICS 間欠吸入は、プラセボと比較して全身性ステロイド薬を必要とするような急性増悪（発作）を抑制したが、入院率には有意差を認めなかった。喘息スコアについては、未就学児（1 歳以上 6 歳未満）では ICS 間欠吸入により改善が認められたが、5 歳以上の児では有意差を認めなかった。重大な有害事象の発生率、QOL 低下についてはエビデンスの質が低く、結論は得られなかった。検討対象となった報告では ICS の種類、間欠吸入の投与量や使用日数は一定ではなく、今後の検討が必要である。したがって、現時点では ICS 間欠吸入は標準治療としないことが提案される。

[参考文献]

1) Chong J, Haran C, Chauhan BF, et al. Intermittent inhaled corticosteroid therapy versus placebo for persistent asthma in children and adults. Cochrane Database Syst Rev. 2015；(7)：CD011032.
2) 清水麻由, 赤司賢一, 川本典生, 他. 日本小児アレルギー学会ガイドライン委員会報告. 日小ア誌. 2017；31：216-23.

| CQ 6 | 小児喘息患者の長期管理において、ロイコトリエン受容体拮抗薬（LTRA）と吸入ステロイド薬（ICS）のどちらが有用か？ |

(JPGL2017-CQ5)

推奨 中等症持続型以上の基本治療では ICS を用いることが提案される。

推奨度	エビデンスレベル	投票結果	
2	**B** (中)	1. ICS を用いることを推奨 2. ICS を用いることを提案 3. LTRA を用いることを提案 4. LTRA を用いることを推奨	7%　（ 1/15) 73%　(11/15) 20%　（ 3/15) 0%　（ 0/15)

解 説

　LTRA と ICS の有用性を比較検討した小児を対象とした無作為化比較対照試験は 20 試験存在した。対象年齢は 2～18 歳で、重症度について 15 試験は軽症～中等症（JPGL では中等症以上に相当）、残りの 5 試験は不明であり、介入期間は 4～8 週の試験が多く、最長は 52 週であった。全身性ステロイド薬を必要とする急性増悪（発作）が起きた人数は 7 試験で ICS 群が LTRA 群と比較して有意に少なかった。一方、経過中に急性増悪（発作）により入院治療を要した人数、発作治療薬を使用しない日数（rescue-free days）、炎症マーカー（末梢血好酸球数、喀痰中好酸球数）、FEV_1 の改善率では両群間に有意差は認めなかった。JPGL における間欠型・軽症持続型や 2 歳未満を対象とした試験は存在せず、これらを対象とした有用性は検討できなかった。したがって、中等症持続型以上の基本治療では ICS の使用が推奨されるが、より軽症例や低年齢に関しては今後の検討課題である。

[参考文献]

1) Chauhan BF, Ducharme FM. Anti-leukotriene agents compared to inhaled corticosteroids in the management of recurrent and/or chronic asthma in adults and children. Cochrane Database Syst Rev. 2012 ; 2012 (5) : CD002314.

2) 三浦太郎, 平口雪子, 杉山　剛, 他. 日本小児アレルギー学会ガイドライン委員会報告. 日小ア誌. 2017 ; 31 : 313-25.

CQ 7 New

小児喘息患者の長期管理において、ダニアレルゲン特異的免疫療法は有用か？

推奨

ダニに感作された小児喘息患者にダニアレルゲン特異的免疫療法を標準治療とすることが提案される。ただし、現時点では舌下免疫療法は喘息への保険適用がない。

推奨度	エビデンスレベル	投票結果	
2	**B** (中)	1. 標準治療とすることが推奨 2. 標準治療とすることが提案 3. 標準治療としないことが提案 4. 標準治療としないことが推奨	5%（ 1/20） 50%（10/20） 40%（ 8/20） 5%（ 1/20）

解説

　小児喘息患者におけるダニアレルゲン特異的免疫療法とプラセボを比較検討した無作為化比較対照試験は、皮下免疫療法（SCIT）と舌下免疫療法（SLIT）を合わせて16試験あった。SCITの検討では、喘息症状、頓用薬の使用、全身性ステロイド薬の使用、長期管理薬の使用量に対する改善効果が認められたが、医療機関受診回数や呼吸機能には有意差は認められなかった。SLITでは、喘息症状や呼吸機能に対する改善効果が認められたが、頓用薬の使用、全身性ステロイド薬の使用、長期管理薬の使用量には有意差は認められなかった。また、SCITでは死亡例を含む副反応が報告されており、SLITにも全身症状は少ないながら副反応が報告されている。以上より、ダニアレルゲン特異的免疫療法には小児喘息に対する治療効果が期待でき、十分な注意を払った上でダニに感作された小児喘息に対する長期管理における標準治療の一つとすることを提案する。

　本推奨に際してガイドライン委員の中でも意見が分かれ、現状での標準治療としての提案に懸念する意見もあった。しかし、一定の効果が認められることと今後の治療方法の改良などによる安全性の確立に期待して標準治療として提案した。なお、現時点でわが国では5歳以上の小児喘息に対してSCITの保険適用があるが、SLITは小児喘息に保険適用がない。

[参考文献]

1) Rice JL, Diette GB, Suarez-Cuervo C, et al. Allergen-specific immunotherapy in the treatment of pediatric asthma：A Systematic Review. Pediatrics. 2018；141：e20173833.

2) 田中裕也, 佐藤幸一郎, 鈴木修一, 他. 喘息治療・管理ガイドライン委員会報告. 日小ア誌. 2020；34：428-33.

CQ 8	小児喘息患者の急性増悪（発作）時に吸入ステロイド薬（ICS）の増量は有用か？

(JPGL2017-CQ7)

推 奨	急性増悪（発作）時に ICS を増量しないことが提案される。

推奨度	エビデンスレベル	投票結果	
3	B (中)	1. ICS を増量することを推奨	0%　（0/15）
		2. ICS を増量することを提案	20%　（3/15）
		3. ICS を増量しないことを提案	47%　（7/15）
		4. ICS を増量しないことを推奨	33%　（5/15）

解 説

　急性増悪（発作）時の ICS の増量効果について検討した無作為化比較対照試験は成人対象のものを含めて 5 試験であった。4 試験は急性増悪（発作）時に ICS を倍量吸入し、1 試験は 4 倍量吸入して検討していた。対象として、15 歳未満を含んでいるものは 2 試験で、いずれもその後の全身性ステロイド薬投与の回避、予定外受診の回避、緊急入院の回避などが検討され、ICS 増量による有効性は示されていなかった。また、6 歳未満の児を対象にした試験は存在しなかった。JPGL2017 以降、新たに関連する 1 試験の報告があった。その試験では 5～11 歳を対象とし、急性増悪（発作）の前駆症状が見られた際に ICS を 5 倍に増量しても、全身性ステロイド薬を必要とする急性増悪（発作）の発生率は低下しなかった。さらに、5 倍に増量した群は身長増加が年間 0.23 cm 低下していたことから、ICS 増量による悪影響の可能性も指摘された。現時点では、急性増悪（発作）時に ICS 増量の有効性を示す根拠は存在せず、全身性ステロイド薬投与の回避などの目的で ICS を増量しないことが提案される。

[参考文献]

1) Kew KM, Quinn M, Quon BS, et al. Increased versus stable doses of inhaled corticosteroids for exacerbations of chronic asthma in adults and children. Cochrane Database Syst Rev. 2016；(6)：CD007524.

2) 川本典生，清水麻由，赤司賢一，他．日本小児アレルギー学会ガイドライン委員会報告．日小ア誌．2017；31：336-42.

3) Jackson DJ, Bacharier LB, Mauger DT, et al. Quintupling Inhaled Glucocorticoids to Prevent Childhood Asthma Exacerbations. N Engl J Med. 2018；378：891-901.

CQ 9	小児喘息患者において、急性増悪（発作）時に短時間作用性吸入 β_2 刺激薬（SABA）を反復吸入する場合は、スペーサーを用いた加圧噴霧式定量吸入器（pMDI）による吸入と吸入液の電動ネブライザーによる吸入とどちらが有用か？ (JPGL2017-CQ6)

推奨	SABA の吸入方法として、スペーサーを用いた pMDI による吸入と吸入液の電動ネブライザーによる吸入のいずれも提案される。

推奨度	エビデンスレベル	投票結果	
2	**C**（弱）	1. いずれも同等に推奨	7%　(1/15)
		2. いずれも同等に提案	73%　(11/15)
		3. 一方のみを提案	20%　(3/15)
		4. 一方のみを推奨	0%　(0/15)

解説

　小児を対象として反復吸入の効果を検討した無作為化比較対照試験は救急外来 15 試験、入院 2 試験が存在した。メタ解析の結果、スペーサー使用群はネブライザー使用群と比較して入院リスクが低下する傾向にあり、救急外来での滞在時間は有意に短く、有害事象として脈拍数の増加率や振戦の頻度も有意に低い結果となった。また、入院では両群で入院期間や喘息スコアに差を認めず、有害事象としての動悸や不穏の頻度はスペーサー使用群で有意に低い結果となった。ただし、今回の検討では、①対象患者に重積発作が含まれていない、②家庭での使用を評価した試験がない、③SABA 単回吸入の比較試験では有意差が認められない、④日本で頻用されているプロカテロールによる報告がない、⑤SABA の用量が日本の常用量を超えている、⑥スペーサーの共用による感染リスクが評価されていないなどの点に留意する必要があり、わが国での適応を検討するにあたってはさらなる検証が望まれる。したがって、現時点では両吸入法とも優劣をつけがたく、いずれの吸入方法も提案される。

[参考文献]

1) Cates CJ, Welsh EJ, Rowe BH. Holding chambers (spacers) versus nebulisers for beta-agonist treatment of acute asthma. Cochrane Database Syst Rev. 2013；2013 (9)：CD000052.

2) 杉本真弓, 鈴木修一, 夏目　統, 他. 日本小児アレルギー学会ガイドライン委員会報告. 日小ア誌. 2017：31：326-35.

3) Leelathipkul L, Tanticharoenwiwat P, Ithiawatchakul J, et al. MDI with DIY spacer versus nebulizer for bronchodilator therapy in children admitted with asthmatic attack. J Med Assoc Thai. 2016；99 Suppl 4：S265-74.

4) Mitselou N, Hedlin G, Hederos CA. Spacers versus nebulizers in treatment of acute asthma - a prospective randomized study in preschool children. J Asthma. 2016；53：1059-62.

| CQ 10 New | 小児喘息患者の急性増悪（発作）時の入院治療に全身性ステロイド薬は有用か？ |

推奨 入院治療に全身性ステロイド薬を投与することが提案される。

推奨度	エビデンスレベル	投票結果	
2	**C** **(弱)**	1. 投与することが推奨 2. 投与することが提案 3. 投与しないことが提案 4. 投与しないことが推奨	25%　(5/20) 70%　(14/20) 5%　(1/20) 0%　(0/20)

解説

　小児喘息患者の入院治療における全身性ステロイド薬の効果を検討した無作為化比較対照試験は10試験あった。いずれの試験にも集中治療を要する患者や定期的な経口ステロイド薬服用患者は含まれていなかった。急性増悪（発作）による入院中の全身性ステロイド薬投与は、症状の早期改善と退院後の再燃減少に効果が認められた。しかし、入院期間、呼吸機能、酸素投与期間、気管支拡張薬の需要には有意な効果は認められなかった。年齢に関しては、6歳以上を対象とした1試験で症状スコアの改善が見られ、6歳未満を対象とした試験では改善効果は認められなかった。その他のアウトカムでは対象年齢による効果の違いを検討できるデータは存在しなかった。副作用についてはプラセボと比較して有意差がないという報告が多い一方で、一過性の副腎抑制を認めるという報告も存在した。現時点では、入院患者全例に対して全身性ステロイド薬投与を推奨する強い根拠は存在していない。しかし、急性増悪（発作）の際の症状改善に効果が認められており、発作強度や症状改善の程度を評価し、漫然と投与することなく必要十分な期間において全身性ステロイド薬を使用することが提案される。

[参考文献]

1) Smith M, Iqbal S, Elliott TM, et al. Corticosteroids for hospitalised children with acute asthma. Cochrane Database Syst Rev. 2003；2003 (2)：CD002886.

2) 山出晶子, 北沢　博, 和田拓也, 他. 喘息治療・管理ガイドライン委員会報告. 日小ア誌. 2020；34：291-302.

CQ 11 New 小児喘息患者の急性増悪（発作）時に特定の経口ステロイド薬の使用法（種類、用量、期間など）が推奨されるか？

推奨 急性増悪（発作）時に特定の経口ステロイド薬の使用法は提案されない。

推奨度	エビデンスレベル	投票結果	
3	D（とても弱い）	1. 特定の使用法にすることを推奨	0%（0/20）
		2. 特定の使用法にすることを提案	25%（5/20）
		3. 特定の使用法にしないことを提案	45%（9/20）
		4. 特定の使用法にしないことを推奨	30%（6/20）

解説

　小児喘息患者の急性増悪（発作）に対して経口ステロイド薬の異なる使用法による効果を検討した無作為化比較対照試験は9試験あった。それぞれの試験では、薬剤の種類（プレドニゾロンとデキサメタゾン）、用量（プレドニゾロン）、期間（プレドニゾロンやデキサメタゾン）について検討していた。急性増悪（発作）による入院、追跡期間中の再入院、追跡期間中の医療従事者の訪問を必要とする再燃に関して、いずれの試験においても使用法の違いによる差は認められなかった。また、重篤な有害事象はいずれの試験でも認めなかった。以上の結果より、急性増悪（発作）時における経口ステロイド薬の使用法の違いによる臨床効果の優劣は明らかではなく、推奨される特定の使用法はない。

[参考文献]

1) Normansell R, Kew KM, Mansour G. Different oral corticosteroid regimens for acute asthma. Cochrane Database Syst Rev. 2016；(5)：CD011801.
2) 山出晶子，北沢　博，和田拓也，他．喘息治療・管理ガイドライン委員会報告．日小ア誌．2020；34：303-11.

CQ 12 New

小児のウイルス感染による喘鳴の治療にロイコトリエン受容体拮抗薬（LTRA）は有用か？

推奨

小児のウイルス感染による喘鳴の治療として LTRA を投与しないことが提案される。

推奨度	エビデンスレベル	投票結果	
3	**B** **(中)**	1. 投与することが推奨される 2. 投与することが提案される 3. 投与しないことが提案される 4. 投与しないことが推奨される	15%（ 3/20） 30%（ 6/20） 50%（10/20） 5%（ 1/20）

解 説

　小児のウイルス感染に伴う喘鳴に対して LTRA の投与の効果を検討した無作為化比較対照試験は 4 試験あった。3 試験は 5 歳未満を、1 試験は 2〜14 歳を対象としていた。また、2 試験ではすでに喘息と診断されたものが対象となっていた。小児のウイルス感染による喘鳴に対して LTRA を使用することで、経口ステロイド薬の使用、救急外来受診や入院回数などを減らす効果は認められなかった。一部の項目（症状スコア、医療機関への予定外受診率、1 日あたりの気管支拡張薬の使用頻度）において統計学的に有意差のある有効性が認められたが、臨床的な有用性を示すほどの差ではなかった。小児のウイルス感染による喘鳴の治療として LTRA を投与しないことが提案される。

[参考文献]

1) Brodlie M, Gupta A, Rodriguez-Martinez CE, et al. Leukotriene receptor antagonists as maintenance and intermittent therapy for episodic viral wheeze in children. Cochrane Database Syst Rev. 2015；(10)：CD008202.

2) 川本典生, 前田麻由, 高橋亨平, 他. 喘息治療・管理ガイドライン委員会報告. 日小ア誌. 2020；34：312-8.

第2章

定義、病態生理、診断、重症度分類

第2章 定義、病態生理、診断、重症度分類

要旨

- 喘息は、気道の慢性炎症を特徴とし、発作性に起こる気道狭窄によって、咳嗽、呼気性喘鳴、呼吸困難を繰り返す疾患である。

- 組織学的には気道炎症が特徴で、小児でも気道リモデリングが認められる。呼吸生理学的には気道過敏性の亢進から引き起こされる気流制限が特徴である。

- 小児喘息ではアトピー型が多く、特異的 IgE 抗体が高率に認められる。

- 小児喘息の発作強度は小・中・大発作および呼吸不全の 4 段階に区分され、呼吸状態と生活状態の障害程度によって判定する。

- 小児喘息の重症度は、間欠型、軽症持続型、中等症持続型、重症持続型に区分される。

- すでに長期管理薬を使用している患児の重症度を判定する場合には、現在の治療ステップを考慮して判断する必要がある。

- 小児喘息の重症度と『喘息予防・管理ガイドライン 2018』(JGL2018) の成人喘息における重症度を比較すると、小児の軽症持続型は成人の軽症間欠型に相当し、小児と成人では重症度判定に 1 段階のずれがある。

- 小児喘息においては、無治療・無症状になったときから寛解と判定して「寛解○年目」と表現する。

1. 喘息とは

　喘息は、気道の慢性炎症を特徴とし、発作性に起こる気道狭窄によって、咳嗽、呼気性喘鳴、呼吸困難を繰り返す疾患である。これらの臨床症状は自然ないし治療により軽快、消失するが、ごく稀には致死的となる。気道狭窄は、気管支平滑筋収縮、気道粘膜浮腫、気道分泌亢進を主な成因とする。基本病態は、慢性の気道炎症と気道過敏性の亢進であるが、小児においても気道の線維化、平滑筋肥厚など不可逆的な構造変化（リモデリング）が関与する（図 2-1）。喘息の発症には特定の遺伝因子と環境因子の両者が相互に作用し合って関与すると考えられる。

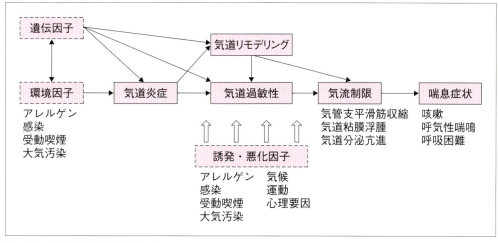

図 2-1　小児喘息の成因と病態

2. 病態生理 (図 2-2)

　小児喘息の病態生理、特に気道炎症については成人ほどには解明が進んでいない。また、成人と病態生理を同一視できるか否かの疑問も、乳幼児を中心に多く残っている。低年齢ほど症状の変化が激しく、客観的指標が得られにくいため、病態生理には不明な点が多い。成人喘息との病態比較では共通な部分と小児に特異的な部分とが共存する。ここでは小児期の喘息の病態に関し、良質と思われるエビデンスを提示した文献を参考に整理した。
　まず、要点は以下の通りである。

①喘息は、特定の遺伝素因にいくつかの環境因子が作用すると発症する。基本病態は気道の慢性炎症であり、主に炎症の結果、気道過敏性亢進を生じ、これにさまざまな誘発・悪化因子が作用すると気管支平滑筋の収縮、気道粘膜の浮腫、気道分泌亢進による気流制限が引き起こされて喘息症状に至る。気流制限は可逆的であり、反復する。炎症は器質的変化である気道のリモデリングも起こし、リモデリングによって気道過敏性はさらに亢進し、気流制限も起こしやすくなる。一方、リモデリングと気道過敏性は気道炎症（後天的）だけでなく、遺伝因子（先天的）もその成立に関与する。

②小児期においても、喘息は好酸球、マスト細胞、リンパ球などの活性化と気道粘膜傷害を伴う気道の慢性炎症性疾患と考えられる。小児に多いアトピー型喘息（吸入アレルゲンに特異的IgE抗体を証明し得る病型）では、IgE抗体の関与する2型気道炎症が主である。近年、2型のアレルギー炎症は、獲得免疫系の2型ヘルパーT細胞（Th2細胞）のみならず、自然免疫系に属する2型自然リンパ球（ILC2）によっても惹起されることが明らかになっている。

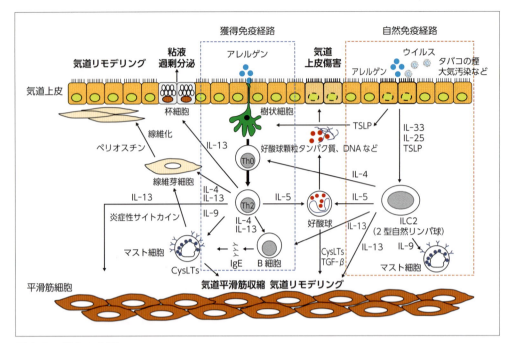

図 2-2 喘息の病態
CysLTs：システイニルロイコトリエン　TGF：トランスフォーミング増殖因子　Th：ヘルパーT細胞　IL：インターロイキン　TSLP：thymic stromal lymphopoietin, 胸腺間質性リンパ球新生因子

2型気道炎症は、アレルゲンを特異的に認識してTh2細胞の活性化に至る獲得免疫経路とアレルゲン・病原体・大気汚染物質などの刺激で気道上皮から放出されるIL-33、IL-25、TSLPなどがILC2を活性化する自然免疫経路の2つによって惹起されると考えられる。獲得免疫系、自然免疫系の両者ともIL-13、IL-4、IL-5などの2型サイトカインによりB細胞、マスト細胞、好酸球といった細胞群を活性化して2型炎症が進行する。また、マスト細胞や好酸球は種々のメディエーターを産生して気道上皮の傷害、平滑筋や線維芽細胞の活性化による線維化、気道リモデリングに関与する。獲得免疫経路と自然免疫経路は独立して稼働するものではなく、相互に関連し合って喘息の2型炎症に関与すると考えられている。

③小児期の喘息においても、基底膜下網状層へのコラーゲンとフィブロネクチンなどの細胞外基質の沈着（いわゆる基底膜肥厚）、気道上皮細胞の杯細胞化生、気道平滑筋細胞の肥大・増殖、粘膜下腺過形成などを特徴とする気道リモデリングが存在あるいは進行し得る。この気道炎症・気道リモデリングは、平滑筋収縮や気道粘膜の腫脹、粘液腺過形成による気流制限に密接に関与する。

④喘息が慢性炎症性疾患であるという考え方は、喘息の診断、予防および管理にとって重要な意味を持つ。2型気道炎症を中心とした喘息の病態を図2-2に示す。

1）気道炎症

アトピー型喘息の患者では、吸入したアレルゲンが気道の抗原提示細胞に取り込まれ、その抗原を認識するTh細胞がTh2細胞に分化する。Th2細胞が活性化されるとIL-4、5、9、13などのTh2サイトカインを産生する。この結果、好酸球の活性化などによる気道炎

症が生じるとともにIgE抗体が産生される。アレルゲンに対する特異的IgE抗体はマスト細胞表面のFcεRⅠに結合する。ここに当該のアレルゲンが結合して架橋形成が起こると、マスト細胞が活性化して各種の化学伝達物質およびサイトカインが放出され、一連の炎症反応が引き起こされる。アレルゲンの曝露が持続すれば、この反応が持続して気道炎症は慢性の経過をとる。また、気道炎症の成立・進展には、ウイルス感染や受動喫煙なども重要な役割を果たす[1]。

　低年齢ほど病態解明は困難となる。しかし、乳幼児を対象として得られたBALFの解析データによれば、成人喘息と同様に好酸球、リンパ球、マクロファージ／単球を中心とした細胞増多およびBALF中のロイコトリエン（LT）E_4、B_4濃度の上昇が認められた[2]。

　対象年齢を青年期にまで拡げた研究からは好酸球を中心とする気道炎症が喘息の基本病態であることが示唆されている。すなわち喘息児においては、血清ECP値の上昇[3,4]、FeNO[5]や呼気凝縮液中LT[6]の増加、喀痰中の好酸球や上皮細胞数の増加[7~9]、BALF中好酸球、好中球、上皮細胞数とECP濃度の増加[10~13]が認められる。特に注目すべきは無治療下で1年以上喘息症状のない寛解児のBALF所見において有意な好酸球数増加を認めた点であり真の寛解とは何かを考える上で示唆を与えている[10]。好酸球は細胞内の顆粒タンパク質や自己のDNAを放出して気道上皮傷害を誘導することが報告されている[14]。

　気道粘膜の生検サンプルを基に検討した研究によれば、好酸球、マスト細胞、リンパ球の増加や活性化が認められるなど、これらの細胞の病態への関与を示唆する報告がある[15~19]。一方で、好酸球の活性化に否定的な報告も認められる[17,20,21]。乳幼児の気道粘膜の生検による検討では、1歳前後の喘息が疑われる多くの症例では基底膜肥厚や粘膜に好酸球浸潤は認められないが、2~5歳の喘息が疑われる症例には基底膜肥厚や好酸球浸潤が認められる傾向にあるとの報告があり、年齢によって異なる可能性がある[22,23]。

　一方、自然免疫系の研究が急速に進歩しており、アレルゲン特異的な反応を介さない炎症の機序として、気道上皮細胞を中心とした炎症のカスケードが新たに同定された。すなわち、ウイルスやダニ、タバコの煙などパターン認識受容体を介して認識した気道上皮細胞がIL-33、IL-25、TSLPなどのサイトカインを産生し、ILC2を刺激し、強力な炎症を気道に惹起することが報告されている[24~26]。最近の研究ではILC2が産生するIL-4、IL-13がTh2細胞やB細胞の分化にも関連することが示されており、自然免疫系と獲得免疫系は独立ではなく、協同して2型アレルギー反応に関与することが示唆されている。ILC2の喘息発症における関与は、ステロイド薬に抵抗性を示す患者の病態解明や小児喘息の発症にも大きく関わる仮説として、今後さらなる検討が必要である。

2）気道リモデリング

　気道リモデリングは、呼吸抵抗の上昇や気道過敏性亢進に関与するため、難治化の要因と考えられている。非可逆的な気道変化であり、通常は、基底膜肥厚、粘膜層の慢性的な腫

脹、平滑筋の肥大、気管支粘膜下腺過形成といった組織構成要素の変化を意味する。小児では研究結果は一定していないが、Th2細胞やILC2から産生されるIL-13により気道の線維芽細胞からペリオスチンが産生されて組織の線維化に関与すると考えられている[27]。

気道リモデリングの評価に関して非侵襲的な手段は確立されておらず、生検や剖検材料によるため小児を対象とした報告は限られているが、小児においても気道リモデリングは認められ、発症早期や軽症例においても存在・進行し得ることが推測される[15~21,28]。

重症の喘息児において基底膜下網状層へのコラーゲン沈着（基底膜肥厚）、気道上皮細胞の杯細胞化生、気道平滑筋細胞の肥大・増殖などの気道リモデリング所見が認められているが[18,20,21]、軽症児[15]、1年以上の寛解が認められる児[16]、そして喘息発症前と考えられる児（1~11歳）[28]においても基底膜肥厚が認められたという報告もある。一方、重症の喘息児に施行した気管支生検の結果からは、基底膜肥厚は年齢、罹患年数、呼吸機能、好酸球性炎症と関連しないという報告もあり、今後さらなる検討が必要である[20]。

3）気道過敏性

気道過敏性は喘息の重要な臨床的特徴であり、さまざまな刺激に対する気道反応の過剰な亢進性と理解されている。喘息における気道過敏性の普遍性は乳幼児期からすでに認められることや、アトピー型、非アトピー型のいずれでも同様に認められる点からも理解できる。その成立には、慢性の気道炎症の関与が大きいが、気道リモデリングや先天的な素因における遺伝子の関与も考えられている。気道過敏性を獲得するとアレルゲンのみならず、運動、冷気、タバコや花火の煙などに対しても気道狭窄が生じやすくなり、咳嗽、喘鳴、呼吸困難などの呼吸器症状が引き起こされる。小児喘息の特徴は、乳幼児期の発症から思春期に向けた寛解傾向という経過が認められることであるが、気道過敏性においても獲得、成立、改善という流れで経過すると推測されている。小児では気道径の狭小性、気道粘液の過分泌傾向、易感染性など年齢的な諸因子の関与も大きく、成人とは異なる成立機序が存在すると思われる。

4）気流制限

喘息の特徴的な症状である反復する喘鳴や呼吸困難は、気管支平滑筋の収縮、気道粘膜の浮腫、気道分泌亢進による可逆的な気流制限により生じる。気道炎症により引き起こされる気道過敏性や気道リモデリングの認められる喘息患者ではアレルゲンや感染などの誘発・悪化因子によって気流制限が発現すると考えられる。通常はβ_2刺激薬の吸入により改善するが、急性増悪（発作）時のみならず、症状の訴えのない期間でも気流制限が存在する症例も認められるため、よりよい治療・管理のために、定期的な呼吸機能検査が望まれる。

5）アレルゲン曝露による気道狭窄と気道炎症

多くの小児喘息患者では吸入アレルゲンに感作（特異的IgE抗体産生）を認め、アレルゲンへの曝露は急性増悪（発作）の誘発とともに気道の慢性炎症の誘導にも関わる。また、急性増悪（発作）においては、原因アレルゲン吸入の数分後から気道狭窄が生じ、咳嗽・喘鳴・呼吸困難などの症状が誘発される即時型喘息反応と、3〜8時間後に再び気道狭窄が生じる遅発型喘息反応などの機序が考えられている。

3. 診断（図2-3）

臨床診断には、反復する発作性の喘鳴や呼吸困難、可逆的な気流制限、気道過敏性亢進を確認することに加えて、喘息以外の疾患を除外することが重要である。アレルギー素因を確認することにも意義があるが、これだけでは診断の根拠にはならない。また、小児では呼吸機能検査が困難な症例が多いため、実際にはアレルギー素因、臨床症状、診察所見、検査所見などを参考として総合的に判断する。

類似症状を示す気道系や心血管系の疾患を除外する（乳幼児喘息の診断に関しては第9章を参照）。

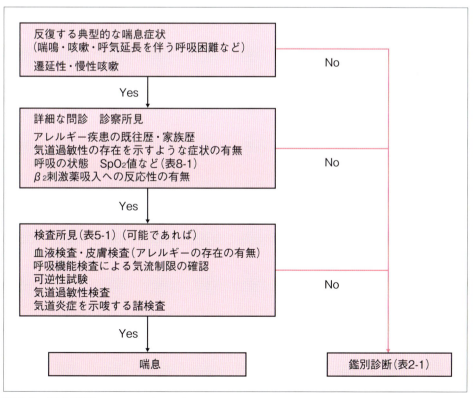

図2-3　喘息診断のフローチャート

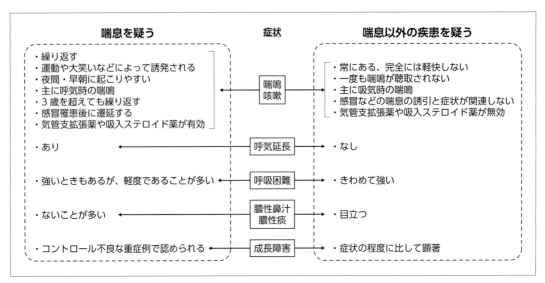

図 2-4　喘息／喘息以外を疑う症状

1) 症状・所見

　喘息の急性増悪（発作）の典型的な症状・所見は、喘鳴や咳嗽、および呼気延長を伴う呼吸困難である。増悪時の呼吸困難は呼気性が主体であるが、症状が進むと吸気性呼吸困難も認められる。喘鳴や呼気延長は安静換気時に明らかでなくとも、強制呼出させると顕在化することがある。さらに、呼吸状態のみでなく、会話などの生活の状態や意識障害の評価を行うことも重要である。このような症状が、運動や呼吸器感染症、アレルゲンの吸入、気候の変動などにより反復することが確認されれば、症候学的に喘息と診断することは比較的容易である。喘息を疑う症状ならびに喘息以外を疑う症状の例を図 2-4 に示す[29]。

　喘息で認められる喘鳴は、下気道由来の呼気性の高音性喘鳴（wheezes）が特徴的である。呼吸困難とは、通常は自覚症状で定義されるが、自覚症状を訴えられない乳幼児や重症心身障がい児などにおいては、不快感あるいは苦痛を推測させる他覚所見を含める。発作強度の判定は、急性増悪（発作）時の治療管理を的確に行う上で重要であるばかりでなく、長期管理薬の選択の基となる重症度を判定する上でも不可欠である。発作強度は、小・中・大発作と呼吸不全の 4 段階に分類し、呼吸状態と生活状態の障害の度合いによって判定する（第 8 章参照）。

注）JPGL2017 より、以前から用いていた「喘息発作（asthma attack）」という用語を「喘息の急性増悪（発作）（acute exacerbation）」に改めた。近年の医学文献では、acute exacerbation が一般的に用いられているためであるが、これには attack という用語の意味が患者間で捉え方が異なる可能性があること、さらに段階的に悪化するニュアンスが希薄であることによる（GINA）[29]。一方、医師-患者間では、喘息発作という用語が使われても構わないとされている[30]。

表 2-1　鑑別を要する疾患

先天異常、発達異常に基づく喘鳴	その他
大血管の解剖学的異常	過敏性肺炎
先天性心疾患	気管支内異物
気道の解剖学的異常	心因性咳嗽
喉頭、気管、気管支軟化症	声帯機能不全（vocal cord dysfunction, VCD）
線毛運動機能異常	気管、気管支の圧迫（腫瘍など）
感染症に基づく喘鳴	うっ血性心不全
鼻炎、副鼻腔炎	アレルギー性気管支肺アスペルギルス症
クループ	嚢胞性線維症
気管支炎	サルコイドーシス
急性細気管支炎	肺塞栓症
肺炎	閉塞性細気管支炎
気管支拡張症	胃食道逆流症
肺結核	

2）アレルギー疾患の既往歴・家族歴

　一般の小児と比較して、喘息児ではアレルギー疾患の既往歴を有する者の割合が高く、家族に何らかのアレルギー疾患を有する割合が高いことが報告されているため診断に有用である。さらに、気道過敏性の存在を示唆するような症状、すなわち、運動や冷気、タバコの煙などの刺激により容易に咳嗽や喘鳴が起きることについて、既往歴として確認することも重要である。

3）検査所見

　生理検査やアレルギー検査を参考にして、診断を進めていく。呼吸機能検査により気流制限の確認が可能であり、可逆的な気流制限が認められれば、喘息の可能性は高い。これに気道過敏性検査や気道炎症に関連する諸検査を加えることにより、診断の確実性はさらに増す。血液検査や皮膚テストなどのアレルギー検査により、アレルギーの存在を確認することも診断の目安となる（第5章参照）。

4）鑑別診断

　表2-1 に示した鑑別診断が必要である。主に喘鳴を生じる疾患が挙げられるが、咳嗽の遷延する疾患や呼吸困難を伴う疾患も要注意である。年少児では、気道感染に伴い喘鳴を呈することが多く、さらに保護者が上気道由来の喘鳴（stridor）と下気道由来の喘鳴（wheezes, rhonchi）を正しく分類することは難しいことも考慮に入れる。また、喘息であっても高音性喘鳴を示さないこともあり、さらに呼吸困難を努力性呼吸として他覚的に判断しなければならないので、年少児における喘息の鑑別診断は必ずしも容易ではない。乳幼児喘息の診断については第9章に詳述する。

気管・気管支軟化症や気管支狭窄症などの気道の狭窄性変化や、肺動脈スリングや血管輪などの大血管の解剖学的異常による気道圧迫が認められる疾患では、生後早期より反復する喘鳴が聴取されることが多い。感染症に基づく喘鳴として、鼻炎や副鼻腔炎などの上気道疾患では一般に吸気性の喘鳴（stridor）が主であることで鑑別が可能であるが、細気管支炎をはじめとする急性の下気道感染症では喘鳴（wheezes, rhonchi）が聞かれることも多く、その反復性と経過に注目すべきである。

　下気道性の喘鳴、呼吸困難が認められる気管支内異物や腫瘍性疾患は鑑別診断に苦慮することも多い。発症と経過の詳細な問診、さらには β_2 刺激薬などの治療薬の効果を勘案して診断を進める。声帯機能不全（VCD）は吸気時に開大するはずの声帯が内転することで喘鳴を来す疾患で、確定診断には喘鳴発作時の声帯運動の観察が必要となる（コラム参照）。

　重症心身障がい児においては、基礎疾患の多様性や複合する合併症のために喘鳴を呈する者が多い。喘鳴の原因として、骨格系の形態学的異常から気道が直接圧迫されることや呼吸運動の制約、胃食道逆流が生じやすいこと、唾液などの垂れ込みなどが挙げられる。呼吸機能検査を行いにくいため、喘息の合併を否定することが困難な症例が多い。詳細はこれに関連する指針を参照されたい[31]。

　さらに、喘息の一型として咳喘息がある。咳喘息は、「喘鳴や呼吸困難を伴わない慢性咳嗽を認め、気道過敏性の軽度の亢進が認められるも明らかな気道狭窄はなく、気管支拡張薬が有効である」[32]と定義される。成人の慢性咳嗽では3大原因疾患の一つとされるが、わが国の小児に関する疫学的研究はきわめて少ないため頻度は不明である。増悪因子は感染、運動、タバコの煙など、喘息とほぼ同様で、気道炎症が関与すると考えられている。気管支拡張薬で咳嗽が有意に改善することを確かめたのち、可能であれば気道過敏性を測定する。経過観察を行いながら、喘息に準じた診断・治療を進めていくことが勧められる。小児では成人より診断が困難であり、咳喘息と安易に診断して漫然と治療を継続することがないように注意が必要である。

コラム：声帯機能不全（vocal cord dysfunction, VCD）

　VCD は喘息と鑑別すべき疾患であり、重症喘息症例の 27～50% に合併していたとの報告がある[33, 34]。咳嗽や喘鳴、呼吸困難など喘息類似の症状を呈し、さらに空気飢餓感や構音障害、胸痛や胸部絞扼感、嚥下困難などを訴えることもある。声帯の一時的な外転不全のため吸気時に声帯が奇異性に閉鎖される。頸部に最強点を示す吸気性喘鳴（wheezes ではなく stridor）が特徴的である。このように吸気時喘鳴や吸気性呼吸困難が中心であるが、喘息との判別が困難な場合も多い。β_2 刺激薬に対して不応であり、しばしば運動、心理的ストレス、胃食道逆流（GER）などにより引き起こされる[35]。急性増悪（発作）時のスパイロメトリーで吸気ループの異常な平坦化（第5章参照）や喉頭内視鏡で声門後部のダイヤ型間隙を伴う声帯の奇異性閉鎖（図 2-5）を確認できれば診断できる[35, 36]。治療は、その誘因にも配慮しながら、主に正しい呼吸法の指導やリラクゼーション訓練、言語聴覚士の介入などが有効であるが（第6章参照）、専門的な心理療法が必要になることもある[36, 37]。

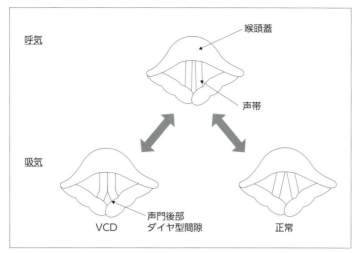
図 2-5　喉頭内視鏡の所見

4. 病型

　小児の喘息は、多様な発症因子や悪化因子が報告されていることから、「症候群」として捉えられている。なかでも、喘鳴が起こりやすい年少児では特に間口が広く、複数の表現型（フェノタイプ）が存在する（第3章・第9章参照）。

　成人の喘息におけるフェノタイプ分類では、小児期からのアトピー型喘息以外に、成人女性の肥満と関連する群などの存在が報告されている。アスピリン喘息（NSAIDs 過敏喘息）などのように、明らかに病態の異なるフェノタイプを分類することは、効果的な治療を選択できる利点がある。しかし、小児、特に年少児では成人に比べてフェノタイプ分類は困難と考えられている。

　小児の喘息の最も一般的な病型分類として、アトピー型と非アトピー型がある。アトピー型とは吸入アレルゲンに対する特異的 IgE 抗体を証明し得るもので、非アトピー型はそれを証明できないものである。小児の喘息ではアトピー型が多く、ヒョウヒダニに対する特異的 IgE 抗体が存在する頻度が高い。

5. 重症度の評価

　喘息の治療にあたり、まず患児の重症度を評価する。患児の重症度を、ある程度の期間を区切って評価・確認することにより、治療計画が立案されるだけでなく、日常生活での指導や心理的なサポートが計画できる。

　喘息の重症度は、ある期間にどの程度の喘息症状が、どのくらいの頻度で起こったかを指標にして判定される（**表 2-2**）。喘息の長期管理の開始時点でも治療中であっても、最近の6

表 2-2　小児喘息の重症度分類

症状のみによる 重症度（見かけ上の重症度）	治療ステップ	現在の治療ステップを考慮した重症度 （真の重症度）			
		治療 ステップ 1	治療 ステップ 2	治療 ステップ 3	治療 ステップ 4
間欠型 ・年に数回、季節性に咳嗽、軽度呼気性喘鳴が出現する。 ・時に呼吸困難を伴うが、短時間作用性 β_2 刺激薬頓用で短期間で症状が改善し、持続しない。		間欠型	軽症 持続型	中等症 持続型	重症 持続型
軽症持続型 ・咳嗽、軽度呼気性喘鳴が 1 回/月以上、1 回/週未満。 ・時に呼吸困難を伴うが、持続は短く、日常生活が障害されることは少ない。		軽症 持続型	中等症 持続型	重症 持続型	重症 持続型
中等症持続型 ・咳嗽、軽度呼気性喘鳴が 1 回/週以上。毎日は持続しない。 ・時に中・大発作となり日常生活や睡眠が障害されることがある。		中等症 持続型	重症 持続型	重症 持続型	最重症 持続型
重症持続型 ・咳嗽、呼気性喘鳴が毎日持続する。 ・週に 1〜2 回、中・大発作となり日常生活や睡眠が障害される。		重症 持続型	重症 持続型	重症 持続型	最重症 持続型

か月から 1 年の間の急性増悪（発作）の状況によって重症度を判定し、その重症度に適した治療薬を選択して改善を図る。治療開始前の重症度は、間欠型、軽症持続型、中等症持続型、重症持続型と分類する。小児、特に乳幼児では、間欠的に重篤な発作が起きる児が存在している。中〜大発作が月に 1 回未満であるが、年に数回生じるような場合には、中等症〜重症間欠型とも表現できる。症状のないとされる期間も本当に無症状かを問題にすべきであり、このような例は軽症持続型に準じて対応する。

　すでに治療が進められている場合は治療薬によって症状が軽減するため、治療薬の効果を加味しての（治療ステップを考慮した）重症度を「真の重症度」とする（表 2-2）。例えば、治療ステップ 4 の治療で間欠型の状態になっている患者は、重症持続型に相当する重症度である。このことを患者によく説明しておかないと、患者は治ったと錯覚して、自分の判断で治療薬を減量したり中止してしまい、慢性の気道炎症の治療が不十分になるために再び悪化したり、予期せぬ急性増悪（発作）によって生命の危険が生じることにもなる。

　それぞれの治療ステップに使用される治療薬の有無や種類が異なるので、厳密には同一の治療ステップであっても治療の濃淡が生じる。このような視点で JPGL においては個々の治療内容の変化を数量的に表す必要があると考えて治療点数を提示する（web 表 2-1）。

6. 予後（転帰）

　予後（転帰）の判定の主な項目として、治癒と寛解が用いられる。5年以上、無治療・無症状が続いた場合を臨床的治癒と、さらに、呼吸機能と気道過敏性も正常の場合を機能的治癒と便宜上考える。恒久的な治癒は小児の喘息治療における最終目標であるが、成人期に引き継がれる症例も多いため、その確認は難しい。

　寛解は無投薬で症状がない状態を示し、投薬をやめて症状が認められなくなってからの年数を「寛解〇年目」と記載する。

[参考文献]

1) Gilliland FD, Li YF, Peters JM. Effects of maternal smoking during pregnancy and environmental tobacco smoke on asthma and wheezing in children. Am J Respir Crit Care Med. 2001；163：429-36.

2) Krawiec ME, Westcott JY, Chu HW, et al. Persistent wheezing in very young children is associated with lower respiratory inflammation. Am J Respir Crit Care Med. 2001；163：1338-43.

3) Hoekstra MO, Hovenga H, Gerritsen J, et al. Eosinophils and eosinophil-derived proteins in children with moderate asthma. Eur Respir J. 1996；9：2231-5.

4) Ingram JM, Rakes GP, Hoover GE, et al. Eosinophil cationic protein in serum and nasal washes from wheezing infants and children. J Pediatr. 1995；127：558-64.

5) Frank TL, Adisesh A, Pickering AC, et al. Relationship between exhaled nitric oxide and childhood asthma. Am J Respir Crit Care Med. 1998；158：1032-6.

6) Shibata A, Katsunuma T, Tomikawa M, et al. Increased leukotriene E_4 in the exhaled breath condensate of children with mild asthma. Chest. 2006；130：1718-22.

7) Cai Y, Carty K, Henry RL, et al. Persistence of sputum eosinophilia in children with controlled asthma when compared with healthy children. Eur Respir J. 1998；11：848-53.

8) Nagayama Y, Odazima Y, Nakayama S, et al. Eosinophils and basophilic cells in sputum and nasal smears taken from infants and young children during acute asthma. Pediatr Allergy Immunol. 1995；6：204-8.

9) Gibson PG, Norzila MZ, Fakes K, et al. Pattern of airway inflammation and its determinants in children with acute severe asthma. Pediatr Pulmonol. 1999；28：261-70.

10) Warke TJ, Fitch PS, Brown V, et al. Outgrown asthma does not mean no airways inflammation. Eur Respir J. 2002；19：284-7.

11) Ennis M, Turner G, Schock BC, et al. Inflammatory mediators in bronchoalveolar lavage samples from children with and without asthma. Clin Exp Allergy. 1999；29：362-6.

12) Marguet C, Jouen-Boedes F, Dean TP, et al. Bronchoalveolar cell profiles in children with asthma, infantile wheeze, chronic cough, or cystic fibrosis. Am J Respir Crit Care Med. 1999；159：1533-40.

13) Shields MD, Brown V, Stevenson EC, et al. Serum eosinophilic cationic protein and blood eosinophil counts for the prediction of the presence of airways inflammation in children with wheezing. Clin Exp Allergy. 1999；29：1382-9.

14) Ueki S, Tokunaga T, Fujieda S, et al. Eosinophil ETosis and DNA traps：a new look at eosinophilic inflammation. Curr Allergy Asthma Rep. 2016；16：54.

15) Barbato A, Turato G, Baraldo S, et al. Airway inflammation in childhood asthma. Am J Respir Crit Care Med. 2003；168：798-803.

16) van den Toorn LM, Overbeek SE, de Jongste JC, et al. Airway inflammation is present during clinical remission of atopic asthma. Am J Respir Crit Care Med. 2001；164：2107-13.

17) Cokuğraş H, Akçakaya N, Seçkin, et al. Ultrastructural examination of bronchial biopsy specimens from children with moderate asthma. Thorax. 2001；56：25-9.

18) Payne DN, Qiu Y, Zhu J, et al. Airway inflammation in children with difficult asthma：relationships with airflow limitation and persistent symptoms. Thorax. 2004；59：862-9.

19) Cutz E, Levison H, Cooper DM. Ultrastructure of airways in children with asthma. Histopathology. 1978；2：407-21.

20) Payne DN, Rogers AV, Adelroth E, et al. Early thickening of the reticular basement membrane in children with difficult asthma. Am J Respir Crit Care Med. 2003；167：78-82.

21) Jenkins HA, Cool C, Szefler SJ, et al. Histopathology of severe childhood asthma：a case series. Chest. 2003；124：32-41.

22) Saglani S, Malmström K, Pelkonen AS, et al. Airway remodeling and inflammation in symptomatic infants with reversible airflow obstruction. Am J Respir Crit Care Med. 2005；171：722-7.

23) Saglani S, Payne DN, Zhu J, et al. Early detection of airway wall remodeling and eosinophilic inflammation in preschool wheezers. Am J Respir Crit Care Med. 2007；176：858-64.

24) Christianson CA, Goplen NP, Zafar I, et al. Persistence of asthma requires multiple feedback circuits involving type 2 innate lymphoid cells and IL-33. J Allergy Clin Immunol. 2015；136：59-68.

25) Jackson DJ, Makrinioti H, Rana BM, et al. IL-33-dependent type 2 inflammation during rhinovirus-induced asthma exacerbations *in vivo*. Am J Respir Crit Care Med. 2014；190：1373-82.

26) Kabata H, Moro K, Koyasu S. The Group 2 innate lymphoid cell (ILC2) regulatory network and its underlying mechanisms. Immunol Rev. 2018；286：37-52.

27) Izuhara K, Matsumoto H, Ohta S, et al. Recent developments regarding periostin in bronchial asthma. Allergol Int. 2015；64 Suppl：S3-10.

28) Pohunek P, Warner JO, Turzíková J, et al. Markers of eosinophilic inflammation and tissue re-modelling in children before clinically diagnosed bronchial asthma. Pediatr Allergy Immunol. 2005；16：43-51.

29) Global Strategy for Asthma. Global strategy for asthma management and prevention. 2019. GINA-2019-main-report-June-2019-wms.pdf (accessed Oct 20, 2019)

30) Normansell R. How should we describe worsening asthma in Cochrane reviews, and does it matter? Cochrane Database Syst Rev. 2014；(11)：ED000092.

31) 宇理須厚雄，岡田邦之，河野陽一，他．重症心身障害児（者）気管支喘息診療ガイドライン 2012．日小呼誌．2012；23：206-16.

32) 一般社団法人日本アレルギー学会喘息ガイドライン専門部会．喘息予防・管理ガイドライン 2018．協和企画，東京，2018.

33) Low K, Ruane L, Uddin N, et al. Abnormal vocal cord movement in patients with and without airway obstruction and asthma symptoms. Clin Exp Allergy. 2017；47：200-7.

34) Low K, Lau KK, Holmes P, et al. Abnormal vocal cord function in difficult-to-treat asthma. Am J Respir Crit Care Med. 2011；184：50-6.

35) Dunn NM, Kaial RK, Hoyte FCL. Vocal cord dysfunction：a review. Asthma Res Pract. 2015；1：9.

36) Buddiga P. Vocal cord dysfunction. https://emedicine.medscape.com/article/137782-overview

37) Weinberger M, Abu-Hasan M. Pseudo-asthma：when cough, wheezing, and dyspnea are not asthma. Pediatrics. 2007；120：855-64.

第3章

疫 学

第 **3** 章　疫　学

要旨

■ 小児喘息の有症率は世界的には依然として増加している地域が多いが、日本では横ばいから低下傾向に変わった。

■ 学童期の喘息有症率は男児で高い。

■ JPGL と長期管理薬の普及が入院数や喘息死の減少に大きく貢献したと推測されるが、喘息症状のコントロール状況や薬剤の使用状況を考慮すると、より一層の普及が望まれる。

■ 小児の喘息死亡率は低率で安定しており、2017 年以降は 0〜14 歳の喘息死はゼロであった。

　有症率などの記述疫学調査は、その地域でどれだけの患者が存在するのかを把握して、医療体制を構築していく上での重要なデータとなる。さらに、経年的に調査を継続すること、他の地域と比較すること、要因分析調査を実施することで地域差や経年的変化の要因を推測することができ、発症予防や早期介入を含めた疾病対策を計画することが可能となる。

1. 日本の疫学調査

　喘息の疫学調査はアンケート調査によるものが主流で、小児喘息の疫学調査で国際的に汎用されている調査手法は、ATS-DLD[1] と ISAAC[2] の 2 種がある。ATS-DLD は過去 2 年間の呼吸困難感や喘鳴の有無とともに医師からの診断を受けたことを診断基準とした「喘息有病率」、ISAAC は過去 12 か月における喘鳴症状の有無を基準とした「喘鳴期間有症率」を算出している。このため、ISAAC では厳密には喘息ではない患者も含まれることから、一般的に ATS-DLD より高い数値を示す（web 表 3-1、web 表 3-2）。

　わが国の小児喘息に関する疫学調査で前述の手法を用いた大規模調査として、ATS-DLD 質問票を用いた調査は、西日本小学児童調査[3,4]、環境省による調査[5] があり、ISAAC 質問票を用いた調査は、国際調査（日本では福岡県・栃木県が参加）[6]、全国の学校で実施された調査[7〜9] などがある。その他に保健福祉動向調査（平成 15 年調査で終了）[10]、文部科学省による学校保健調査[11]、厚生労働省による人口動態調査[12] や医療機関受診患者を対象とした患者調査[13] でも小児喘息の動向を知ることができる（web 表 3-3）。また、各地域で行われ

た疫学調査は、平成27年度厚生労働省研究費により作成されたアレルギー疾患対策に必要とされる疫学調査と疫学データベースに公開されている[14]。

2. 喘息有病率・喘鳴期間有症率

1）近年の国内大規模調査結果

2012年のATS-DLD質問票を用いた西日本小学児童調査では、6〜12歳の喘息有病率は4.7%であった[4]。2015年のISAAC質問票を用いた全国学校調査では、6〜8歳10.2%、13〜15歳8.2%であった[8,9]（**表3-1**）。成人では、ISAACと同様に最近12か月の喘鳴期間有症率を調査するECRHS質問票[15]を用いた2006年調査で、20〜44歳9.3%、20〜79歳10.1%であった[16]。

2）経年的変化

1963年に東京で小学生113,112人を対象に行われた調査での喘息有病率は0.7%と報告され、現在と比較して非常に低かった[17]。その後2000年頃まで小児の喘息有病率は増加したが、近年は喘息有病率や喘鳴期間有症率の低下が報告されている。西日本小学児童調査（ATS-DLD質問票）は小学生（6〜12歳）を対象に10年間隔で実施しており、喘息有病率は1982年から2002年までは上昇していたが2012年には低下した[3,4]（**図3-1**）。ISAAC質問票を用いた全国学校調査でも、6〜7歳、13〜14歳ともに喘鳴期間有症率は2005年、2008年と比較して2015年は低下傾向を示した[9]。

世界ではISAACにてphase Ⅰ（1992〜1998年）とphase Ⅲ（1999〜2004年）が比較され、一部の地域（特に喘息有症率の高い地域の13〜14歳）では喘鳴期間有症率の低下が認められたが、世界全体としては依然として増加傾向を示している（web図3-1）[6]。

東京の出生コホート研究参加者を対象としたISAACによる喘鳴有症率の年齢的変化は、2歳が24.2%とピークで、3歳から5歳までは15〜17%程度で推移し、6歳以降学童期になると年齢とともに低下する傾向にある[18]（**表3-2**）。

また、トラジェクトリー解析により、日本人小児のフェノタイプは、**図3-2**に示すように5つ（健常者を除くと4つ）に分類されることが分かった。喘鳴を全くもしくはほとんど経験しないもの（健常者）が43.7%と最も多く、乳児一過性喘鳴（transient early wheeze）

表3-1　近年の国内大規模調査結果[4,8]

調査方法	年齢（歳）	地域	調査年	回収数	有症率（%）
ATS-DLD	6〜12	西日本	2012	33,902	4.7
ISAAC	6〜8	全国	2015	42,582	10.1
	13〜15		2015	36,638	8.2

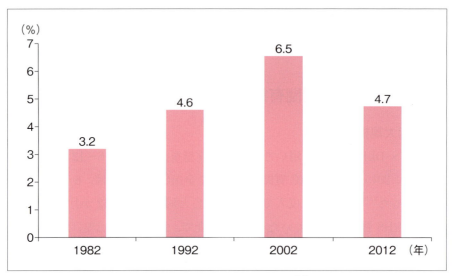

図 3-1 喘息有病率の経年変化（西日本小学児童調査）[3,4]

表 3-2 日本人小児の喘鳴有症率の年齢変化[18]

年齢（歳）	1歳	2歳	3歳	4歳	5歳	6歳	7歳	8歳	9歳
有症率	20.3%	24.2%	15.7%	16.2%	16.9%	14.0%	12.6%	10.4%	9.3%

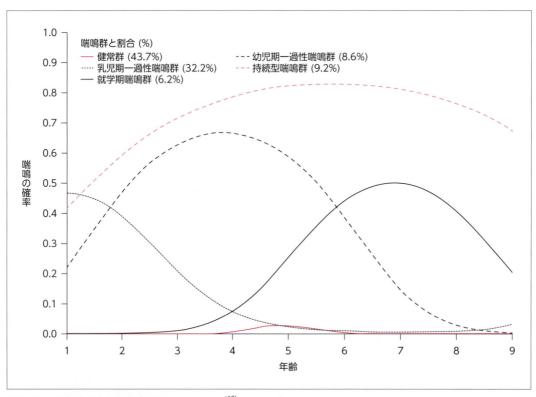

図 3-2 日本人小児の喘鳴のフェノタイプ[18]

が32.2%、持続型喘鳴（persistent wheeze）が9.2%、早期発症寛解型（early-childhood on-set remitting wheeze）が8.6%、学童前期発症寛解型（school-age onset remitting wheeze）が6.2%であった[18]。

3）年齢差・性差

　厳密には喘息でない小児も含まれる喘鳴期間有症率は低年齢で高く、成長とともに低下する傾向にあるが[19]、西日本小学児童調査では喘息有病率は学童期の間に年齢による有意な差はないと報告している[4]。年齢による有症率の変化は調査により異なるが、学童期は男児で高く、成長とともに性差はなくなる傾向がある[4,7,16,19]。

4）地域による喘鳴期間有症率の比較

　ISAAC phase Ⅲは、6〜7歳は61か国144センターで、13〜14歳は97か国233センターで実施され、喘鳴期間有症率は6〜7歳では2.4%（Jodhpur in India）〜37.6%（Costa Rica）、13〜14歳では0.8%（Tibet in China）〜32.6%（Wellington in New Zealand）と地域差が大きいと報告している[20]。日本（福岡）は欧米諸国と比較するとやや低く、アジアでは有症率が高い地域の一つであった（web 図 3-1）[6]。2015年全国調査（ISAAC質問票）による喘鳴期間有症率は、6〜8歳、13〜15歳ともに2倍程度の地域差があり、6〜8歳では西日本において喘鳴期間有症率が高い傾向を示した[8]。

3. 喘息診療

1）入院数

　厚生労働省が行っている患者調査によると、10月の調査期間中に入院した小児喘息入院患者（推計）は1996年には6,000人を上回っていたが2017年では1,000人近くまで減少し、小児の喘息患者の多くを1〜4歳が占めていた（図 3-3）[13]。

2）重症度とコントロール

　ICSなどにより多くの喘息患者は症状のコントロールが可能であると考えられているが、実際には喘息症状がコントロールできずQOLが低下している患者は少なくないという結果が日本を含め世界の多くの地域で報告されている[21~25]。日本小児アレルギー学会疫学委員会の調査では、協力施設に通院する小児の喘息患者の重症度分類による割合は間欠型30〜50%、軽症持続型30〜40%、中等症持続型10〜20%程度、重症持続型10%以下であった[21]。2011年喘息患者実態電話調査（AIRJ）調査の日本における結果では、11歳以下の小児の17%、12歳以上の小児の26%はコントロール不良であり[24]、2012年全国Web調査では6〜11歳の喘息を持つ小児の14.6%がコントロール不良であった[25]。

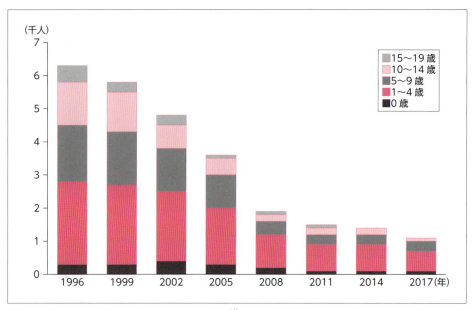

図3-3　推計喘息入院患者数の経年的変化[13]

3）長期管理薬の使用状況

　日本小児アレルギー学会疫学委員会の調査では、協力施設に通院する小児の喘息患者の40～60％がICSを使用し、LTRAは3歳以下では80％以上、6歳以上では60～75％、ツロブテロール貼付薬は5歳以下の約30％で使用されていた[21]。2011年AIRJの日本での調査ではICSを使用していた小児の喘息患者は全体の20％[24]であり、レセプトデータを解析した報告では小児の喘息患者のうち3～5歳の8.2％、6～15歳の16.5％がICSを処方されていた[26]。

4）アレルギー疾患の合併

　喘息患者に他のアレルギー疾患の合併が多いことは知られている。特にアレルギー性鼻炎は合併するだけでなく、喘息の発症やコントロール状況にも影響を及ぼす[25,27]。合併率は診断方法や対象年齢、地域により異なるが、2012年の西日本小学児童調査では、6～12歳の喘息を有する者のアレルギー疾患の合併は、アレルギー性鼻炎58.1％、アトピー性皮膚炎29.3％、食物アレルギー13.1％、アナフィラキシー3.6％であった。また、アレルギー性鼻炎患者の9.8％、アトピー性皮膚炎患者の11.8％、食物アレルギー患者の17.4％、アナフィラキシー患者の21.3％に、喘息の合併が認められた[4]。

5）発症と予後

　喘息は乳幼児期に発症することが多く、喘息を持つ学童の発症時期は2～3歳をピークにその後は緩やかに低下する傾向がこれまで報告されていたが、近年は発症の低年齢化が見られている（図3-4）[3,4]。

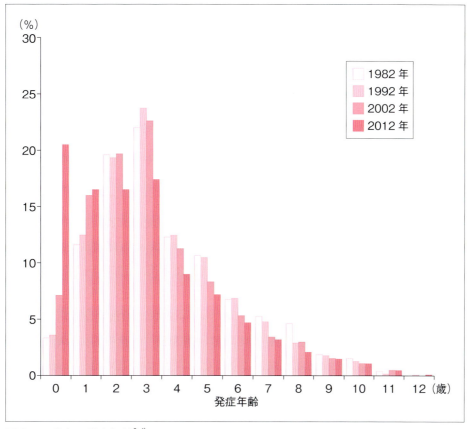

図 3-4 喘息の発症年齢[3,4]

　小児期の喘息が成人期に寛解する割合は6〜65％と報告により大きな幅がある。小児喘息患者の成人期予後を調査した海外の代表的な長期コホート研究では、男児、症状が軽度であること、気道過敏性亢進がないこと、アレルゲン感作や他のアレルギー疾患の合併がないことなどが喘息寛解に関連すると報告されている（web表3-4）[28〜31]。わが国で2003年から実施された小児喘息予後調査では、幼児期に喘息と診断された児の重症度は、間欠型が登録時7.0％から5年目で38.9％に増加していて喘息症状は概ねコントロールされていたが、ICS使用者は登録時41.6％、5年目38.1％で変化はなかった[32]。

　近年、小児期から成人期への呼吸機能の推移に関する研究結果が報告されている。北米のCAMP studyに5〜12歳で軽〜中等症喘息（JPGL2020の分類では中等症以上に相当）として参加した患者を18年間フォローしたところ75％に呼吸機能の推移の異常パターンがあり、肺の発育不良と呼吸機能の早期の低下のいずれかあるいは両方が認められた[33]。また一般を対象とした出生コホート研究では、小児期の喘息は受動喫煙、小児期の呼吸器感染や喘息の家族歴とともに成人期の呼吸機能低下のリスク因子であると報告された[34〜37]。小児期の不十分な管理や繰り返す急性増悪（発作）が成人喘息への移行や呼吸機能の低下につながると推測されるが、小児期のICS治療による介入効果は示されていない。

4. 喘息死

1）喘息死亡数と喘息死亡率

　2018 年厚生労働省人口動態統計によると、喘息死亡数は、0〜14 歳 0 人、15〜19 歳 1 人であった。人口 10 万対の喘息死亡率は全年齢では 1.4、男性 1.1、女性 1.8 となり、年齢階級別死亡率は 0〜4 歳、5〜9 歳、10〜14 歳、15〜19 歳のすべての年齢階級で 0.0 となった[12]。

2）小児の喘息死亡数と喘息死亡率の経年的変化

　小児の喘息死亡数は 1970〜2000 年頃までは 100 人を超えていたが、その数は減少を続け 2011 年以降は一桁まで低下し、2018 年では 0〜14 歳の喘息死は 0 人、15〜19 歳 1 人となった（表 3-3）。年齢階級別喘息死亡率は、0〜4 歳では 1950 年から順調に減少し、2008 年からは 0.0〜0.1 と低値で推移している。5〜19 歳の喘息死亡率は、1950 年以降 2 回上昇した時期があった。1 回目は 1960 年代に見られ、5〜9 歳、10〜14 歳、15〜19 歳の全年齢層で上昇し、中でも 10〜14 歳で顕著であった。2 回目の 1980〜90 年代の増加は 10〜14 歳、15〜19 歳の年齢層のみが増加し、以後減少に転じている（図 3-5）[12]。世界的にも喘息死亡率の低下は観察されているが、その変化は地域により異なる[38, 39]。わが国の 5〜34 歳の喘息死亡率は世界でも最も低い群に属し、5〜14 歳の喘息死亡率の低下はアジアの中でも顕著であった。

3）喘息死の実態

(1) 喘息死前 1 年間の重症度と入院歴

　日本小児アレルギー学会疫学委員会の喘息死レポート 2017 では、1989〜2017 年に登録された 252 例のうち 219 例について解析され、死亡前 1 年の重症度は重症 26％、中等症 18％、軽症 18％、不明・未記入 38％で、入院回数は 0 回 37％、1 回 15％。2 回 5％、3 回以上 14％、不明・未記入 29％であった[40]。

(2) 喘息死と喘息治療薬

　1994〜1996 年の喘息死・致死的発作に関する全国調査では、わが国の思春期から青年期における 2 回の喘息死増加は短時間作用性吸入 β_2 刺激薬（SABA）の pMDI の不適切使用が要因の一つであった可能性が指摘されている[41]。

　ICS の必要十分な投与は急性増悪（発作）を抑制して喘息死を減少させるが、中止すると継続例に比較して喘息死亡率は増加する[42]。

表 3-3 喘息死亡数の推移[12]

年	総数 ～4歳	総数 5～9歳	総数 10～14歳	総数 15～19歳	総数 0～19歳	男 0～4歳	男 5～9歳	男 10～14歳	男 15～19歳	男 0～19歳	女 0～4歳	女 5～9歳	女 10～14歳	女 15～19歳	女 0～19歳
1970	122	77	97	74	370	73	47	70	44	234	49	30	27	30	136
1975	85	33	38	35	191	48	17	28	18	111	37	16	10	17	80
1980	84	49	31	18	182	44	21	19	13	97	40	28	12	5	85
1985	51	30	56	46	183	27	20	30	32	109	24	10	26	14	74
1990	27	18	38	84	167	14	11	25	56	106	13	7	13	28	61
1995	37	15	36	54	142	18	11	22	38	89	19	4	14	16	53
2000	25	11	10	14	60	19	9	7	10	45	6	2	3	4	15
2005	14	2	3	4	23	13	0	0	3	16	1	2	3	1	7
2010	4	1	1	4	10	4	1	1	3	9	0	0	0	1	1
2011	1	1	1	2	5	1	1	1	0	3	0	0	0	2	2
2012	4	0	1	1	6	1	0	1	1	3	3	0	0	0	3
2013	4	0	2	1	7	3	0	1	1	5	1	0	1	0	2
2014	3	2	1	0	6	1	1	1	0	3	2	1	0	0	3
2015	2	1	0	2	5	0	1	0	1	2	2	0	0	1	3
2016	4	1	0	1	6	3	1	0	0	4	1	0	0	1	2
2017	0	0	0	1	1	0	0	0	1	1	0	0	0	0	0
2018	0	0	0	1	1	0	0	0	0	0	0	0	0	1	1

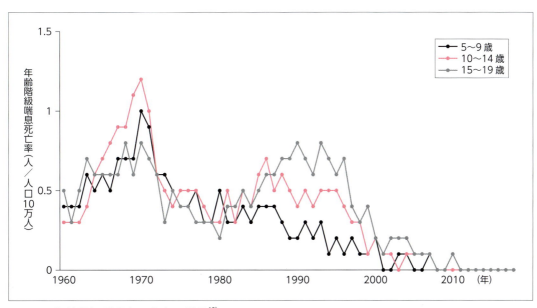

図 3-5 年齢階級別喘息死亡率の推移[12]

[参考文献]

1) Ferris BG. Epidemiology Standardization Project (American Thoracic Society). Am Rev Respir Dis. 1978；118 (6 Pt 2)：1-120.

2) Asher MI, Keil U, Anderson HR, et al. International study of asthma and allergies in childhood (ISAAC)：rationale and methods. Euro Respir J. 1995；8：483-91.

3) Nishima S, Chisaka H, Fujiwara T, et al. Surveys on the prevalence of pediatric bronchial asthma in Japan：a comparison between the 1982, 1992, and 2002 surveys conducted in the same region using the same methodology. Allergol Int. 2009；58：37-53.

4) 西間三馨，小田嶋博，太田國隆，他．西日本小学児童におけるアレルギー疾患有症率調査　1992、2002、2012 年の比較．日小ア誌．2013；27：149-69.

5) 環境省．環境保健サーベイランス調査．http://www.env.go.jp/chemi/survey/

6) Asher MI, Montefort S, Björkstén B, et al. Worldwide time trends in the prevalence of symptoms of asthma, allergic rhinoconjunctivitis, and eczema in childhood：ISAAC Phases One and Three repeat multicountry cross-sectional surveys. Lancet. 2006；368：733-43.

7) 明石真幸，赤澤　晃．気管支喘息の有病率・罹患率及び QOL に関する全年齢階級別全国調査に関する研究：全国小・中学生気管支喘息有症率調査．日小ア誌．2007；21：743-8.

8) Morikawa E, Sasaki M, Yoshida K, et al. Nationwide survey of the prevalence of wheeze, rhino-conjunctivitis, and eczema among Japanese children in 2015. Allergol Int. 2020；69：98-103.

9) Sasaki M, Morikawa E, Yoshida K, et al. The change in the prevalence of wheeze, eczema and rhino-conjunctivitis among Japanese children：Findings from 3 nationwide cross-sectional surveys between 2005 and 2015. Allergy. 2019；74：1572-5.

10) 厚生労働省．保健福祉動向調査．https://www.mhlw.go.jp/toukei/saikin/hw/hftyosa/hftyosa03/index.html

11) 平成 25 年度学校生活における健康管理に関する調査事業報告書．https://www.gakkohoken.jp/books/archives/159

12) 厚生労働省．人口動態調査．https://www.mhlw.go.jp/toukei/list/81-1.html

13) 厚生労働省．患者調査．https://www.mhlw.go.jp/toukei/list/10-20.html

14) 日本小児アレルギー学会．アレルギー疾患疫学調査文献データベース．https://jspaci5.jp/allergysurvey.jp/index/

15) Burney PG, Luczynska C, Chinn S, et al. The European Community Respiratory Health Survey. Eur Respir J. 1994；7：954-60.

16) Fukutomi Y, Nakamura H, Kobayashi F, et al. Nationwide cross-sectional population-based study on the prevalences of asthma and asthma symptoms among Japanese adults. Int Arch Allergy Immunol. 2010；153：280-7.

17) Baba M, Nakamura T, Mitsukawa M. Clinical aspects of bronchial asthma in children in Tokyo. Incidence, seasonal influences and results of skin tests. J Asthma Res. 1966；4：103-4.

18) Yang L, Narita M, Yamamoto-Hanada K, et. al. Phenotypes of childhood wheeze in Japanese children：A group-based trajectory analysis. Pediatr Allergy Immunol. 2018；29：606-11.

19) Futamura M, Ohya Y, Akashi M, et al. Age-related prevalence of allergic diseases in Tokyo schoolchildren. Allergol Int. 2011；60：509-15.

20) Lai CK, Beasley R, Crane J, et al. Global variation in the prevalence and severity of asthma symptoms：phase three of the International Study of Asthma and Allergies in Childhood (ISAAC). Thorax. 2009；64：476-83.

21) 小田嶋博，赤澤　晃，荒川浩一，他．日本小児アレルギー学会疫学委員会．喘息重症度分布経年推移に関する多施設検討　2016 年報告．日小ア誌．2018；32：303-12.

22) Rabe KF, Vermeire PA, Soriano JB, et al. Clinical management of asthma in 1999：the Asthma Insights and Reality in Europe (AIRE) study. Eur Respir J. 2000；16：802-7.

23) Wong GW, Kwon N, Hong JG, et al. Pediatric asthma control in Asia：phase 2 of the Asthma In-

sights and Reality in Asia-Pacific (AIRIAP 2) survey. Allergy. 2013；68：524-30.

24）足立　満，大田　健，東田有智，他．日本における喘息患者実態電話調査 2011．アレルギー・免疫．2012；19：1562-70.

25）Sasaki M, Yoshida K, Adachi Y, et al. Factors associated with asthma control in children：findings from a national Web-based survey. Pediatr Allergy Immunol. 2014；25：804-9.

26）Hamada S, Tokumasu H, Sato A, et al. Asthma controller medications for children in japan：Analysis of an administrative claims database. Glob Pediatr Health. 2015；2：2333794X15577790.

27）Brożek JL, Bousquet J, Agache I, et al. Allergic Rhinitis and its Impact on Asthma (ARIA) guidelines-2016 revision. J Allergy Clin Immunol. 2017；140：950-8.

28）Burgess JA, Matheson MC, Gurrin LC, et al. Factors influencing asthma remission：a longitudinal study from childhood to middle age. Thorax. 2011；66：508-13.

29）To T, Gershon A, Wang C, et al. Persistence and remission in childhood asthma：a population-based asthma birth cohort study. Arch Pediatr Adolesc Med. 2007；161：1197-204.

30）Covar RA, Strunk R, Zeiger RS, et al. Predictors of remitting, periodic, and persistent childhood asthma. J Allergy Clin Immunol. 2010；125：359-66.e3.

31）Tai A, Tran H, Roberts M, et al. Outcomes of childhood asthma to the age of 50 years. J Allergy Clin Immunol. 2014；133：1572-8.e3.

32）赤澤　晃，渡辺博子，古川真弓，他．5 歳未満で発症した症に気管支喘息児の 5 年間の経過　小児気管支喘息予後調査 2004　第 1 報．アレルギー．2018；67：53-61.

33）McGeachie MJ, Yates KP, Zhou X, et al. Patterns of growth and decline in lung function in persistent childhood asthma. N Engl J Med. 2016；374：1842-52.

34）Tai A, Tran H, Roberts M, et al. The association between childhood asthma and adult chronic obstructive pulmonary disease. Thorax. 2014；69：805-10.

35）Tagiyeva N, Devereux G, Fielding S, et al. Outcomes of childhood asthma and wheezy bronchitis. A 50-year cohort study. Am J Respir Crit Care Med. 2016；193：23-30.

36）Bui DS, Lodge CJ, Burgess JA, et al. Childhood predictors of lung function trajectories and future COPD risk：a prospective cohort study from the first to the sixth decade of life. Lancet Respir Med. 2018；6：535-44.

37）Berry CE, Billheimer D, Jenkins IC, et al. A distinct low lung trajectory from childhood to the fourth decade of life. Am J Respir Crit Care Med. 2016；194：607-12.

38）Wijesinghe M, Weatherall M, Perrin K, et al. International trends in asthma mortality rates in the 5- to 34-year age group：a call for closer surveillance. Chest. 2009；135：1045-9.

39）Chua KL, Soh SE, Ma S, et al；ia Pacific Association of Pediatric Allergy, Respirology & Immunology (APAPARI). Pediatric asthma mortality and hospitalization trends across Asia pacific：relationship with asthma drug utilization patterns. World Allergy Organ J. 2009；2：77-82.

40）楠　隆，赤澤　晃，荒川浩一，他．日本小児アレルギー学会疫学委員会（喘息死検討部会）．喘息死委員会レポート 2017．日小ア誌．2018；32：739-45.

41）Tanihara S, Nakamura Y, Matsui T, et al. A case-control study of asthma death and life-threatening attack：their possible relationship with prescribed drug therapy in Japan. J Epidemiol. 2002；12：223-8.

42）Suissa S, Ernst P, Benayoun S, et al. Low-dose inhaled corticosteroids and the prevention of death from asthma. N Engl J Med. 2000；343：332-6.

第4章 危険因子とその対策

第4章 危険因子とその対策

要旨

■ 喘息の危険因子には、発症寄与因子と増悪因子がある。喘息の発症には個体因子と環境因子が複合的に影響し、増悪にはさまざまな環境因子が関与する。個々の患者の発症・増悪に関わる危険因子を明らかにし、それらへの対策を講じることが予防の中心となる。

■ 喘息の発症に関わる個体因子には、性別、アレルギー素因、気道過敏性、出生時の低体重、肥満、遺伝因子、細菌叢の異常などがある。

■ 喘息の発症に関わる環境因子には、アレルゲン曝露、呼吸器感染症、室内空気・大気汚染物質などがある。

■ 喘息の急性増悪（発作）に関わる環境因子を明らかにして調整することは、薬物療法、患者教育と並んで喘息治療・管理の大きな柱の一つである。

■ アレルゲンへの曝露は、最も重要な増悪因子である。患者の病歴調査を注意深く行い、環境調整を行うことはきわめて重要である。室内塵ダニを含めた吸入アレルゲンや非特異的因子（タバコの煙、その他の大気汚染）の回避が推奨される。

喘息の発症に関わる遺伝因子と環境因子は、それぞれが独立の因子ではなく相互に影響し合っており（gene-environmental interaction）、環境因子の遺伝子発現制御への関与や、環境因子への感受性に関わる遺伝因子が知られている。一方、さまざまな環境因子が喘息の増悪因子となる（表4-1）。

喘息の予防は、一次予防、二次予防、三次予防に分類される。一次予防とは、喘息発症のハイリスク者に対してアレルゲンへの感作成立や喘息様症状の発症を予防することであり、免疫系への影響として気道や腸内細菌叢、呼吸器感染症、化学物質や大気汚染などに対する介入による「胎児期から乳幼児期早期における発症予防」を指す。二次予防とは、喘息様症状出現後の「典型的な喘息への移行阻止」や、アレルゲンへの感作成立後に喘息を発症していない児に対して、アトピー性皮膚炎の状況や家族の喘息歴などをもとに介入を行い、「感作成立後の喘息発症を予防」することである。三次予防とは、喘息発症後の「増悪阻止」であり、増悪因子の回避および長期管理薬によって、よりよいコントロール状態を維持することを目標とする。

表 4-1　喘息の危険因子

1. 喘息発症に関わる個体因子 　①家族歴と性差 　②素因 　　A）アレルギー素因 　　B）気道過敏性 　　C）早産児や低出生体重児、肥満 　③遺伝子 2. 喘息発症・増悪に関わる環境因子 　①アレルゲン 　②呼吸器感染症 　　A）ウイルス 　　B）肺炎マイコプラズマ、肺炎クラミジア、 　　　百日咳菌など	③室内空気・大気汚染物質 　A）受動喫煙・能動喫煙 　B）PM2.5 　C）その他の大気汚染物質 　　（煙、自動車の排気ガス、臭気） 　D）マイクロバイオーム ④その他の因子 　A）気象 　B）運動と過換気 　C）栄養 　D）心因 　E）薬物 　F）月経 　G）抗菌薬 　H）母体への薬物投与

1. 喘息発症に関わる個体因子

1）家族歴と性差

　両親に喘息が存在する場合の発症リスクは、両親とも喘息でない場合の約 3〜5 倍高いとされる[1]。また、二卵性双生児における喘息罹患の一致率（9〜26％）と比較して、一卵性双生児の喘息罹患の一致率は 38〜62％と高く[2]、遺伝因子の喘息発症への寄与を示唆する。

　小児期の喘息罹患は、女児より男児に多く認められる[3]。これは、一般に男児のほうが女児に比べて気道が狭く、気道平滑筋の緊張度が高く、IgE 値が高いことから種々の刺激に反応して気流制限が強く現れやすいためと考えられている。一方、思春期に差しかかると男児にのみ胸腔の拡大が生じるために、10 歳以降では気道径と肺容積のバランスが女児と同等になり、両性間で喘息有病率に差がなくなると考えられている[4]。成人における喘息の有病率は女性のほうが高くなる。

2）素因

(1) アレルギー素因

　アレルギー素因（アトピー素因）とは、アレルゲンへの曝露によって IgE 抗体を産生しやすい体質のことをいう。喘息の発症に関わる重要な個体因子の一つであり、喘息児の半数以上がアレルギー素因を有していると報告されている[5]。3 歳までに吸入アレルゲンに感作された小児は後に喘息を発病しやすいのに対し、8〜10 歳以降に感作された小児では喘息発症への寄与は少なく[6]、年齢による差異を認める。また、複数のコホート研究で新生児期から乳児期にかけてのアトピー性皮膚炎の罹患が喘息発症のリスクとなることが示されてい

る[7~9]。特に長期間持続した感作を伴うアトピー性皮膚炎は喘息発症のリスクとなる[7,8]。なお、アレルギー素因には家族集積性を認め、遺伝因子の関与が示唆される（詳細は遺伝の項を参照)[10,11]。

(2) 気道過敏性

気道過敏性は、さまざまな刺激に対して気道が過敏に反応し、気道収縮による気流制限を呈する状態を示す。先天的な気道過敏性には、遺伝子（詳細は遺伝の項を参照)[12]、早産[13]、低出生体重[14]、母親の受動喫煙[15]などが関与していることが知られている。

(3) 早産児・低出生体重児、肥満

低出生体重は、5歳までの呼吸器症状のリスクを高めるとの報告があるが[16]、医師の診断による喘息とは関係しなかった。また、肥満度（BMI）が高いほど、喘息を発症する危険が高いと報告されている[17,18]。エネルギー代謝を調節する肥満遺伝子産物レプチンが炎症性サイトカインとして働き、自然／獲得免疫を担う細胞に作用し、慢性炎症の成立・維持やリモデリングへ関与していることが示唆されている[19]。

3）遺伝

喘息の発症に関与する遺伝子（疾患感受性遺伝子）の同定には、かつては病態に関係する既知の遺伝子を個別に解析する候補遺伝子解析が行われていたが、最近では全ゲノムを網羅的に解析するゲノムワイド関連解析（GWAS）が主流である。web表4-1、web表4-2に、これまで報告された遺伝因子を提示する。また喘息をもつ母親の末梢血単核球と、その児の臍帯血単核球を用いたエピゲノムワイド関連解析（EWAS）では、小児喘息の発症と関連して、母児の両者において炎症抑制分子の一つである *SMAD3* 遺伝子の高度メチル化を認めており、エピジェネティクスの関与が示唆される[20]。

2. 喘息発症・増悪に関わる環境因子とその対策

環境因子は、喘息の発症と増悪の双方に関与する。個体因子と異なり、環境因子の一部は介入が可能であり、わが国や海外の喘息ガイドラインにおいて、環境因子に対する対策（環境整備）の重要性が指摘されている。

1）アレルゲン

多くの小児喘息患者が吸入アレルゲンに感作を認め、気道の吸入アレルゲンへの曝露が気道の慢性炎症の誘導に関わっていると考えられている。このため、気道の吸入アレルゲンへの曝露は発症・増悪の双方に重要な因子となる。特に発症への関与においては、3歳までに通年性アレルゲン（ダニ、ネコ・イヌの毛など）に感作された小児において、学童期の呼吸機能の低下と気道過敏性の亢進を認めることから[21]、感作の時期が重要であることが示唆さ

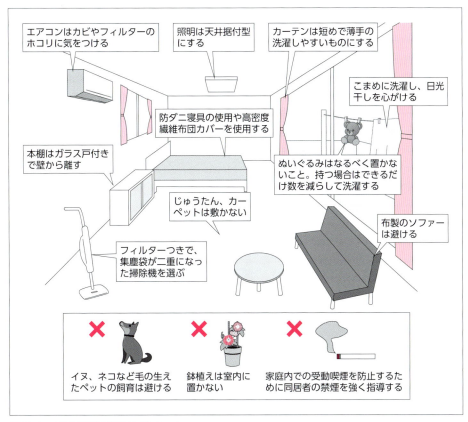

図4-1　室内環境整備のポイント

れる。また、多くの吸入アレルゲンは、プロテアーゼ活性を持ち、プロテアーゼ活性型受容体（PAR）などを介して直接的に気道上皮を活性化して2型炎症を誘導することが知られている[22]。一方、食物アレルゲンは、Baker's asthma（小麦粉を吸入して感作が成立して再度吸入することで喘息を発症するパン職人喘息）などの特殊な場合を除いて、喘息の発症・増悪との関連は乏しく、環境整備の対象とはならない。

　喘息に関連する吸入アレルゲンの多くは室内アレルゲンであり、室内塵ダニ[23]やゴキブリ[24]などの節足動物、ネコ・イヌ・ハムスターなどの哺乳動物の毛[25,26]、ペニシリウム属・アルテルナリア属などの真菌類[27,28]がある。先進国では、家屋の気密性や冷暖房・加湿設備により、これらの室内アレルゲンが増加しやすい環境となっており、曝露が増加している。一方、屋外で曝露する吸入アレルゲンとしては花粉（スギ・ヒノキ、カモガヤ、ブタクサ、ヨモギなど）、真菌類、野外昆虫類（ユスリカ）[29]などがある。

　室内塵ダニは主要な室内アレルゲンの一つである。主な室内塵ダニの種は、チリダニ類のヤケヒョウヒダニ（*Dermatophagoides pteronyssinus*）とコナヒョウヒダニ（*D. farinae*）であり、これらは通常、温帯地方のハウスダストに含まれるダニ類の90％を占める[30]。環境整備のポイントを図4-1に示す。室内塵ダニへの曝露と感作および喘息発症については、乳

表 4-2　家塵中ダニの除去のためのポイント

①床の掃除：床の掃除機がけはできるだけ毎日実行することが望ましいが、少なくとも、3日に1回は20秒/m²の時間をかけて実行することが望ましい。

②畳床の掃除：畳床のダニと寝具は相互汚染があるので、特に掃除機がけには注意が必要である。3日に1回は20秒/m²の時間をかけて実行する必要がある。

③床以外の清掃：電灯の傘、タンスの天板なども年に1回は徹底した拭き掃除をすることが望ましい。

④寝具類の管理：寝具類の管理は急性増悪（発作）を予防する上で特に大切である。1週間に1回は20秒/m²の時間をかけて、シーツを外して寝具両面に直接に掃除機をかける必要がある。

⑤布団カバー、シーツの使用：こまめなカバー替え、シーツ替えをすることが望ましい。ダニの通過できない高密度繊維のカバー、シーツはより有効である。

⑥大掃除の提唱：室内環境中のダニ数は、管理の行き届かない部分での大増殖が認められるので、年に1回は大掃除の必要がある。

児期の曝露がその後のダニによる感作との関連だけではなく[31,32]、喘息発症と関連することが知られている[6,33]。また、感作・喘息発症および喘息増悪のリスクとなる環境中のダニアレルゲン量としては、主要アレルゲンである Der p 1 量が $2\,\mu g/g$ dust 以上で感作と喘息発症、$10\,\mu g/g$ dust 以上で喘息増悪と関連し、環境整備の目安となる[32,34]。アレルギーの原因となる哺乳動物としては、ネコの主要アレルゲン Fel d 1 の感作閾値は $1\,\mu g/g$ dust、喘息の急性増悪（発作）を惹起する閾値は $8\,\mu g/g$ dust という報告がある[35,36]。

また、真菌の中で喘息の原因アレルゲンであることが証明されているのは、*Alternaria alternata* など一部の真菌だけである[37]。気道アレルギー症状を引き起こすのに必要な空気中の真菌分生子数は、アルテルナリア属で 100 個/m³ 以上、クラドスポリウム属で $3,000$ 個/m³ 以上という報告がある[38,39]。

これらのアレルゲン曝露の回避については、発症予防と増悪予防の双方に効果がある可能性があるが、単独のアレルゲンを回避するだけでは効果は乏しく、海外のガイドラインではアレルゲン曝露の回避は推奨されていない[40-42]。しかし、海外の報告からの知見が環境の異なるわが国においても当てはまるかどうかについては、十分に検討する必要がある。また、個々の患者において明らかに増悪因子となるアレルゲン曝露は回避が推奨される。中でも、わが国では喘息患者の多くにダニ感作を認めることから、アレルゲン回避の中心はダニ対策となる（**表 4-2**）。しかしながら、妊娠中から乳児期の不透過性カバーや防ダニ剤を用いた介入試験では、喘息の発症予防に一定の効果を認めておらず[43-48]、一次予防としての推奨の根拠は乏しい。一方で、家屋塵や寝具のダニ対策は、喘息の急性増悪（発作）予防効果やICS の減量効果を認めることから[49-51]、三次予防としては重要であると考えられる。

2）呼吸器感染症

(1) ウイルス

ウイルス感染症は、喘息の発症と増悪の双方に関連していることが知られている。

①喘息の発症に関わるウイルス

RSウイルス：RSウイルスは乳幼児期に気道感染症を起こすことが知られており、1歳までに約70%の児、2歳までにほぼすべての児が感染する[52]。RSウイルス感染は、多くは上気道炎を呈するのみだが、一部の乳幼児では下気道感染に進行して、喘鳴・呼吸困難といった喘息類似の症状を呈する細気管支炎を発症する。特に重症のRSウイルス細気管支炎においては、罹患後に半数以上の児が気道過敏性の亢進が持続し喘鳴を反復する[53]ばかりでなく、その後の喘鳴、喘息、アレルゲン感作の危険因子になるとの報告がある[54]。一方、ハイリスクコホート研究であるCOAST studyでは、ヒトライノウイルスと異なり、一般的なRSウイルスによる喘鳴はアレルゲン感作のリスクではなく[55]、重症RSウイルス感染症のみがアレルゲン感作や喘息の発症に寄与することが示唆される。RSウイルス細気管支炎の発症予防目的に投与される抗RSウイルスヒト化モノクローナル抗体パリビズマブを投与された早産児では、その後の6年間の経過において有意に反復性喘鳴の発症リスクが低下するが、アトピー型喘息の発症の抑制効果は認めなかった[56]。満期産児におけるRSウイルス感染症の予防が乳幼児喘息の発症予防となるかについては、さらなる検討が必要である。

ヒトライノウイルス：ヒトライノウイルスは数百種類の血清型を持つため、繰り返し感染する。かつては上気道炎の原因ウイルスとされていたが、乳幼児の細気管支炎の原因にもなり、小児喘息の発症や増悪にも関わることが、近年明らかとなってきた。オーストラリアにおけるハイリスクコホート研究では、2歳までにアレルゲン感作が認められた児のみで、1歳までの喘鳴を伴うヒトライノウイルス下気道感染症の罹患が、5歳での喘鳴のリスクであることが示されている[57]。この両者の関連には遺伝因子も関与しており、*GSDMB*などの17q21領域の遺伝子の多型により、ヒトライノウイルス感染の関与が異なることも示されている[58]。すなわち、特定の遺伝的背景のもとで、アレルギー素因とヒトライノウイルス感染症の両者が相乗的に喘息の発症に関与していると考えられる。

ヒトメタニューモウイルス：ヒトメタニューモウイルスは乳幼児期の気道感染症を起こすウイルスとして2001年に同定され、RSウイルスと同様に乳幼児期早期の細気管支炎や喘鳴の原因となる[59]。2歳までのヒトメタニューモウイルス細気管支炎は、RSウイルス細気管支炎罹患よりも、高いオッズ比で5歳時の喘息の危険因子となることが報告されている[60]。

②喘息の増悪に関わるウイルス

小児喘息の急性増悪（発作）の約90%に何らかのウイルスが上気道で検出されることから、ウイルス感染症は喘息の重要な増悪因子と考えられている。

ヒトライノウイルス：喘息の急性増悪（発作）に関わるウイルス感染の約3分の2はヒトライノウイルスであると報告されている[61]。近年新規に同定されたヒトライノウイルスC型の重要性も報告されている[62]。

エンテロウイルスD68（EV-D68）：わが国で2015年9〜10月にEV-D68の流行に伴い小児喘息の入院患者数および人工呼吸器管理を要する重篤な喘息発作が急増した[63]。

他にも RS ウイルス、ヒトメタニューモウイルス、インフルエンザウイルスなども検出される。また、新型インフルエンザ〔A（H1N1）pdm09〕の流行に伴い、喘息の重度の急性増悪が報告されている[64]。これらのウイルスに対する感染予防として、インフルエンザウイルスなど可能なものはワクチン接種が推奨されるが、喘息の急性増悪（発作）予防としての推奨の根拠はない。

(2) 肺炎マイコプラズマ、肺炎クラミジア、百日咳菌など

非定型肺炎の主要な原因微生物である肺炎マイコプラズマや肺炎クラミジア、また、百日咳菌などは喘息増悪因子である[65]。喘息入院患者の 18％にマイコプラズマ感染を合併していたとの報告もある[66]。

3）室内空気・大気汚染物質

(1) 受動および能動喫煙

タバコの煙への曝露は、喘息の増悪因子であると同時に発症寄与因子である。わが国の 2016 年の成人喫煙率は、男性 31.0％、女性 9.7％と減少傾向にあるが[67]、さらなる喫煙率の低下が望まれる。また、わが国の 2012 年の中学生の喫煙経験者率は、男性 7.7％、女性 5.5％であり[68]、小児期からの禁煙教育が必要であることが示唆される。

乳児期の受動喫煙が喘息の発症のみならず下気道感染のリスクを高め、学童期にまで及ぶ呼吸機能低下を引き起こす要因となる[69~71]。また、妊娠期間中の母親の喫煙も、同様のリスクを有すると考えられる[70,72]。さらに、タバコの煙への曝露は急性増悪（発作）の誘因となるばかりでなく、ICS の効果を減弱させる[73~76]。また、母親だけでなく祖母の喫煙が孫の喘息発症のリスク因子となることも示され、タバコの煙への曝露によるリスクがエピジェネティックに伝達されることが示唆されている[77]。保護者の禁煙による介入試験では、児の喘息重症度が軽減することが報告されている[78,79]。タバコの煙への対策としては、喫煙者に対する禁煙指導や、喘息患者の居住空間などでの喫煙の防止が挙げられる。また、近年、販売数が増加している加熱式タバコでも気道上皮細胞への毒性を示すことが明らかになっており指導が必要である[80]。

(2) PM2.5、黄砂

PM2.5 は、大気中を浮遊する微粒子のうち粒子径が 2.5 μm 以下のもので、喘息の増悪因子である。大気中の PM2.5 濃度は、喘息の急性増悪（発作）による受診率と関連する[81]。ディーゼル排気微粒子などへの対策により、わが国で排出される PM2.5 は著明に減少したが、他の東アジアの国々では非常に高濃度の PM2.5 が観測され、日本海を越えてわが国でも大気汚染を引き起こすため、喘息の発症・増悪への影響が懸念されている。また、東アジア内陸部の砂漠の砂の飛散（黄砂）は、わが国における健康被害や環境被害をもたらし、小児喘息の急性増悪（発作）との関連が指摘されている[82]。

(3) その他の大気汚染物質

　花火、線香、蚊取り線香、たき火、調理器具や暖房器具などから発生する煙、自動車の排気ガス、さらに化粧品、香水、ヘアスプレー、接着剤、防虫剤、生花などの臭気は、喘息の急性増悪（発作）の誘因になることが知られている。中でも、硫黄酸化物は強力な気道収縮作用を有するため[83]、濃度が高い一部の火山や温泉地では注意する必要がある。また、新築住宅やリフォームで発生するホルムアルデヒドなどの揮発性有機化合物（VOCs）も急性増悪（発作）の原因となる[84]。室内空気汚染の予防対策の第一は適正な換気を行うことである。特に、石油やガスを用いた暖房・調理器具の使用時は、十分な換気を行う。また、汚染物質の発生源として VOCs を発生する建材の使用や家具の持ち込みを避ける。

4）マイクロバイオーム

　乳児期早期の体内の細菌叢の確立が肺における制御性免疫応答の誘導に重要であることが、動物実験により示されている[85, 86]。健康人と比較して、喘息患者の肺細菌叢は菌量が多く、細菌叢の変化（dysbiosis）を認め[87]、喘息の病態形成に関与していることが示唆されている[88]。衛生状態の改善に伴う児の細菌叢の異常が免疫機能の成熟を妨げて、喘息の発症寄与因子となる可能性が示唆されている。その変化の原因としてエンドトキシンなど微生物成分への曝露が関与していると考えられる。伝統的な農業を行うアーミッシュの児は、工業化された農業を行うフッタライトの児と比較して喘息有症率とアレルゲン感作率が低く、前者の世帯で測定されたエンドトキシンレベルが高いことが示された[89]。わが国の 47,015 例の児を対象とした縦断研究では微生物曝露が増加すると考えられる出生順位 3 番目の児は、出生順位 1 番目および 2 番目の児と比較して 9 歳以降の喘息発症率が低かった[90]。

5）その他の因子
(1) 気象

　日照時間は制御性 T 細胞（Treg）の誘導を促進する[91]ビタミン D の生成と関連する。日照時間の短さは喘息の有症率増加と関連しており[92]、喘息の発症関連因子と考えられる。一方、曇天、台風、気温の急変などの気象の変化は、喘息の増悪関連因子である。気温の急変については、前日と比較して 3℃以上低下した日[93]や過去 5 時間以内に 3℃以上の気温低下があった場合[94]に、喘息の増悪が起こりやすい。一方、湿度および気圧に関しては一定の見解は得られていない。

(2) 運動と過換気

　運動は喘息の発症寄与因子である。長時間の過度の呼吸による気道上皮障害や炎症、訓練により運動時に副交感神経が優位になることによる気道収縮、気道炎症をもたらす寒冷空気・塩素・超微小粒子・排気ガスへの曝露などが原因と考えられている[95]。また、運動は喘息の増悪因子の一つである（運動誘発喘息：EIA）。EIA の機序としては、乾燥した冷気を

過剰に吸入することにより、冷却・再加温や水分喪失のために気道粘膜の変化、気道粘膜上の液体の浸透圧変化が起こり、気管支収縮が生じると考えられている[96,97]。また、過換気も同様に増悪因子となる（第12章参照）。

(3) 栄養

妊娠中の母の食事制限は、児の喘息発症予防とはならない[98]。妊娠中や乳幼児期早期に魚油を摂取することによる喘息発症の予防効果が示唆されている[99~101]が、2018年のメタ解析はエビデンス不十分と結論付けている[102]。妊娠中のビタミンD摂取は、反復性喘鳴を抑制することが報告されている[103]が、喘息発症予防となるかは不明である。なお、わが国での喘息児を対象とした無作為化比較試験では、ビタミンD摂取群が喘息発作の頻度と重症度を低下させた[104]。また、母乳栄養も乳児期早期の喘鳴の減少に寄与するが[105]、喘息発症予防となるかについては明確ではない[106]。以上のように、妊婦および母の栄養学的介入については、喘息発症予防という点では明確な根拠がまだ乏しく、現時点では推奨されない。

(4) 心因

精神的ストレスは喘息の発症と増悪の双方に寄与する[107]。炎症性サイトカインの産生亢進が発症に寄与している可能性が示唆されている[108]。また、激しく感情が高ぶることにより過換気となり、低炭酸ガス血症が生じることで急性増悪（発作）が誘発される[109]。心身両面の診療を行い、不安・気分障害を伴う場合には適切な心理療法の併用により、心理的因子の解消を図る。

(5) 薬物

成人喘息患者ではアスピリンなどのNSAIDsは増悪因子の一つであるが、小児においては稀である。また、β遮断薬は、内因性のカテコラミンに対してβ受容体を遮断することにより急性増悪（発作）を誘発する可能性があるため、使用する場合には選択性の高いものを用いる。

(6) 月経

月経発来年齢が低いことは、喘息の発症寄与因子となる。また、月経前や月経中の喘息の増悪も報告されている[110]。

(7) 抗菌薬

乳幼児期早期の抗菌薬使用が喘息発症のリスクとなる可能性が報告されている[111~113]。わが国のコホート研究では2歳時までの抗菌薬使用歴は5歳時の喘息罹患率に関与していたとの報告があり[113]、抗菌薬はその適応をよく考慮して処方する。

(8) 母体への薬物投与

わが国の出生コホート研究では妊娠前の経口避妊薬の使用が児の喘鳴のリスク因子であった[114]。また、同コホート研究では切迫早産の治療のためのリトドリン塩酸塩の静注投与が児の5歳時の喘息有症率のリスクを用量依存性に高めた[115]。

(9) その他

　合併症（アレルギー性鼻炎、副鼻腔炎、胃食道逆流症）、過労、アルコールなどが、喘息の増悪因子となる（第 11 章参照）。不健康な食生活や肥満などが喘息発症のリスク因子となることが報告されているが、アジアでは欧州や米国と比較して生活因子が喘息発症に影響したとの報告は少ない[116]。

3. 海外の喘息ガイドラインにおける喘息の予防指針

　海外の喘息ガイドラインでも、システマティックレビューに基づいた喘息の発症および増悪予防のための推奨が示されている。発症予防指針に関する GINA 2019[40] および BTS 2019[41] の推奨を**表 4-3** に、増悪予防指針に関する GINA 2019、BTS 2019 および ERS 3[42] の推奨を**表 4-4** に記載した。レビューされた研究の多くは、海外からの報告であり、わが国の状況にはそぐわない点があることに留意する必要がある。今後は遺伝背景や環境要因が異なるわが国におけるエビデンスの蓄積が望まれる。

表 4-3　海外の喘息ガイドラインにおける喘息の発症予防指針[40, 41]

	GINA 2019	BTS 2019
受動喫煙	妊婦・出生した児の受動喫煙は避けるべき	妊婦・出生した児の受動喫煙は避けるべき 両親に喫煙が喘息発症のリスクとなることを啓発するべき
母の食物除去		喘息発症予防のための妊娠中や授乳中の食物除去は推奨されない
自然分娩	可能であれば自然分娩が望ましい	
母乳栄養	喘息発症予防の可能性も含めて望ましい	喘息発症予防の可能性も含めて望ましい
ペット		喘息発症予防のためのペット飼育は推奨されない
抗菌薬	1 歳までの広域抗菌薬の使用は控える	
アレルゲン曝露		喘息発症予防のためのダニ曝露の回避は推奨されない 喘息発症リスクのある児に対する複数のアレルゲンを対象とした複雑で多岐にわたる介入プログラムは費用や負担に堪えられる家族のみに考慮される
予防接種		すべての児に対して通常通りに実施するべき
肥満		肥満患者への体重減量は健康および喘息類似の呼吸器症状軽減のために推奨される

・GINA 2019 は過去の疫学研究の知見から、5 歳未満の児に対する喘息発症予防のために上記を推奨している。
・BTS 2019 はエビデンスの質により推奨度（GRADE 分類）を明記している。小児喘息に関わる GRADE C 以上の推奨を抜粋した。
・EPR 3 は喘息の発症予防に対する種々の方策には、まだ十分な根拠がないため、明確に推奨していない。

表 4-4　海外の喘息ガイドラインにおける喘息の増悪予防指針[40〜42]

	GINA 2019	BTS 2019	EPR 3
受動喫煙	保護者への禁煙を勧めるべき 受動喫煙を避けるよう指導すべき	保護者への禁煙指導を行うべき	
運動	健康のために日常的な運動が勧められる ただし、若年児に対する水泳以外の運動には喘息への特別な効果はない 運動誘発喘息の予防と管理について指導すべき		
アレルゲン曝露	喘息の一般的な治療として推奨されない ダニやペットに感作されている小児患者に対する複数のアレルゲン回避の効果には限定的な根拠がある 単一の屋内アレルゲン回避に臨床的な有用性の根拠はない	家庭での室内ダニ量を減らす方法は推奨されない	効果的なアレルゲン回避には多角的で網羅的なアレルゲン回避が必要で、個々の単一アレルゲン回避は一般的に効果がない
肥満	肥満を合併する喘息児に対しては体重減量を指導すべき	体重減量は健康および喘息症状の改善のために推奨される	
予防接種		喘息の有無にかかわらず実施すべき	インフルエンザシーズンの喘息発作の頻度や重症度を改善させることを目的としたインフルエンザワクチンは推奨されない
呼吸訓練	薬物療法に呼吸訓練を併用することは有用である	薬物療法に呼吸訓練を併用することは推奨される	
薬剤	NSAIDs を処方する前には喘息の有無を尋ね、喘息増悪時には NSAIDs を使用しないように助言すべき 過去に副作用を認めなければ、アスピリンなどの NSAIDs は必ずしも禁忌ではない。処方する際は、喘息の急性増悪（発作）時には NSAIDs の使用を中止するよう助言すべき		
屋内汚染物質	屋内汚染物質は可能ならば屋外への排出が勧められ、屋内空気汚染の原因とならない暖房や調理器具が推奨される	イオン空気清浄器は喘息治療に推奨されない	

・GINA はエビデンスの質により推奨度（GRADE 分類）を明記している。小児喘息に関わる GRADE B 以上の推奨を抜粋した。
・BTS はエビデンスの質により推奨度（GRADE 分類）を明記している。小児喘息に関わる GRADE C 以上の推奨を抜粋した。
・EPR 3 はエビデンスの質により推奨度（A〜D）を明記している。小児喘息に関わる推奨度 B 以上の推奨を抜粋した。

[参考文献]

1) Sunyer J, Antó JM, Kogevinas M, et al. Risk factors for asthma in young adults. Spanish Group of the European Community Respiratory Health Survey. Eur Respir J. 1997；10：2490-4.

2) Thomsen SF, Duffy DL, Kyvik KO, et al. Genetic influence on the age at onset of asthma：a twin study. J Allergy Clin Immunol. 2010；126：626-30.

3) Wijga A, Tabak C, Postma DS, et al. Sex differences in asthma during the first 8 years of life：The Prevention and Incidence of Asthma and Mite Allergy (PIAMA) birth cohort study. J Allergy Clin Immunol. 2011；127：275-7.

4) Vink NM, Postma DS, Schouten JP, et al. Gender differences in asthma development and remission during transition through puberty：the TRacking Adolescents' Individual Lives Survey (TRAILS) study. J Allergy Clin Immunol. 2010；126：498-504.e1-6.

5) Pearce N, Pekkanen J, Beasley R. How much asthma is really attributable to atopy? Thorax. 1999；54：268-72.

6) Martinez FD. Viruses and atopic sensitization in the first years of life. Am J Respir Crit Care Med. 2000；162(3 PT 2)：S95-9.

7) Tran MM, Lefebvre DL, Dharma C, et al. Predicting the atopic march：Results from the canadian healthy infant longitudinal development study. J Allergy Clin Immunol. 2018；141：601-7.

8) Huang CC, Chiang TL, Chen PC, et al. Risk factors for asthma occurrence in children with early-onset atopic dermatitis：An 8-year follow-up study. Pediatr Allergy Immunol. 2018；29：159-65.

9) Lowe AJ, Angelica B, Su J, et al. Age at onset and persistence of eczema are related to subsequent risk of asthma and hay fever from birth to 18 years of age. Pediatr Allergy Immunol. 2017；28：384-90.

10) Wiesch DG, Meyers DA, Bleecker ER. Genetics of asthma. J Allergy Clin Immunol. 1999；104：895-901.

11) Holloway JW, Beghé B, Holgate ST. The genetic basis of atopic asthma. Clin Exp Allergy. 1999；29：1023-32.

12) Daniels SE, Bhattacharrya S, James A, et al. A genome-wide search for quantitative trait loci underlying asthma. Nature. 1996；383：247-50.

13) Pelkonen AS, Hakulinen AL, Turpeinen M. Bronchial lability and responsiveness in school children born very preterm. Am J Respir Crit Care Med. 1997；156(4 Pt 1)：1178-84.

14) Mai XM, Gäddlin PO, Nilsson L, et al. Asthma, lung function and allergy in 12-year-old children with very low birth weight：a prospective study. Pediatr Allergy Immunol. 2003；14：184-92.

15) Goksör E, Åmark M, Alm B, et al. The impact of pre- and post-natal smoke exposure on future asthma and bronchial hyper-responsiveness. Acta Paediatr. 2007；96：1030-5.

16) Caudri D, Wijga A, Gehring U, et al. Respiratory symptoms in the first 7 years of life and birth weight at term：the PIAMA Birth Cohort. Am J Respir Crit Care Med. 2007；175：1078-85.

17) Camargo CA Jr, Weiss ST, Zhang S, et al. Prospective study of body mass index, weight change, and risk of adult-onset asthma in women. Arch Intern Med. 1999；159：2582-8.

18) Ford ES. The epidemiology of obesity and asthma. J Allergy Clin Immunol. 2005；115：897-909.

19) Shore SA. Obesity, airway hyperresponsiveness, and inflammation. J Appl Physiol. 2010；108：735-43.

20) DeVries A, Wlasiuk G, Miller SJ, et al. Epigenome-wide analysis links *SMAD3* methylation at birth to asthma in children of asthmatic mothers. J Allergy Clin Immunol. 2017；140：534-42.

21) Illi S, von Mutius E, Lau S, et al. Perennial allergen sensitisation early in life and chronic asthma in children：a birth cohort study. Lancet. 2006；368：763-70.

22) Hammad H, Lambrecht BN. Barrier epithelial cells and the control of type 2 Immunity. Immunity. 2015；43：29-40.

23) Miyamoto T, Oshima S, Ishizaki T, et al. Allergenic identity between the common floor mite (Der-

matophagoides farinae Hughes, 1961) and house dust as a causative antigen in bronchial asthma. J Allergy. 1968；42：14-28.

24）Rosenstreich DL, Eggleston P, Kattan M, et al. The role of cockroach allergy and exposure to cockroach allergen in causing morbidity among inner-city children with asthma. N Engl J Med. 1997；336：1356-63.

25）前田裕二，秋山一男，長谷川眞紀，他．イヌ，ネコ飼育成人喘息患者における症状および感作の状況．アレルギー．1993；42：691-8.

26）大砂博之，前田裕二，三田晴久，他．ペットとして飼育していたハムスター・モルモットが原因抗原と考えられた気管支喘息の18例．アレルギー．1997；46：1072-5.

27）高鳥美奈子，信太隆夫，秋山一男，他．最近10年間の相模原地区における空中飛散真菌．アレルギー．1994；43：1-8.

28）難波一弘，高橋　清，多田慎也，他．House Dust による気管支喘息患者遅発型気道反応の発症機序に関する検討：気管支肺胞洗浄法を中心に．アレルギー．1988；37：67-74.

29）Ito K, Miyamoto T, Shibuya T, et al. Skin test and radioallergosorbent test with extracts of larval and adult midges of Tokunagayusurika akamusi Tokunaga (Diptera：Chironomidae) in asthmatic patients of the metropolitan area of Tokyo. Ann Allergy. 1986；57：199-204.

30）Platts-Mills TA, Thomas WR, Aalberse RC, et al. Dust mite allergens and asthma：report of a second international workshop. J Allergy Clin Immunol. 1992；89：1046-60.

31）Carlsten C, Dimich-Ward H, Becker AB, et al. Indoor allergen exposure, sensitization, and development of asthma in a high-risk birth cohort. Pediatr Allergy Immunol. 2010；21(4 Pt 2)：e740-6.

32）Marks GB, Mihrshahi S, Kemp AS, et al. Prevention of asthma during the first 5 years of life：a randomized controlled trial. J Allergy Clin Immunol. 2006；118：53-61.

33）Sporik R, Holgate ST, Platts-Mills TA, et al. Exposure to house-dust mite allergen (Der p I) and the development of asthma in childhood. A prospective study. N Engl J Med. 1990；323：502-7.

34）Arshad SH, Matthews S, Gant C, et al. Effect of allergen avoidance on development of allergic disorders in infancy. Lancet. 1992；339：1493-7.

35）Chapman MD, Heymann PW, Sporik RB, et al, Monitoring allergen exposure in asthma：new treatment strategies. Allergy. 1995；50(25 Suppl)：29-33.

36）Custovic A, Fletcher A, Pickering CA, et al. Domestic allergens in public places III：house dust mite, cat, dog and cockroach allergens in British hospitals. Clin Exp Allergy. 1998；28：53-9.

37）坂本龍雄．真菌アレルゲンの免疫生物学とアレルギー疾患．アレルギー．2008；57：949-59.

38）Davies RR, Smith LP. Forecasting the start and severity of the hay fever season. Clin Allergy. 1973；3：263-7.

39）Pulimood TB, Corden JM, Bryden C, et al. Epidemic asthma and the role of the fungal mold Alternaria alternata. J Allergy Clin Immunol. 2007；120：610-7.

40）Global Initiative for Asthma. Global Strategy for Asthma Management and Prevention (2019 updated). https://ginasthma.org/wp-content/uploads/2019/06/GINA-2019-main-report-June-2019-wms.pdf

41）British guideline on the management of asthma 2019：A national clinical guideline. British Thoracic Society Scottish Intercollegiate Guidelines Network. https://www.brit-thoracic.org.uk/quality-improvement/guidelines/asthma/

42）National Asthma Education and Prevention Program. Expart Panel Report 3：Guidelines for the Diagnosis and Management of Asthma. Full Report 2007. National Heart, Lung and Blood Institute. http:www.nhlbi.nih.gov/files/docs/guidelines/asthgdln.pdf

43）Carswell F, Birmingham K, Oliver J, et al. The respiratory effects of reduction of mite allergen in the bedrooms of asthmatic children -- a double-blind controlled trial. Clin Exp Allergy. 1996；26：386-96.

44）Arshad SH, Bateman B, Matthews SM. Primary prevention of asthma and atopy during childhood by allergen avoidance in infancy：a randomised controlled study. Thorax. 2003；58：489-93.

45) Arshad SH, Bateman B, Sadeghnejad A, et al. Prevention of allergic disease during childhood by allergen avoidance : the Isle of Wight prevention study. J Allergy Clin Immunol. 2007 ; 119 : 307-13.

46) Chan-Yeung M, Ferguson A, Watson W, et al. The Canadian Childhood Asthma Primary Prevention Study : outcomes at 7 years of age. J Allergy Clin Immunol. 2005 ; 116 : 49-55.

47) Koopman LP, van Strien RT, Kerkhof M, et al. Placebo-controlled trial of house dust mite-impermeable mattress covers : effect on symptoms in early childhood. Am J Respir Crit Care Med. 2002 ; 166 : 307-13.

48) Marks GB, Mihrshahi S, Kemp AS, et al. Prevention of asthma during the first 5 years of life : a randomized controlled trial. J Allergy Clin Immunol. 2006 ; 118 : 53-61.

49) Morgan WJ, Crain EF, Gruchalla RS, et al. Results of a home-based environmental intervention among urban children with asthma. N Engl J Med. 2004 ; 351 : 1068-80.

50) Nishioka K, Saito A, Akiyama K, et al. Effect of home environment control on children with atopic or non-atopic asthma. Allergol Int. 2006 ; 55 : 141-8.

51) Halken S, Høst A, Niklassen U, et al. Effect of mattress and pillow encasings on children with asthma and house dust mite allergy. J Allergy Clin Immunol. 2003 ; 111 : 169-76.

52) Glezen WP, Taber LH, Frank AL, et al. Risk of primary infection and reinfection with respiratory syncytial virus. Am J Dis Child. 1986 ; 140 : 543-6.

53) Carlsen KH, Larsen S, Bjerve O, et al. Acute bronchiolitis : predisposing factors and characterization of infants at risk. Pediatr Pulmonol. 1987 ; 3 : 153-60.

54) Sigurs N, Aljassim F, Kjellman B, et al. Asthma and allergy patterns over 18 years after severe RSV bronchiolitis in the first year of life. Thorax. 2010 ; 65 : 1045-52.

55) Jackson DJ, Evans MD, Gangnon RE, et al. Evidence for a causal relationship between allergic sensitization and rhinovirus wheezing in early life. Am J Respir Crit Care Med. 2012 ; 185 : 281-5.

56) Mochizuki H, Kusada S, Okada K, et al. Palivizumab prophylaxis in preterm infants and subsequent recurrent wheezing : six-year follow-up study. Am J Respir Crit Care Med. 2017 ; 196 : 29-38.

57) Kusel MM, de Klerk NH, Kebadze T, et al. Early-life respiratory viral infections, atopic sensitization, and risk of subsequent development of persistent asthma. J Allergy Clin Immunol. 2007 ; 119 : 1105-10.

58) Calışkan M, Bochkov YA, Kreiner-Møller E, et al. Rhinovirus wheezing illness and genetic risk of childhood-onset asthma. N Engl J Med. 2013 ; 368 : 1398-407.

59) van den Hoogen BG, de Jong JC, Groen J, et al. A newly discovered human pneumovirus isolated from young children with respiratory tract disease. Nat Med. 2001 ; 7 : 719-24.

60) García-García ML, Calvo C, Casas I, et al. Human metapneumovirus bronchiolitis in infancy is an important risk factor for asthma at age 5. Pediatr Pulmonol. 2007 ; 42 : 458-64.

61) Johnston SL, Pattemore PK, Sanderson G, et al. Community study of role of viral infections in exacerbations of asthma in 9-11 year old children. BMJ. 1995 ; 310 : 1225-49.

62) Arden KE, Faux CE, O'Neill NT, et al. Molecular characterization and distinguishing features of a novel human rhinovirus (HRV) C, HRVC-QCE, detected in children with fever, cough and wheeze during 2003. J Clin Virol. 2010 ; 47 : 219-23.

63) Korematsu S, Nagashima K, Sato Y, et al. "Spike" in acute asthma exacerbations during enterovirus D68 epidemic in Japan : A nation-wide survey. Allergol Int. 2018 ; 67 : 55-60.

64) Hasegawa S, Hirano R, Hashimoto K, et al. Characteristics of atopic children with pandemic H1N1 influenza viral infection : pandemic H1N1 influenza reveals 'occult' asthma of childhood. Pediatr Allergy Immunol. 2011 ; 22(1 Pt 2) : e119-23.

65) Rollins DR, Good JT Jr, Martin RJ. The role of atypical infections and macrolide therapy in patients with asthma. J Allergy Clin Immunol Pract. 2014 ; 2 : 511-7

66) Lieberman D, Lieberman D, Printz S, et al. Atypical pathogen infection in adults with acute exacerbation of bronchial asthma. Am J Respir Crit Care Med. 2003 ; 167 : 406-10.

67) 2016 年「全国たばこ喫煙者率調査」https://www.jti.co.jp/investors/press_releases/2016/0728_01. html

68) 平成 22～24 年度厚生労働科学研究費補助金総合研究報告書．未成年者の喫煙・飲酒状況に関する実態調査研究．研究代表者・大井田隆．2013.

69) Office of Environmental Health Hazard Assessment California Environmental Protection Agency, 2005.

70) Cook DG, Strachan DP. Parental smoking, bronchial reactivity and peak flow variability in children. Thorax. 1998；53：295-301.

71) Pietinalho A, Pelkonen A, Rytilä P. Linkage between smoking and asthma. Allergy. 2009；64：1722-7.

72) Moshammer H, Hoek G, Luttmann-Gibson H, et al. Parental smoking and lung function in children：an international study. Am J Respir Crit Care Med. 2006；173：1255-63.

73) Chalmers GW, Macleod KJ, Little SA, et al. Influence of cigarette smoking on inhaled corticosteroid treatment in mild asthma. Thorax. 2002；57：226-30.

74) Ehrlich R, Jordaan E, Du Toit D, et al. Household smoking and bronchial hyperresponsiveness in children with asthma. J Asthma. 2001；38：239-51.

75) Gallefoss F, Bakke PS. Does smoking affect the outcome of patient education and self-management in asthmatics? Patient Educ Couns. 2003；49：91-7.

76) Mannino DM, Homa DM, Redd SC. Involuntary smoking and asthma severity in children：data from the Third National Health and Nutrition Examination Survey. Chest. 2002；122：409-15.

77) Lodge CJ, Bråbäck L, Lowe AJ, et al. Grandmaternal smoking increases asthma risk in grandchildren：A nationwide Swedish cohort. Clin Exp Allergy. 2018；48：167-74.

78) Murray AB, Morrison BJ. The decrease in severity of asthma in children of parents who smoke since the parents have been exposing them to less cigarette smoke. J Allergy Clin Immunol. 1993；91(1 Pt 1)：102-10.

79) Wilson SR, Yamada EG, Sudhakar R, et al. A controlled trial of an environmental tobacco smoke reduction intervention in low-income children with asthma. Chest. 2001；120：1709-22.

80) Leigh NJ, Tran PL, O'Connor RJ, et al. Cytotoxic effects of heated tobacco products (HTP) on human bronchial epithelial cells. Tob Control. 2018；27(Suppl 1)：s26-9.

81) Yamazaki S, Shima M, Yoda Y, et al. Association between PM2.5 and primary care visits due to asthma attack in Japan：relation to Beijing's air pollution episode in January 2013. Environ Health Prev Med. 2014；19：172-6.

82) Kanatani KT, Ito I, Al-Delaimy WK, et al. Desert dust exposure is associated with increased risk of asthma hospitalization in children. Am J Respir Crit Care Med. 2010；182：1475-81.

83) Johns DO, Linn WS. A review of controlled human SO_2 exposure studies contributing to the US EPA integrated science assessment for sulfur oxides. Inhal Toxicol. 2011；23：33-43.

84) Heinrich J. Influence of indoor factors in dwellings on the development of childhood asthma. Int J Hyg Environ Health. 2011；214：1-25.

85) Herbst T, Sichelstiel A, Schär C, et al. Dysregulation of allergic airway inflammation in the absence of microbial colonization. Am J Respir Crit Care Med. 2011；184：198-205.

86) Gollwitzer ES, Saglani S, Trompette A, et al. Lung microbiota promotes tolerance to allergens in neonates via PD-L1. Nat Med. 2014；20：642-7.

87) Huang YJ, Nelson CE, Brodie EL, et al. Airway microbiota and bronchial hyperresponsiveness in patients with suboptimally controlled asthma. J Allergy Clin Immunol. 2011；127：372-81.e1-3.

88) Huang YJ, Nariya S, Harris JM, et al. The airway microbiome in patients with severe asthma：Associations with disease features and severity. J Allergy Clin Immunol. 2015；136：874-84.

89) Stein MM, Hrusch CL, Gozdz J, et al. Innate Immunity and Asthma Risk in Amish and Hutterite Farm Children. N Engl J Med. 2016；375：411-21.

90) Kikkawa T, Yorifuji T, Fujii Y, et al. Birth order and paediatric allergic disease：A nationwide longitudinal survey. Clin Exp Allergy. 2018；48：577-85.

91) Dimeloe S, Nanzer A, Ryanna K, et al. Regulatory T cells, inflammation and the allergic response-The role of glucocorticoids and Vitamin D. J Steroid Biochem Mol Biol. 2010；120：86-95.

92) Hwang JM, Oh SH, Shin MY. The relationships among birth season, sunlight exposure during infancy, and allergic disease. Korean J Pediatr. 2016；59：218-25.

93) 石崎　達，牧野荘平，荒木英斉，他．気管支喘息発作と気象要因の解析．アレルギー．1974；23：753-9.

94) 伊東　繁．気管支喘息，アレルギー性鼻炎，気象条件と喘息．現代医療．1999；31（増）：1325-30.

95) Carlsen KH. Asthma in Olympians. Paediatr Respir Rev. 2016；17：34-5.

96) Hallstrand TS, Moody MW, Wurfel MM, et al. Inflammatory basis of exercise-induced bronchoconstriction. Am J Respir Crit Care Med. 2005；172：679-86.

97) Tan RA, Spector SL. Exercise-induced asthma：diagnosis and management. Ann Allergy Asthma Immunol. 2002；89：226-35.

98) Muraro A, Dreborg S, Halken S, et al. Dietary prevention of allergic diseases in infants and small children. Part III：Critical review of published peer-reviewed observational and interventional studies and final recommendations. Pediatr Allergy Immunol. 2004；15：291-307.

99) Bisgaard H, Stokholm J, Chawes BJ, et al. Fish oil-derived fatty acids in pregnancy and wheeze and asthma in offspring. N Engl J Med. 2016；375：2530-9.

100) Papamichael MM, Shrestha SK, Itsiopoulos C, et al. The role of fish intake on asthma in children：A meta-analysis of observational studies. Pediatr Allergy Immunol. 2018；29：350-60.

101) Hansen S, Strøm M, Maslova E, et al. Fish oil supplementation during pregnancy and allergic respiratory disease in the adult offspring. J Allergy Clin Immunol. 2017；139：104-11.

102) Waidyatillake NT, Dharmage SC, Allen KJ, et al. Association of breast milk fatty acids with allergic disease outcomes-A systematic review. Allergy. 2018；73：295-312.

103) Vahdaninia M, Mackenzie H, Helps S, et al. Prenatal intake of vitamins and allergic outcomes in the offspring：A systematic review and meta-analysis. J Allergy Clin Immunol Pract. 2017；5：771-778. e5.

104) Tachimoto H, Mezawa H, Segawa T, et al. Improved control of childhood asthma with low-dose, short-term vitamin D supplementation：a randomized, double-blind, placebo-controlled trial. Allergy. 2016；71：1001-9.

105) van Odijk J, Kull I, Borres MP, et al. Breastfeeding and allergic disease：a multidisciplinary review of the literature (1966-2001) on the mode of early feeding in infancy and its impact on later atopic manifestations. Allergy. 2003；58：833-43.

106) Sears MR, Greene JM, Willan AR, et al. Long-term relation between breastfeeding and development of atopy and asthma in children and young adults：a longitudinal study. Lancet. 2002；360：901-7.

107) Busse WW, Kiecolt-Glaser JK, Coe C, et al. NHLBI Workshop summary. Stress and asthma. Am J Respir Crit Care Med. 1995；151：249-52.

108) Chrousos GP. Stress, chronic inflammation, and emotional and physical well-being：concurrent effects and chronic sequelae. J Allergy Clin Immunol. 2000；106(5 Suppl)：S275-91.

109) van den Elshout FJ, van Herwaarden CL, Folgering HT. Effects of hypercapnia and hypocapnia on respiratory resistance in normal and asthmatic subjects. Thorax. 1991；46：28-32.

110) Shames RS, Heilbron DC, Janson SL, et al. Clinical differences among women with and without self-reported perimenstrual asthma. Ann Allergy Asthma Immunol. 1998；81：65-72.

111) Oosterloo BC, van Elburg RM, Rutten NB, et al. Wheezing and infantile colic are associated with neonatal antibiotic treatment. Pediatr Allergy Immunol. 2018；29：151-8.

112) Ahmadizar F, Vijverberg SJH, Arets HGM, et al. Early life antibiotic use and the risk of asthma and asthma exacerbations in children. Pediatr Allergy Immunol. 2017；28：430-7.

113) Yamamoto-Hanada K, Yang L, Narita M, et al. Influence of antibiotic use in early childhood on asthma and allergic diseases at age 5. Ann Allergy Asthma Immunol. 2017；119：54-8.

114) Yamamoto-Hanada K, Futamura M, Yang L, et al. Preconceptional exposure to oral contraceptive pills and the risk of wheeze, asthma and rhinitis in children. Allergol Int. 2016；65：327-31.

115) Ogawa K, Tanaka S, Yang L, et al. Beta-2 receptor agonist exposure in the uterus associated with subsequent risk of childhood asthma. Pediatr Allergy Immunol. 2017；28：746-53.

116) Morales E, Strachan D, Asher I, et al, Garcia-Marcos L；ISAAC phase III study group；ISAAC Phase Three Study Group. Combined impact of healthy lifestyle factors on risk of asthma, rhinoconjunctivitis and eczema in school children：ISAAC phase III. Thorax. 2019；74：531-8.

第5章 病態評価のための検査法

病態評価のための検査法

第**5**章

要旨

- 喘息は免疫学的には Th2 型に偏った状態であり、末梢血好酸球数、血清総 IgE 値、呼気中一酸化窒素濃度（FeNO）などの Th2 型バイオマーカーや気道炎症の評価が、診断と治療経過モニタリングに有用である。

- アレルゲン感作の状況を把握するために、特異的 IgE 抗体価の測定または皮膚テスト（プリックテスト）を行い、発症および症状増悪因子同定の参考にする。

- 気道炎症は FeNO 測定で簡便に評価できる。評価の上で難しい点もあるが、保険適用の検査として日常臨床で利用しやすい。

- 呼吸機能などの生理学的指標は、喘息の診断、治療の選択、治療経過のモニタリングに重要である。

- 肺の換気機能をスパイロメトリーで評価する。フローボリューム曲線のパターンは病態の評価に有用である。

- β_2 刺激薬吸入前後の 1 秒量を指標として気道可逆性を評価する。

- 簡便なピークフロー（PEF）メータを利用して、呼吸機能の日内変動、経時的変化などが評価できる。測定値を患者と医療者が共有することにより自己管理の向上を図ることができる。

- 強制オシレーション法（FOT）は安静換気で呼吸抵抗を評価できる。

- 気道過敏性の評価には、直接法（メタコリン、アセチルコリンなど平滑筋に直接作用する薬物を用いる方法）と間接法（運動負荷などで間接的に気道平滑筋収縮を誘発する手法）がある。

　喘息の重症度やコントロール状態の判定は主に症状に基づいて行われるが、よりよい治療を進めるためには、それら症状発現に至る病態、すなわち気流制限、気道過敏性、気道炎症、気道リモデリングなどを客観的に評価することが重要である。

　現在、利用可能な喘息の客観的指標には、①閉塞性換気障害の程度と性質を評価するスパイロメトリー、ピークフロー（PEF）モニタリングなどの呼吸機能検査、②気道反応性を定量的に評価する気道過敏性検査（運動負荷試験、メタコリン吸入試験など）、③アレルギー状態（アレルゲン感作など）と気道炎症（FeNO など）を評価する Th2 型バイオマーカー

表5-1　喘息の病態とその評価

*	Th2マーカー検査	気道過敏性検査	呼吸機能検査
1	血清総IgE値 末梢血好酸球数 特異的IgE抗体価	気道可逆性試験	スパイロメトリー ピークフロー
2	FeNO 喀痰中好酸球数	運動負荷試験	強制オシレーション法 (FOT)
保険適用外	血清ECP/EDN ペリオスチン (研究レベル)	メタコリン吸入試験 (標準法、アストグラフ®) アセチルコリン吸入試験（標準法）	

ECP : eosinophil cationic protein
EDN : eosinophil-derived neurotoxin
＊：検査実施の推奨度
1. 実施することが望ましい検査
2. 可能ならば実施することが望ましい検査

表5-2　喘息の診断・モニタリングのための検査と主な判定基準

分類	検査項目	診断時	フォロー中	判定基準
症状	質問票	○	毎回の受診	
生理検査	フローボリューム曲線	○	毎回の受診	1秒率＜80%、%予測1秒量＜80% $\dot{V}_{50}$ならびに$\dot{V}_{25}$の低値
	可逆性試験	○	数か月に1回	FEV_1改善＞12%
	PEF		自宅でのモニタリング	日内変動＞20% 自己最良値より20%低下
	FeNO	可能なら	可能なら	＞35 ppb[1]
	運動負荷試験	可能なら	可能なら	1秒量最大低下率＞15%
検体検査	血清総IgE値	○		高値
	末梢血好酸球数	○	○	＞300/μL[1]
	特異的IgE抗体価 　ダニ	全例		
	ペット、真菌、花粉など	症例により		
	喀痰中好酸球検査	可能なら	可能なら	＞5%[1]

＊1：明確なカットオフ値はないので参考値、急性増悪（発作）時は低値

検査がある（**表5-1**）。いずれも直接的に病態を表すものではないが、これらを組み合わせた多面的な評価は臨床的に有用である。

　喘息の初診時（または診断時）に行う検査としては、呼吸生理学的検査ではフローボリューム曲線、気道可逆性試験、血液検査では血清総IgE値、末梢血好酸球数、吸入アレルゲンに対する特異的IgE抗体価の測定、皮膚テストとしてプリックテストなどがある。それぞれの特徴的な所見をいくつか組み合わせると、喘息の診断や重症度の判定に役立つ（**表5-2**）。次に、治療開始後のフォローアップでは、フローボリューム曲線を定期的に評価

して、自己管理としての PEF モニタリングを指導する（**表 5-2**）。FeNO は気道炎症のマーカーとして、診断や治療効果の判定、評価に有用である。強制オシレーション法（FOT）もスパイロメトリーと異なる側面の評価が可能である。末梢血好酸球数や喀痰中好酸球数も可能であれば測定する（**表 5-2**）。

なお、呼吸機能検査については、日本小児呼吸器学会が作成した『小児呼吸機能検査ハンドブック』で、実際の検査手技が医療者向けと患児向けの動画を用いて解説されている[1]。

1. アレルギーに関するバイオマーカーの評価

喘息はアレルギー疾患の一つであり、免疫学的には Th2 型免疫反応に偏った状態といえる。Th2 サイトカインが過剰となる結果、IgE 抗体産生亢進と本来は無害であるべき環境抗原への特異的 IgE 抗体産生が誘導され、血中好酸球増多と気道の好酸球性炎症が起こる（第 2 章参照）。したがって、Th2 型バイオマーカーといわれる指標を測定することで、アレルギー素因の有無を判定し、喘息診断の補助とすることができる。また、経時的にフォローすることで病勢や病態の評価が可能となる（**表 5-1**）。

1）血清総 IgE 値

喘息をはじめとするアレルギー疾患で上昇するが、そのデータ分布は正常者との重複が大きいため、診断のためのカットオフ値は設定できない。アレルギー状態を大まかに反映する値と考える。しかし、抗 IgE 抗体製剤オマリズマブの使用を考慮するときには、その適応と投与量は血清総 IgE 値で決まるので、測定値が重要な意味を持つ（第 7 章参照）。

2）末梢血好酸球数

血中好酸球増多と組織浸潤はアレルギー疾患の病態の中心的な特徴である。反復性喘鳴の乳幼児のうち、学童期以降に喘息と診断される例には好酸球増多が認められる[2]。また、血中好酸球増多は ICS への反応性予測や重症喘息のマーカーとしても参考になる。

3）アレルゲン特異的 IgE 抗体検査とプリックテスト

吸入アレルゲン、特にダニへの感作は喘息の診断の補助となるとともに、アレルゲンの同定は環境整備の指導に役立つ。わが国の喘息児の多くはダニに感作されており、プリックテストではダニやハウスダスト、特異的 IgE 抗体検査ではヤケヒョウヒダニ、コナヒョウヒダニ、ハウスダストなどを調べる。ハウスダストは家塵の抽出物で、ほとんどがダニアレルゲンであるが、カビやペットアレルゲンも含まれる。重症例ではカビへの感作（アルテルナリア属、アスペルギルス属、クラドスポリウム属など）や昆虫（ゴキブリなど）も調べる。その他、患者の環境について詳しく問診を行い、疑わしい吸入アレルゲンについて調べるこ

とが重要である（第4章参照）。

4）呼気中一酸化窒素濃度（FeNO）と喀痰中好酸球数

一酸化窒素（NO）は、血管拡張、神経伝達、感染防御などに関わる多機能の生理活性分子である。喘息では主に好酸球性炎症による誘導型 NO 合成酵素の発現を介して産生が亢進して呼気中 NO 濃度（FeNO）が上昇する。実際に、気道粘膜の好酸球浸潤[3]、BALF 中の好酸球比率[4]と相関する。喀痰中好酸球数とともに気道炎症の評価として後述する。

2. 呼吸機能の評価法

1）スパイロメータによる評価

(1) スパイロメトリー

スパイロメトリーは換気量をその時間経過とともに計測する検査で、記録はスパイログラム（spirogram）、測定機器はスパイロメータ（spirometer）と呼ばれる。スパイログラムは緩徐な換気で測定する場合（SVC 手技）と努力換気で測定する場合（FVC 手技）の2種類があるが、FVC 測定では FEV_1（1秒量）とそれから計算される1秒率〔$FEV_1/FVC \times 100$（%）〕といった喘息に重要な指標が得られる。小児の喘息では SVC、手技で検出される呼吸機能低下（肺活量低下などの拘束性障害）は少ないことから、FVC 測定を優先させて行うことが多い。スパイロメトリーの日本人小児の基準値にはいくつかの報告があるが[5]、2008 年に日本小児呼吸器学会肺機能委員会が策定した予測式は6歳から18歳までをカバーしており、最も新しい（web 表 5-1）。

(2) フローボリューム曲線

スパイロメータにより測定されるフローボリューム曲線は、X 軸に肺気量（volume）を、Y 軸に気流速度（flow）をプロットした曲線であり、最大吸気位から最大努力呼気をさせて記録する。測定項目としては最大呼気流量（Vpeak：peak expiratory flow, PEF）、$\dot{V}_{50}$（MEF_{50}、50%肺気量位での呼出流量）、$\dot{V}_{25}$（MEF_{25}、25%肺気量位での呼出流量）などがある。PEF は通常 75%以上の肺気量位に認められ、主に中枢気道を、$\dot{V}_{50}$ と $\dot{V}_{25}$ はより末梢気道を反映するとされる（図 5-1）。MMF（最大中間呼気流量）は FEF_{25-75}（forced expiratory flow from 25% to 75%）とも表記され、25%肺気量位から 75%肺気量位までの呼気流量の平均値を示し末梢気道の指標とされる。フローボリューム曲線のパターンは喘息の評価だけでなく、鑑別診断にも有用である（図 5-2）。

(3) スパイロメトリーの解釈

喘息のような閉塞性換気障害は、気道の狭窄による通過障害があるため、1秒量（FEV_1）や1秒率〔$FEV_1/FVC \times 100$（%）〕の低下が特徴的である。日本小児呼吸器学会では小児の1秒率の基準値を 80%以上としているが[5]、米国のガイドラインでは1秒率≧85%のカッ

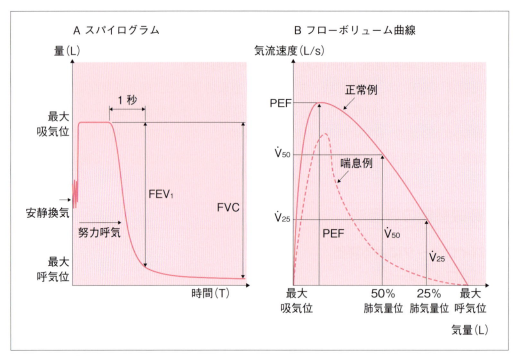

図 5-1　スパイロメトリー

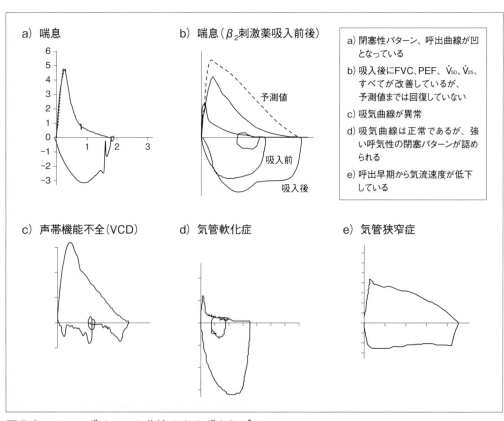

図 5-2　フローボリューム曲線のさまざまなパターン

表 5-3　努力肺活量（FVC）測定の手順[18]

1. スパイロメータの較正チェック
2. 検査について説明
3. 検査者の準備
   - 最近罹患した疾患、体調などを質問する。
4. 検査方法の具体的な指導
   - 顔を上げて正しい姿勢をとる。
   - 息を最大限に吸い込む。
   - マウスピースの位置を確認する。
   - 最大の力で吐き出す。
5. 測定の実施
   - 被験者に正しい姿勢をとらせる。
   - マウスピースをくわえた後に口唇を閉じる。
   - 息を最大限に吸い込む。
   - マウスピースの周りで漏れがないことを確認した後、直ちに最大呼出する。
   - 必要に応じて説明を繰り返し、積極的に指導する。
   - この測定を少なくとも3回行い、再現性があることを確認する。

トオフが採用されている[6]。最近は1秒量に比して1秒率のほうがよりよく重症度を反映するとされる[7,8]。1秒率がより優れる理由の一つには、喘息児における気道（FEV_1）と肺実質（FVC）の発育アンバランスがある[9]。近年における喘息治療の進歩のため一般に小児喘息では1秒量が正常範囲（$\geq 80\%$）の例が多く[10]、日常の管理にあたり注意が必要である。喘息増悪のリスクは、%予測1秒量（% FEV_1）60%未満で4.1倍、60〜79%で1.9倍になるとの報告があるため[11]、1秒量も著明低下時には有用である。

　肺内気道に閉塞性障害があるとフローボリューム曲線の $\dot{V}_{50}$、$\dot{V}_{25}$ などが低下するため、喘息が重症なほど呼出曲線が凹になり、末梢気道で気流制限が生じていることが示唆される。この要因としては、平滑筋の収縮、気道炎症による粘膜浮腫や分泌亢進、気道リモデリングによる器質的変化の存在などが考えられる。しかし、これらのパラメーターは健常人でも大きくばらつくとされており、正常範囲が広いので注意が必要である。

(4) スパイロメトリー測定上の留意点

　表 5-3 に FVC 測定の手順を示す。スパイロメトリーは正しく指導すれば5歳以上で測定可能であるが、信頼できる検査データを得るためには適切な検査手技が必須である。最大吸気ができているか、吸気後すぐに呼出を始めているか、最大呼出努力をしているか、最後まで呼出できているか、咳嗽や発語などのアーチファクトがないかに注意する。測定の妥当性は、曲線のパターンでも判定できる（図 5-3）。

(5) 気道可逆性試験

　喘息を診断する上で気道可逆性の証明は基本で、喘息のフォロー中にも時折行うとよい。
　方法は、SABA の吸入前と吸入終了後15〜30分に FEV_1 を測定し、変化を絶対量および

	チェックするポイント	不良例
1	素早く、強く呼気を始めているか?	ピークが右にずれる(A)
2	呼出努力は十分か?	ピークがない、ピークが低い(B)
3	咳や声出しなどがないか?	曲線の乱れなどのアーチファクトが認められる(C)
4	最後まで呼出ができているか?	下行脚が急に終わっている(被験者がこれ以上呼出できなくなるまで呼気を持続していない)(D)
5	再現性があるか?	3回の試行で大きく異なる
6	その他の手技不良がないか? 例)マウスピースに舌を入れる	途中で途切れる(E)

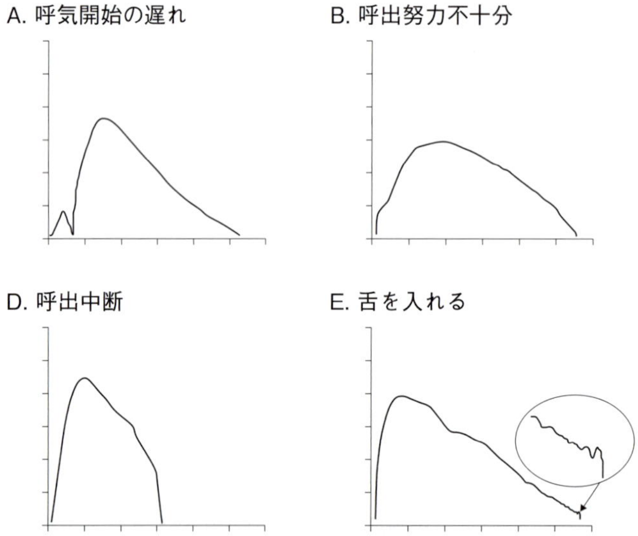

A. 呼気開始の遅れ　　　B. 呼出努力不十分　　　C. 咳

D. 呼出中断　　　E. 舌を入れる

図5-3　正しいフローボリューム曲線を得るために

改善率として計算して気道の可逆性の程度を判定する。次の式で計算する。

改善量＝吸入後 FEV_1 －吸入前 FEV_1 （mL）

改善率＝(吸入後 FEV_1 －吸入前 FEV_1) ÷吸入前 FEV_1 ×100 （%）

検査前に中止することが望ましい薬剤を web 表5-2に示す[12]。

　成人では改善量200 mL 以上かつ改善率12%以上で気道可逆性ありと判定する[13]。小児では確立されていないが、概ねこの基準に従ってよい（小児では改善率10%をカットオフとするほうが、より臨床的な状態を反映するとの報告もある[14]）。可逆性の大きい例は、吸入前の呼吸機能は低く、急性増悪（発作）による予定外受診や夜間症状の頻度が多く[14]、一方でICS に対する反応性は高い[15]と報告されており、経過の評価や治療選択の参考にできる。

表5-4　ピークフロー測定の意義[17]

1. 気道狭窄の経時的・経日的変化を追跡できる。
2. 急性増悪（発作）への適切な対応と治療効果が評価できる。
3. 自覚症状および他覚所見がない早期の時点での気道狭窄の認識ができる。
4. 日内変動によって重症度を評価できる。
5. 特定のアレルゲンや誘発因子が推定できる。
6. 長期的な治療の効果や妥当性が評価できる。
7. 喘息児に治療の主体性を持たせることができ、患者教育に役立つ。
8. 喘息児と医師のコミュニケーションの促進に役立つ。

表5-5　ピークフローメータ使用法の指導の手順[18]

1. 検査法の説明を行う。必要に応じて実際にデモンストレーションを行う。
2. PEF メータのメモリをゼロ、またはスケールの一番下にする。
3. 立位で顔を上げてまっすぐ立つ。ノーズクリップは必要ない。
4. 息を最大限に吸い込む：すばやく吸うが、力を入れない。
5. マウスピースを口に入れ、くわえた後に口唇を閉じる。
6. マウスピースの周りで漏れがないことを確認した後、直ちに最大呼出する。
7. 測定値を書き込む。
8. 少なくとも3回測定し、最高値を書き込む。

寛解を維持している思春期喘息児に気道可逆性試験を行った報告では、半数強が末梢気道改善型、すなわち PEF は著変ないが末梢気道狭窄が有意に改善するパターンであった[16]。症状が現れない寛解状態でも末梢気道病変を有する児が少なからず存在し、かつ可逆的であることを示唆している。

2）ピークフロー（PEF）モニタリング

(1) PEF 測定の意義

簡易型 PEF メータは安価で、喘息児が自宅で経時的に測定すること（PEF モニタリング）で、気道狭窄の程度や変化を客観的に評価できる（**表5-4**）[17]。

(2) PEF モニタリングのための患者教育

まず、喘息の自己管理の一つとして前述の意義について患者に平易な説明を行う。次に、正しい吹き方について実技を交えて指導する（**表5-5**）[18]。通常は3回吹いて最高値をとるが、この測定を起床時と夕方または夜の1日2回行い、測定した値を毎日、「喘息・ピークフロー日誌」などに記録するように指導する。急性増悪（発作）でSABAを吸入したときには、吸入前後で測定することが有用である。日誌や PEF に関する患者教育資料などは環境再生保全機構（http://www.erca.go.jp）から入手できる。患児の中には高い数値を出そうとして頬や舌の筋肉を使ってしまうなど、経過中に手技が誤った形になることもあるので、

時宜、医療者の前で患児に実際に吹いてもらい、手技をチェックする。

(3) 主な PEF メータ

わが国で入手が容易なものとしては、ミニライト®、アズマプランプラス®、アセス®、パーソナルベスト®（いずれもスタンダードレンジとローレンジ用がある）、エアゾーン®、アズマチェック®、トルーゾーン® などがある。また、電子回路を内蔵し、FEV₁ も同時測定できるアスマワン® も市販されている。目盛りは、ATS 規格[18]に準拠して製作されているが、ミニライト® だけは以前から使用しているライト目盛り仕様の製品も併売している。

(4) PEF 基準値（予測値）と自己最良値

日本小児アレルギー学会が採用している PEF 基準値（web 表 5-3）では、性別、年齢、身長から、次の予測式を使って求める[19]。

男子 (L/分) ＝77.0＋64.53×身長 (m)³＋0.4795×年齢²
女子 (L/分) ＝－209.0＋310.4×身長 (m) ＋6.463×年齢

ただし、PEF には個人差や使用する機器による差があるので、自己最良値を基準としてモニタリングを行うことも可能である。自己最良値としては、2 週間以上症状が完全にコントロールされて、PEF の日内変動がない期間での最良値を採用するが、日内変動が認められる場合には SABA 吸入後の最高値とする[20]。経口ステロイド薬を 2 週間服用させて自己最良値を決める方法もあったが、喘息治療のアウトカムは PEF だけではなく多面的に評価すべきであるので、現在は推奨していない。

(5) PEF の日内変動

PEF の日内変動は、喘息の重症度、気道過敏性などを反映するとされ、喘息管理を進める上で有用な指標である。日内変動が 20％以内となるように目標を設定する。PEF の日内変動は、次の計算式で求める。

日内変動率 (%) ＝(最高値－最低値)÷最高値×100

3）強制オシレーション法（FOT）

強制オシレーション法（FOT）は被験者の安静換気中に口側から機械的な空気振動を加え、生じる口腔内圧（Pm）変化と気流量（V）からインピーダンス（Z＝Pm/V）を求める。FOT でのインピーダンスは呼吸インピーダンス（Zrs）と表記され、Zrs は抵抗成分（Rrs）と弾性および慣性の成分〔両者の和を呼吸リアクタンス（Xrs）と呼ぶ〕からなる。

近年、オシレーション波として 5～35 Hz 程度までの広域周波数スペクトラムをもつ雑音波やパルス波を用い、測定データをフーリエ解析することによって周波数ごとの Rrs、Xrs、Zrs を 1 回の測定で得られるようになった。広域周波オシレーション法として保険適用になっており、MS-IOS®、モストグラフ® などの機器がある[21]。

非侵襲性、簡便性、児の協力が最小限度で測定できるため、一般的にスパイロメトリーが5歳程度から測定可能であるのに対し、FOT は 3～4 歳ころから測定可能であり、MS-IOS® による FOT の各パラメーターについて日本の小児標準値の報告がある[22]。モストグラフ® は MS-IOS® と若干測定値が異なる場合があるため、それぞれの機器で基準値を検討する。

臨床応用として、小児喘息患者の診断・治療に有用であるとの報告も多く[23,24]、近年さらに気道可逆性試験としても応用されている。

4）気道過敏性試験

(1) 気道過敏性試験とは

気道過敏性は喘息の最も基本的な病態である。その機序は、気道炎症、気道リモデリング、気道を調節する神経バランスの異常、先天的な構造異常など種々の要因が関与する。気道過敏性は、気道炎症の指標である FeNO や PEF 値の日内変動、そして喘息の重症度と相関する。気道過敏性試験は、気流制限が明確でない症例や気道可逆性が検出されない症例で喘息の診断に必要となる[25]。また、ICS の中止時期など喘息の寛解の指標とする場合もある。気道過敏性試験には平滑筋を直接刺激するメタコリン、アセチルコリン、ヒスタミンなどの薬物を吸入させる直接的な方法と、運動や過換気、蒸留水、マンニトール吸入など気道粘膜のマスト細胞やその他の細胞の刺激を介して平滑筋収縮を起こす間接的な方法に分けられる。これらの気道刺激によって引き起こされる気道狭窄を 1 秒量の変化として定量化するが、低年齢児では FOT による呼吸抵抗の変化や経皮的酸素分圧値の変化による測定も行われている。

(2) 標準法（日本アレルギー学会）

標準法は、メタコリンをネブライザーを用いて低濃度から 2 分間ずつ吸入させ、倍々に濃度を上げていき、1 秒量が初期値から 20％低下したときの濃度を閾値（PC_{20}）とするものである（図 5-4）[26]。メタコリンのほかにアセチルコリンやヒスタミンも同様に用いるが、気道過敏性試験薬として承認を受けている薬剤はメタコリンのみである。気道狭窄があると閾値が低値となるため、気道過敏性の測定は一般に症状のない期間に、％予測 1 秒量（％ FEV_1）が 70％以上で行われることが望ましい。検査を行う際には β_2 刺激薬、抗コリン薬などは事前に休薬が必要であることに留意する（web 表 5-4）[12]。

日本アレルギー学会による標準法は DeVilbiss Model 646 Nebulizer を使用することになっているが、必ずしも各医療機関には備わっていない。そのため他のネブライザーによって求められた測定値は、吸入器のエアロゾル噴出量や被験者の分時換気量、呼吸の深さ・頻度などの影響を受けるが、同一器具を用いた測定値の再現性は高い。

(3) アストグラフ法

アストグラフ法は、メタコリンを低濃度から 1 分間ずつ吸入させながら、呼吸抵抗（Rrs）をオシレーション法で連続測定するものである。メタコリンを 10 段階に濃度希釈し、

①吸入方法
　圧搾空気5L/分で発生させたエアロゾルをDeVilbiss Model 646 Nebulizerを使用し、ノーズクリップを装着して2分間吸入を行う（このネブライザーは日本ではシズメメディカルの取り扱いのみ）。

②メタコリン溶液の調整
　吸入液は2倍希釈系列のメタコリン塩化物（プロボコリン®吸入粉末溶解用100mgまたはケンブラン®吸入粉末溶解用100mg）を0.039〜20mg/mLの濃度で使用する。

③測定方法
　検査直前の1秒量を測定して基準1秒量とする。生理食塩水を2分間吸入後の1秒量が基準1秒量より10%以上減少していないことを確認する。次に低濃度の溶液よりそれぞれ2分間吸入し、1秒量を測定する。測定1秒量が基準1秒量の20%以上低下したときの濃度を閾値濃度とする。測定1秒量が基準1秒量の20%低下したときの濃度を片対数グラフよりPC_{20}として求める。

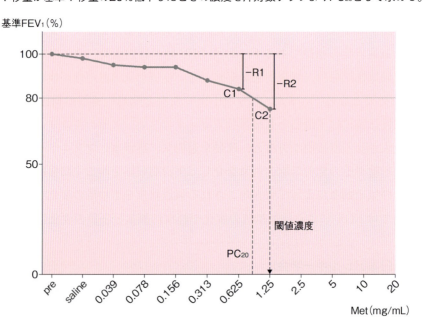

直接補間による「真の」PC_{20}－FEV_1の算出

$$PC_{20} = \text{antilog} \left[\log C1 + \frac{(\log C2 - \log C1)(20 - R1)}{(R2 - R1)} \right]$$

C1＝最後から2番目の濃度（FEV_1の20%以下の低下）
C2＝最後の濃度（FEV_1の20%以上の低下）
R1＝C1後のFEV_1の低下（%）
R2＝C2後のFEV_1の低下（%）

図 5-4　メタコリン吸入試験[26]

低濃度から1分間ずつ連続吸入させる。呼吸抵抗が初期値の2倍になった時点、もしくは最高濃度を吸入した時点で、SABAを2分間吸入して呼吸抵抗がほぼ初期値に戻ることを確認して一連の測定が終了となる[25]。Rrsの増加時点でのメタコリン吸入累積濃度（Dmin）を閾値とする。安静呼吸で測定できる点は、小児に有利である[27]。

(4) 運動負荷検査

運動負荷検査は気道過敏性試験の中で保険適用がある。自転車エルゴメーター[28]またはトレッドミル[29]を用いた定量負荷を行うが、エルゴメーターは短時間で十分な負荷がかからない場合があることに注意する（**表5-6**）。フリーランニング[27]や日常行うスポーツは負荷量の定量性に欠けるが、日常生活での運動レベルを再現できる利点がある。運動負荷前後に呼吸機能を測定して、最大低下率を計算する。通常は FEV_1 を測定するが、野外などでは PEF メータによる測定も可能である。ROC曲線下面積（AUC）を計算すると低下の程度のみならず、回復のしやすさも同時に評価できる。運動負荷後の換気機能低下は通常15分間から30分間で回復する[31]が（**図5-5**）、重症例では気道狭窄が持続する場合があるので、適宜SABA吸入を行う。検査前に中止することが望ましい薬剤をweb表5-5に示す[12]。

(5) 結果の解釈

小児では気道過敏性は喘息の重症度と相関し、症状が軽快または寛解すると気道過敏性は次第に改善する傾向がある。一方、思春期に寛解したと思われる例で気道過敏性が亢進したままであることもしばしば経験するが、低用量のICSで3か月以上完全なコントロールを維持し、かつメタコリン閾値として PC_{20} が0.5 mg/mL以上である例では、ICSを中止した2年後でも81％が寛解を維持していたとの報告もある[32]。米国胸部疾患学会（ATS）の基準では、気道過敏性正常とは PC_{20} が16 mg/mLを上回る場合とされているため、長期予後改善のためには気道過敏性試験の正常化も目指すことが大切と考えられる。

運動による誘発症状（運動誘発喘息：EIA）は、身体活動が活発な小児にとってはQOLを左右する重要な問題である。EIAがある児が自然に激しい運動を控えるようになることは珍しくなく、問診時にEIAがない、または軽いと答えても、運動をしないために発現していないだけの場合もある。負荷試験を行うことによって、EIAの程度を客観的に評価できる。運動負荷試験による1秒量最大低下率は、喘息の重症度、気道炎症（FeNO[31]、喀痰中好酸球数など）と相関する。

声帯機能不全（VCD）は情動などにより喘息に似た発作症状が誘発され、急性増悪（発作）時には声帯の一時的な外転不全が起こり喘鳴を生じる疾患であるが、この場合、一般的に薬剤による気道過敏性に異常は認められないことから鑑別に有用である。

表 5-6 運動負荷試験の方法[28~30]

1. 試験前の条件
1) 運動しやすい服装と靴を着用する。
2) 試験前 4 時間は激しい運動をしない（歩行まで）。
3) 運動負荷試験の結果に影響を与える薬物などは web 表 5-5 の基準で中止する。

	自転車エルゴメーター[*]	トレッドミル	フリーランニング	従来行っているスポーツ
開始時負荷強度（参考）	0.035 kp/kg、60 rpm/分（または 2.1 W/kg）	10%傾斜角 6 km/時	60 m/分くらいのランニング	
持続時間	最初の 2~4 分で最大心拍数（最大心拍数＝220－年齢）の 80~90% になるように負荷強度を上げ、さらにそこから 4~6 分継続する。			
適切な負荷条件	ノーズクリップで鼻を挟んで行うとよい。運動負荷時の心拍数が 160~170 以上			
評価	スパイロメトリーにて 1 秒量を測定する（運動前、直後、5 分、10 分、15 分、20 分、30 分）。運動前は 3 回測定の最良値、運動後は 2 回測定の最良値を採用する。最大低下率(Max % Fall)＝(負荷前値－最も低下した値)÷負荷前値×100			
陽性の判定	最大 FEV_1 低下率、最大 PEF 低下率が 12%以上のときに EIA を疑う。15%以上あればほぼ確定できる。			

[*]：エルゴメーターは、運動負荷として不十分な場合があるため呼吸機能の低下が認められなかった場合には他の検査方法を考慮する。

2. 準備すべき薬剤／物品
1) パルスオキシメーター（運動中の心拍数を正確にモニター可能な機器）
2) ネブライザー用短時間作用性 β_2 刺激薬（プロカテロールまたはサルブタモール）
3) 生理食塩水（吸入用）
4) ジェット式ネブライザー
5) 酸素
6) ノーズクリップ
7) 温度計、湿度計

3. 誘発症状への対応
1) 運動後 30 分に 1 秒量が前値に復帰していない場合、30 分以前でも呼吸困難を強く訴える場合は短時間作用性 β_2 刺激薬を吸入させる。
2) 呼吸困難が強い場合、強い喘息発作を起こした場合は試験を中止して、適切な治療手段をとる（第 8 章参照）。

運動負荷試験データシート

温度　　　℃　　湿度　　　％

時間	前	運動中			運動後					
		2 分	___分	終了前___分	直後	5 分	10 分	15 分	20 分	30 分
心拍数										
FEV_1										
低下率										
誘発症状への対応										

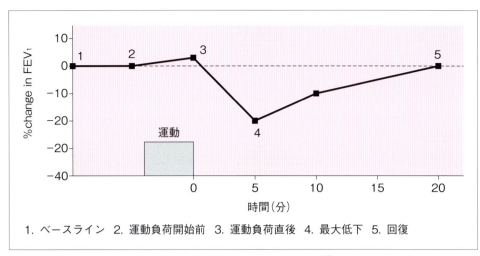

図 5-5 運動負荷前後の 1 秒量の変化（運動誘発喘息患者）[31]

3. 気道炎症の評価

1）FeNO

2013 年より FeNO 測定は保険診療による算定が可能になった。承認された測定機器は携帯型の NIOX VERO®（チェスト）、NObreath®（原田産業）であるが、より正確で多機能な据え置き型〔Nitric Oxide Analyzer（Model-280iNOA）、Sievers 製など〕もある。

測定は米国胸部疾患学会（ATS）と欧州呼吸器学会（ERS）による標準法に従って行う[33]。呼気流速を一定にすること（FeNO は呼気流速によって異なり、高流速で低値、低流速で高値となるため）と鼻腔からの混入を防ぐ（上気道の FeNO は下気道より著しく高値のため）ことが重要で、呼気圧 5～20 cm H_2O で軟口蓋を閉鎖、鼻腔からの混入を防ぎ、呼気流速を 50 mL/秒とすることが定められている。承認された測定機器はこれらの条件を満たすように測定手順が示されている（web 図 5-1）。

気道炎症の基準とする値については、文献により 3.6～45.9 ppb と幅があり、性別やアレルギー素因の有無などが影響している[34]。日本人小児を対象とした検討では、非喘息児の小児の中央値として小学生男児では 12 ppb、女児で 10 ppb、中学生男子で 18 ppb、女子で 11 ppb とされているが、アレルギー性鼻炎があると若干高値となる傾向があるため喘息の診断を行う際には鼻炎の有無を確認する[35]。ATS のガイドラインでは小児の気道炎症のカットオフ値として 35 ppb を目安とするとされている[34]。

FeNO 測定は、喘息の診断[36]、ICS への治療反応性の予測[37,38]についての報告がある。また、治療経過のモニタリングに用いることができ[39～41]、アドヒアランスのチェックも可能である。しかし、FeNO に基づく長期管理薬の調節は有用な可能性があるが、アレルゲンの感作状況や他のアレルギー疾患の合併など個々に応じた使用が必要である（第 7 章参照）。

FeNO は気道炎症だけではなく、さまざまな条件が測定値に影響を及ぼす。気道感染や窒素含有量の多い食物摂取などにより高値を示す。一方、スパイロメトリーを繰り返し施行した後や、運動後[31]、喫煙者では低値となる。急性増悪（発作）時には低下するので、低値が気道炎症のないことを示すものでないことに注意する[42]。

2）喀痰細胞診

気道粘液中の好酸球浸潤はアレルギー性炎症の存在を示しており、喀痰中の細胞を直接鏡検することで評価できる。実際、喀痰中好酸球を指標として ICS などの用量調節を行うことで喘息増悪を防ぐことができたとの報告がある[40]。剥離した気道上皮が一塊となって観察されるクレオラ体は、気道炎症による上皮傷害を表す[43]。また、好中球の評価も感染による炎症、あるいは難治性喘息に認められるステロイド不応性の好中球性炎症の診断に利用できる[44]。

通常は自然喀出で喀痰が得られることは少ないので、高張食塩水吸入により採取するが、気道収縮を誘発しないように SABA を併用する。検査前に鼻をかませて口をゆすぐなど、鼻汁や唾液の混入を防ぎ、得られた検体も気道上皮を含むもののみを採用し、扁平上皮の多い検体は評価しない。ただし、時間を要することと、判定方法の標準化がなされていないため、一般臨床では困難である[45]。

4. 新しい検査法

1）肺音解析

低年齢児に対する信頼のおける客観的な呼吸機能の評価法は確立されていないが、呼吸に伴い発生する肺音〔＝呼吸音（広義）〕を解析し、小児の呼吸器疾患の病態を検索する試みがなされている[46]。簡便で非侵襲的な呼吸機能検査としての優れた側面を活用し、重症度との相関や治療反応性の評価[47]だけでなく、乳幼児喘息の診断への応用も検討される[48]。

2）好酸球顆粒タンパク質

好酸球活性化をより反映するマーカーとして好酸球顆粒タンパク質である ECP や EDN などがあり、血清 EDN 値のほうが血清 ECP 値より喘息[49]、アトピー性皮膚炎[50]の症状、重症度と相関することが報告されている。FeNO は乳幼児では測定が困難であるため、好酸球性炎症のバイオマーカーとして低年齢にも測定可能であり、応用が期待される。

3）ペリオスチン

IL-13 などの刺激により上皮細胞や線維芽細胞から産生されるペリオスチンは、喘息の気道リモデリングに関与すると考えられ、またペリオスチン高値の重症喘息患者では抗 IL-13 抗体（レブリキズマブ）が有効と報告されている[51]。

[参考文献] --

1) 手塚純一郎, 高瀬真人, 他. 小児呼吸機能検査ハンドブック 2020年改訂版. 協和企画, 東京；2019年.

2) Just J, Nicoloyanis N, Chauvin M, et al. Lack of eosinophilia can predict remission in wheezy infants? Clin Exp Allergy. 2008；38：767-73.

3) Payne DN, Adcock IM, Wilson NM, et al. Relationship between exhaled nitric oxide and mucosal eosinophilic inflammation in children with difficult asthma, after treatment with oral prednisolone. Am J Respir Crit Care Med. 2001；164：1376-81.

4) Warke TJ, Fitch PS, Brown V, et al. Exhaled nitric oxide correlates with airway eosinophils in childhood asthma. Thorax. 2002；57：383-7.

5) 高瀬真人. 小児の肺機能検査のスタンダード 日本人小児スパイログラム基準値とカットオフ値. 日小呼誌. 2010；21：17-22.

6) National Asthma Education and Prevention Program. Expert Panel Report 3 (EPR-3)：Guidelines for the Diagnosis and Management of Asthma-Summary Report 2007. J Allergy Clin Immunol. 2007；120(5 Suppl)：S94-138.

7) Bacharier LB, Strunk RC, Mauger D, et al. Classifying asthma severity in children：mismatch between symptoms, medication use, and lung function. Am J Respir Crit Care Med. 2004；170：426-32.

8) van Dalen C, Harding E, Parkin J, et al. Suitability of forced expiratory volume in 1 second/forced vital capacity vs percentage of predicted forced expiratory volume in 1 second for the classification of asthma severity in adolescents. Arch Pediatr Adolesc Med. 2008；162：1169-74.

9) Strunk RC, Weiss ST, Yates KP, et al. Mild to moderate asthma affects lung growth in children and adolescents. J Allergy Clin Immunol. 2006；118：1040-7.

10) Spahn JD, Cherniack R, Paull K, et al. Is forced expiratory volume in one second the best measure of severity in childhood asthma? Am J Respir Crit Care Med. 2004；169：784-6.

11) Fuhlbrigge AL, Weiss ST, Kuntz KM, et al；Group CR. Forced expiratory volume in 1 second percentage improves the classification of severity among children with asthma. Pediatrics. 2006；118：e347-55.

12) Wanger J. ATS Pulmonary Function Laboratory Management and Procedure Manual, Third Edition. American Thoracic Society, New York, 2016.

13) Pellegrino R, Viegi G, Brusasco V, et al. Interpretative strategies for lung function tests. Eur Respir J. 2005；26：948-68.

14) Sharma S, Litonjua AA, Tantisira KG, et al. Clinical predictors and outcomes of consistent bronchodilator response in the childhood asthma management program. J Allergy Clin Immunol. 2008；122：921-8.e4.

15) Szefler SJ, Phillips BR, Martinez FD, et al. Characterization of within-subject responses to fluticasone and montelukast in childhood asthma. J Allergy Clin Immunol. 2005；115：233-42.

16) Morita E, Tokuyama K, Ueda Y, et al. Airway reversibility and inflammation in stable pre-to late adolescent asthmatics without long-term control medications. J Asthma. 2019；21：1-10.

17) 池部敏市, 勝呂 宏. 【気管支喘息の適正な治療をめざして】ピークフローの測定とその臨床応用. 小児科. 1999；40：313-23.

18) Standardization of Spirometry, 1994 Update. American Thoracic Society. Am J Respir Crit Care Med. 1995；152：1107-36.

19) 月岡一治, 宮澤正治, 田辺直仁, 他. 日本人健常者（6〜18歳）のピークフロー標準値. 日小ア誌. 2001；15：297-310.

20) 池部敏市, 勝呂 宏, 山崎扶佐江, 他. ピークフロー値の自己最良値の求め方の検討（続報）. 日小ア誌. 1997；11：195.

21) 日本呼吸器学会肺生理専門委員会. 臨床呼吸機能検査. 日本呼吸器学会, 2016年.

22) Hagiwara S, Mochizuki H, Muramatsu R, et al. Reference values for Japanese children's respiratory

resistance using the LMS method. Allergol Int. 2014；63：113-9.

23）矢川綾子，今井孝成，山川啄司，他．小児気管支喘息患者における強制オシレーション法による呼吸機能評価．アレルギー．2012；61：1665-74.

24）Mochizuki H, Hirai K, Tabata H. Forced oscillation technique and childhood asthma. Allergol Int. 2012；61：373-83.

25）日本臨床衛生検査技師会．JAMT技術教本シリーズ　呼吸機能検査技術教本．じほう，東京；2016年．

26）牧野荘平，小林節雄，宮本昭正，他．気管支喘息および過敏性肺臓炎における吸入試験の標準法．アレルギー．1982；31：1074-6.

27）Mochizuki H, Shigeta M, Kato M, et al. Age-related changes in bronchial hyperreactivity to methacholine in asthmatic children. Am J Respir Crit Care Med. 1995；152：906-10.

28）西間三馨．運動誘発喘息の自転車エルゴメーターによる運動負荷量の検討．日児誌．1981；85：1030-8.

29）小児アレルギー研究会EIA基準作成委員会．Exercise Induced Asthma（EIA）誘発に関わる運動の種類および量の検討（1）トレッドミルによる運動負荷について．アレルギー．1981；30：235-43.

30）Nishima S, Akasawa T, Arai Y, et al. Standardization of the severity of exercise-induced bronchospasm in Japanese children with asthma. Acta Paediatr Jpn. 1983；25：241-8.

31）Terada A, Fujisawa T, Togashi K, et al. Exhaled nitric oxide decreases during exercise-induced bronchoconstriction in children with asthma. Am J Respir Crit Care Med. 2001；164：1879-84.

32）赤澤　晃，須田友子，明石真幸，他．小児気管支喘息治療における吸入ステロイド薬中止後の臨床経過の前方視的研究．アレルギー．2009；58：1407-17.

33）American Thoracic Society；European Respiratory Society. ATS/ERS recommendations for standardized procedures for the online and offline measurement of exhaled lower respiratory nitric oxide and nasal nitric oxide, 2005. Am J Respir Crit Care Med. 2005；171：912-30.

34）Dweik RA, Boggs PB, Erzurum SC, et al. An official ATS clinical practice guideline：interpretation of exhaled nitric oxide levels (FENO) for clinical applications. Am J Respir Crit Care Med. 2011；184：602-15.

35）独立行政法人環境再生保全機構．小児気管支ぜん息における呼気NO測定ハンドブック．2014年．

36）Smith AD, Cowan JO, Filsell S, et al. Diagnosing asthma：comparisons between exhaled nitric oxide measurements and conventional tests. Am J Respir Crit Care Med 2004；169：473-8.

37）Smith AD, Cowan JO, Brassett KP, et al. Exhaled nitric oxide：a predictor of steroid response. Am J Respir Crit Care Med. 2005；172：453-9.

38）Knuffman JE, Sorkness CA, Lemanske RF, Jr, et al. Phenotypic predictors of long-term response to inhaled corticosteroid and leukotriene modifier therapies in pediatric asthma. J Allergy Clin Immunol. 2009；123：411-6.

39）Yates DH, Kharitonov SA, Robbins RA, et al. Effect of a nitric oxide synthase inhibitor and a glucocorticosteroid on exhaled nitric oxide. Am J Respir Crit Care Med. 1995；152：892-6.

40）藤澤隆夫．コントロールレベルを知るためのバイオマーカー．小児内科．2009；41：1430-5.

41）Petsky HL, Kynaston JA, Turner C, et al. Tailored interventions based on sputum eosinophils versus clinical symptoms for asthma in children and adults. Cochrane Database Syst Rev. 2007；(2)：CD005603.

42）Tadaki H, Mochizuki H, Muramastu R, et al. Effect of bronchoconstriction on exhaled nitric oxide levels in healthy and asthmatic children. Ann Allergy Asthma Immunol. 2009；102：469-74.

43）Yoshihara S, Yamada Y, Abe T, et al. Association of epithelial damage and signs of neutrophil mobilization in the airways during acute exacerbations of paediatric asthma. Clin Exp Immunol. 2006；144：212-6.

44）Green RH, Brightling CE, Woltmann G, et al. Analysis of induced sputum in adults with asthma：identification of subgroup with isolated sputum neutrophilia and poor response to inhaled corticosteroids. Thorax. 2002；57：875-9.

45）染谷研一，高増哲也，栗原和幸．喀痰細胞診を用いてモニタリングを行った気管支喘息の1例．日小ア誌．2008；22：275-80.

46）Tabata H, Hirayama M, Enseki M, et al. A novel method for detecting airway narrowing using breath sound spectrum analysis in children. Respir Investig. 2016；54：20-8.

47）Habukawa C, Murakami K, Endoh M, et al. Treatment evaluation using lung sound analysis in asthmatic children. Respirology. 2017；22：1564-9.

48）Shioya H, Tadaki H, Yamazaki F, et al. Characteristics of breath sound in infants with risk factors for asthma development. Allergol Int. 2019；68：90-5.

49）Kim CK, Callaway Z, Fletcher R, et al. Eosinophil-derived neurotoxin in childhood asthma：correlation with disease severity. J Asthma. 2010；47：568-73.

50）Taniuchi S, Chihara J, Kojima T, et al. Serum eosinophil derived neurotoxin may reflect more strongly disease severity in childhood atopic dermatitis than eosinophil cationic protein. J Dermatol Sci. 2001；26：79-82.

51）Corren J, Lemanske RF, Hanania NA, et al. Lebrikizumab treatment in aults with asthma. N Engl J Med. 2011；365：1088-98.

第6章

患者教育、吸入指導

第6章 患者教育、吸入指導

要旨

■ 喘息の治療は医師が適切に処方・指示しても患者側が受容して実行しなければ十分な効果は得られない。そこに患者教育の果たす重要な役割がある。

■ 患者教育では治療に直接・間接に関わる人すべてを対象とするが、特に患者・家族とのパートナーシップを確立することが重要である。

■ 治療目標の理解を促すために必要な病態生理をわかりやすい言葉で説明し、患者・家族と共有する。

■ 発達段階に応じた患者教育を行い、セルフモニタリングやアクションプランの活用、喘息コントロールテストや QOL 尺度、自己効力感尺度により継続的に評価し、アドヒアランスの向上と維持に努める。

■ 喘息の心身医学的側面にも配慮し、むやみに薬物療法のみを強化するのではなく、喘息児や保護者の状態も的確に把握し行動医学的なアプローチを試みる。

■ 喘息児および保護者の QOL がよりよいものとなるように、測定尺度などを活用して、治療や患者教育に応用していく。

■ 吸入療法は、喘息の長期管理と急性増悪（発作）治療の双方において重要である。吸入療法を効果的に実施するためには、適切な吸入方法の選択と吸入手技の習得が求められる。

■ 薬剤を効率的に吸入するために、吸入機器と吸入補助具の組み合わせを検討する。

■ 吸入機器にはそれぞれの特徴および長所・短所があり、使用する薬剤、喘息児の年齢、発達段階、重症度、経済的因子、アドヒアランスなどを考慮して選択する。

1. 小児喘息治療・管理における患者教育の位置づけ（意義）

　小児喘息の治療目標（**表7-1**）の達成が、患者教育のゴールである。

　米国 NHLBI のガイドライン（EPR 3）[1] には、喘息治療・管理の4本柱の一つに患者教育（education for a partnership in asthma care）が挙げられており、治療効果を左右する重要な領域と位置づけられている。医療従事者が喘息の知識を与えるだけの患者教育は効果が低いことが指摘されており[2,3]、患者や保護者が喘息治療を主体的に自己管理できるように導

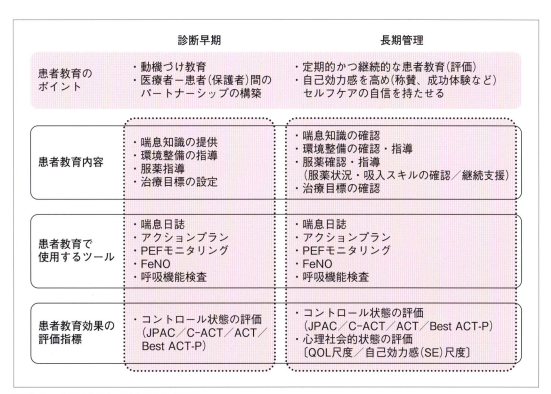

図 6-1　小児喘息における患者教育

くように心がける[3~5]。そのためには、患者・家族とのパートナーシップを確立し、治療目標を共有してアドヒアランスの向上を図るような患者教育を行う。患者教育においては、各時期（初診、再診、診断、長期管理導入、重症度の変化、長期管理継続など）に必要な事項を教育・指導するとともに、定期的・継続的に喘息コントロール状態と心理社会的状態を評価し、包括的医療（トータルケア）を目指す（図 6-1）。

2. 患者・家族とのパートナーシップの確立

1）患者教育の対象

　患者教育の対象となるのは、意思決定と治療行為を実行する人物である。したがって、乳児の場合は保護者であり、幼児や学童では患者本人と保護者、そして思春期以降は本人が主な対象となり保護者は補助的な対象になる。多くのケースでは母親だけを対象にしがちであるが、子どもの治療に直接関わる可能性のある関係者は教育対象として意識すべきである。

　また、直接治療に関わることは少なくても、母親以外の家族が治療目標を共有していないと、母親が孤立して治療がうまくいかなくなることがある。子どもが病気になると家庭が崩壊するきっかけになることもあるため、できる限り多くの家族に情報を提供し、関係者全員が治療目標を共有して保護者が治療に取り組みやすい環境形成をサポートする。また、支障

なく学校生活を送ることができるように学校関係者との連携を心がける（第12章参照）。

2）信頼関係の構築と患者側のニーズの把握

　まず、患者が医療機関を受診した動機や目的を把握する。喘息と診断されていない患者もいれば、喘息の診断に疑いを持ってセカンドオピニオンを求めてくる患者（保護者）もいる。コントロールは良好だが薬物療法の必要性に疑問を感じている患者（保護者）もいれば、よりよいコントロールを求めて受診する患者（保護者）もいる。したがって、患者側の受診目的を正確に把握することが大切である。

　患者との十分なコミュニケーションや信頼関係[6,7]は、アドヒアランスに影響を与える最も強い因子[8]であるため、患者側のニーズを十分に把握することが重要である。その際、動機づけ面接技法[9]を用いて「（具体的な理由を挙げて）このような目的で受診されたのですね」と自分の言葉で言い換えて、相手の顔を見ながら確認する。曖昧な返答であったり、すっきりしない表情のままであったりすれば、まだ相手のニーズが把握できていないと判断する。「そのとおりです」といった返事があれば、「この医師は自分のことを理解してくれる」という気持ちが患者側に生じて信頼関係が確立しやすくなる。

3. 治療目標の設定と共有

1）急性増悪予防（または発作予防）を基盤とした治療目標と治療姿勢

　重症度が軽症持続型の患者の多くは症状がないときには治療の必要性がないと考えるため、患者のニーズを把握するだけではなく、なぜ症状がないときにも薬剤を使用しなくてはならないかの理解を得ることも治療目標を共有するために大切である。

2）病態生理の説明

　一度に多くの情報を与えても、そのすべてを患者が理解できるとは限らない。最初は、予防的な治療が必要な理由が理解できる必要最低限の説明に留める。すなわち、喘息は慢性疾患であり、症状のないときにも気道に慢性炎症があるために気道が過敏になって刺激などで症状が生じるため、急性増悪（発作）の症状があるときにだけ治療をしても根本的な治療にならないばかりか、さらに気道過敏性が亢進して喘息死の危険性が高まる。それを防ぐためには、症状がないときにも予防的な治療を続けることが重要であると説明する。

3）治療目標の共有

　最終的な治療目標（健常児と同じ活動を行っても喘息症状が生じず、日常生活に支障がなくなること。**表7-1** 参照）の実現に向けて、どのようなステップを踏めばよいのかを患者（保護者）とよく話し合い、当面の治療目標を共有し治療内容を決めていく。理解を深めて

治療目標を維持するためにも初診時のみでなく、再診時の情報提供や患者教育にも留意する。

4. アドヒアランス（adherence）の向上

1）理解と納得の上に成り立つアドヒアランス

　アドヒアランスとは、患者が主体的に治療に参加することである[10]。かつては医療スタッフからの指示を患者がどの程度実践できているかという従順度を示す「コンプライアンス」の考え方が用いられてきたが、現代においては患者自身が責任を持って主体的に治療を進めていく「アドヒアランス」の考え方が主流となったため、アドヒアランスの向上を目的とした患者教育が重要となる。治療効果やアドヒアランスの向上のためには、一方的に治療に関する指示を出すのみでなく、患者が喘息の慢性疾患としての病態を正しく理解し、治療目標を共有できているか、非発作時と発作時の対応の違いを理解しているか、吸入手技やセルフモニタリングの方法に困難を感じていないかなど、基本的な事柄について受診時に繰り返し確認し、共通した認識と手技が定着するように導く。主体的にセルフケアに取り組む姿勢が確立することが、良好なアドヒアランスにつながる[11, 12]。

2）行動医学モデルが指摘するアドヒアランスを高める条件

　Rosenstock の健康信念モデル（health belief model）[13]や Rogers の防護動機理論（protection motivation theory）[14]などで指摘されている治療行動のアドヒアランスを向上させるいくつかの因子を小児喘息の治療に当てはめて整理すると、前項の 1）で述べた事柄の他に次のようなポイントがある。

(1) 疾患の重大性を認識させる

　適切な治療を行わなければ喘息死や成人期まで喘息を持ち越す可能性が高まるといった、喘息という疾患の重大性を認識させることが重要となる。具体的には、長期管理薬を使用せず、症状出現時だけに β_2 刺激薬を頻用していると、薬剤の効果が低下して、重症化し喘息死の危険性が高まることを伝える。初診時や急性増悪（発作）による受診時には、患者（保護者）の治療意欲は高い。救急受診時にも、パンフレットなどで疾患の重大性を認識させるとともに、治療行動の継続に対する動機づけ教育を行う[15, 16]。

(2) 治療による将来の見通しを示す

　計画的に治療を進めれば、どのくらいの期間で症状が改善してくるか、そして最終的にはどのような状態になることが期待できるのかを伝えて患者や保護者と治療目標を共有する。

(3) 自己効力感を高めて治療行動を強化する

　自己効力感（self-efficacy）は目標とする行動を達成できるかについての見込み感（できるという自信）を指し、行動変容・継続には自己効力感を高めることが有効である。例えば、ICS 導入後は、吸入手技を確認して上手にできていることを褒め、「正しく実行したこ

とで、喘息がよくなってきた」などと称賛する。また、長期的な患者教育では、喘息日誌の記録、PEF モニタリングの実施、服薬状況などを確認し、「毎日実行しているから調子がよいね」、「頑張っているね」、などと称賛し、治療意欲を持続させるようにする。保護者へは、喘息児が服薬などを実行しなかった部分を責めるのではなく、実行できていた部分を認めることや称賛することの大切さを伝える。治療のアドヒアランスの向上に重要なことは、できたという成功体験を積ませること、行ったことを称賛すること、行ったことによる効果に実感を持たせること、そして同じ境遇にある人の成功体験を見聞きさせることの 4 点である。保護者も自身の喘息管理の自己効力感を高めることで、QOL が改善して治療行動が強化される[17]。小児喘息管理における自己効力感は、尺度（CASES[18]または P-CASES[19]）により評価できる（web 表 6-1、web 表 6-2）。

3）喘息日誌（セルフモニタリング）と個別対応プラン（アクションプラン）の活用

　患者と家族（保護者）に喘息日誌を渡し、目的と使い方を説明する。喘息児が 5 歳前後の年齢に達したら PEF メータをうまく実施できるか試し、正しく測定できるようであれば喘息日誌への記録を指導する。これらのセルフモニタリングにより精度の高い治療が可能になるが、毎日記載することが患者と保護者の負担になることもあるため、患者の状態に合わせて喘息日誌をつけさせるなど、診療に活用する工夫をする。

　診察室では納得したように見えても、正確に理解していない患者（親や保護者）も多い。そのため、日頃の治療薬と症状が出現したときの対応を書面に記載した個別対応プラン（アクションプラン）を説明した上で手渡すことも一つの方法である[20,21]。アクションプランは、時間外受診や学校欠席の減少が期待できるだけでなく[22,23]、保護者にとってはアクションプランを持っていることで症状出現時の対応がわかって安心感も増す（web 図 6-1）。

4）発達段階に応じた教育

　小児の治療は保護者を介して行われることが多いため、患者教育は保護者向けに行われることが多い。しかし、2 歳以上では喘息児本人への働きかけが可能となる。以下に、4 つの発達段階に分けて解説する。患者教育は、喘息児の理解力に合わせて行う（**表 6-1**）。

(1) 乳幼児期（0〜5 歳）

　治療に対して不快感を抱かせないように、道具などに興味を持たせて、喘息児の治療意欲を引き出す。特に吸入に関しては、嫌がらずにできるように称賛しながら手順を習得させ、習慣化するよう援助する。

(2) 学童期（6 歳〜小学校低学年）

　学童期になると、継続的な治療の必要性について表面的な理解ができる。平易な言葉で、比喩を用いて喘息の病態を説明し、治療の必要性について理解を促す。また、腹式呼吸、PEF モニタリング、吸入補助具の使い方などを、ゲーム感覚を取り入れて楽しませながら

表6-1　子ども・保護者への発達段階別指導内容

教育する対象年齢	乳幼児期	学童期（6歳～小学校低学年）	前思春期（小学校高学年）	思春期（中学生）
保護者への教育・指導内容	コントロール状態把握の質問紙の活用について説明する 吸入・環境整備について指導する 病態説明をする	自己管理の移行に向けた説明をする 親子-きょうだい関係の助言をする		自己管理の自立後の保護者によるサポートの説明をする
患者（子ども）への教育・指導内容	道具などに興味を持たせて、治療意欲を引き出す 吸入は称賛しながら手順を習得させ、習慣化する	子どもの言葉で喘息の病態・吸入・環境整備の説明をする 治療の必要性について理解を促す PEFモニタリング、アクションプランなどをゲーム感覚で取り入れて指導する	喘息児の理解力に合わせた病態生理と吸入・環境整備などの治療の必要性について説明する PEFモニタリング、アクションプラン、喘息日誌を本人で管理できるよう指導する 自己効力感を高め、セルフケア行動ができるように導く（QOL尺度、セルフエフィカシー尺度などの活用）	病態生理と治療の必要性をどこまで理解しているか、確認する 自分の喘息の状態を医師に説明できるように導く 成人期医療への移行の概念、自立性を獲得する必要性を理解させる
患者教育の到達目標	嫌がらずに吸入できる	治療の必要性が理解できる 自分一人で吸入できる	使用している薬剤の名前を言える 喘息日誌を自らつけられる PEFモニタリングができる	喘息日誌を活用できる 発作時にアクションプランを使える

指導する。さらに、外来受診時には、FeNO や呼吸機能検査のデータを共有し、治療継続へのモチベーションとする。

(3) 前思春期（小学校高学年）

　喘息管理の主体が保護者から本人へと移っていく時期である。したがって、患者教育は保護者を通じてだけではなく、本人に対して直接行う機会を設けていく。その際、病態生理と治療の必要性について本人の理解力に合わせて説明するとともに、保護者が行っていた服薬行動やセルフモニタリングを本人ができそうなところから少しずつ始めていく。できたことにはその都度称賛を与えて自己効力感を高めて、セルフケア行動の自立に向けたサポートを行う。

(4) 思春期（中学生以降）

　前思春期の段階から指導した場合は喘息管理の主体が保護者から喘息児にスムーズに移行しやすいが、本人への教育指導の開始時期が遅れた場合は著しくアドヒアランスが低下することもある。特に思春期独特の親子の葛藤から喘息児が保護者の言うことを聞き入れなくなるケースは珍しくなく、受診したタイミングを生かして直接本人に指導する。場合によっては、夏休みなどを利用しての教育入院で保護者から分離して指導すると外来での指導よりも効果的な教育が可能となる。しかし、本人がセルフケア行動をとることができるようになっても、保護者には喘息児が治療行動を継続できるように支援する役割があることを説明する。

5）患者教育の課題

　知的能力障がい、自閉スペクトラム症、注意欠如・多動症、限局性学習症などを合併している患者は、医療者とのコミュニケーションや病気の理解、服薬の継続が困難となりやすいため、喘息のコントロール不良や難治化につながる可能性がある。そのため、障がいのある患者への患者教育については、障がいの程度を適切に評価して、それぞれの個別性に合わせて対応する。そして、障がいのある患者が小児科から内科に移行する場合は、その障がいについて対応スキルも含めて丁寧に伝えることが大切である（第10章参照）。

6）伝える工夫

　受診時に1回聞いただけで記憶することは難しいので、基本的で重要な情報は診察のたびに何度も繰り返し伝える[24,25]。また、年少であっても喘息児本人と保護者の両方に語りかけるようにすることが大切である。喘息児に語りかけるときに平易な言葉遣いで理解を促すことは、保護者にとってもわかりやすいといえる。喘息児と保護者の両者とコミュニケーションを図ることは、アドヒアランスを向上させるための第一歩でもある。

7）医療スタッフによる指導

　医師は、医療スタッフとの間でもパートナーシップを築いて治療目標を共有した上で、患者に向けた各種の情報提供や治療手技の指導を医療スタッフに依頼するのが効果的である。例えば、吸入薬や吸入補助具の使い方、PEFメータの実施方法や喘息日誌の書き方、環境整備の仕方などは、最初に医師が医療スタッフに指導して両者に共通の理解が得られた後で医療スタッフに指導を委ねると診療効率が向上する[26]。患者は複数の医療関係者から支援を受けられることになり、治療意欲の向上にもつながりやすい[26]。

　多職種が協働して治療を推進していくために、高度なアレルギーの知識と指導技術を持ったアレルギー専門の医療スタッフである「小児アレルギーエデュケーター」（PAE）を、日本小児臨床アレルギー学会が認定している。

8）教材や喘息治療情報の提供

　患者（保護者）自らが喘息についての学習意欲を持つことは大切であるが、限られた診療時間のなかでは十分な対応は困難である。必要に応じてパンフレットを渡し、Web サイトを紹介して、自己学習のきっかけを提供することは、喘息児や保護者の治療意欲の維持に役立つ[27]（web 表 6-3）。

5. 小児喘息における心理学的アプローチ

1）急性増悪（発作）の心身医学的機序

　アレルゲンや乾燥冷気など物質的刺激でなく、情動などの非物質的（心理的）刺激によって急性増悪（発作）が誘発されるものは心因性喘息と呼ばれてきた。これとは別に、急性・慢性のストレス負荷がかかった患者には（心因刺激か否かにかかわらず）、急性増悪（発作）が起こりやすいと報告されている[28~30]。後者は喘息に限らず多くの疾患に認められるが、前者の存在が喘息をして心身症の代表的な疾患の一つとして認識される原因になったと思われる。日本語の心身症が英語（米語）の psychosomatic disease とは異なる概念であり[31]、いずれの概念も現代医学における最先端の医療技術への貢献という観点からは過去の遺物になりつつある。一方で、一部の心身医学者が劇的な治療効果を上げた医療技術が実際に存在するのも事実であることから、本章では EBM と共存できる科学的な心理学や心理療法を喘息治療に応用するという立場から、喘息に対する心理学的アプローチについて記述する。

2）行動分析に基づく心理学的アプローチとストレスマネジメント

　保護者の精神状態が不安定で喘息児への適切な対応ができないために、喘息のコントロールが不良となっているケースは多い。この場合、保護者の精神状態の不安定さが一過性のものであれば、時とともに自然に喘息のコントロールは改善することが多いが、保護者の精神的未熟性や人格障がいから来るものである場合は治療が困難である。精神科への通院歴や心理士のカウンセリング歴が長い保護者の場合は、保護者の精神状態を安定させても治療が成功するとは限らない。むしろ、図 6-2 に示すようにアドヒアランスに焦点を当てて喘息児の喘息症状の改善を図るのが現実的である。その理由として、親（養育者）の精神状態によらず薬物療法と環境整備へのアドヒアランスがよければ、ほとんどの症例でコントロールは改善するためである。ICS の普及前は、不安の暗示による条件刺激として急性増悪（発作）が起こるというレスポンデント条件づけされた患者[32~34]が多く、心因性喘息や難治性喘息と呼ばれ心身医学の対象となった。しかし、現在は行動療法（系統的脱感作など）を用いると数か月程度で劇的な効果を得ることができる。日本では臨床応用できる医療施設が少ないため、適切に専門医へ紹介することを考慮するのが望ましい。きょうだい葛藤に伴う注目獲得行動として、オペラント条件づけされた急性増悪（発作）が認められるが、親に非発作時の

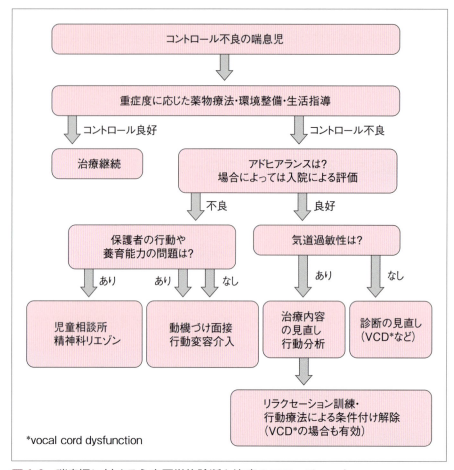

図 6-2 喘息児に対する心身医学的診断と治療のフローチャート

ストレスマネジメント[35〜47]を指導すると、注目獲得行動の多くは改善する（図 6-3）。

　アドヒアランスがよいにもかかわらず症状のコントロールがつかない症例は、声帯機能不全（VCD）や運動誘発過呼吸（EIH）など、心因性喘息と誤診されやすい疾患の鑑別を行う。これらの症例はリラクセーション訓練を行うとコントロールが可能となる。ネグレクトなど保護者の心理社会的問題により、自宅でアドヒアランスの改善が望めない場合は、児童相談所などと協議・連携して保護し、施設入所や長期入院施設療法などを考慮する。

6. 小児喘息と QOL

　単に病気を治療するだけでなく、喘息児やその家族を含めた精神的、肉体的な総合的なケアの実現のためには、喘息児の身体的な側面に加えて、喘息児や保護者の心理社会的な側面を捉え、QOL も評価する必要がある。QOL は健康の主観的指標であり、日々の生活の中で個人の機能的能力も考慮に入れた心理社会的なモデルから発した概念である[48]。

■オペラント条件付けとその解除

①保護者の過保護・過干渉など過剰な対応が喘息児の快刺激となり喘息症状が悪化・遷延する

→ **対策**
- 保護者は喘息症状が生じたときの過保護・過干渉をやめて、通常の対応を行う
- よい体調のときに喘息児が満足できる対応をする

②喘息児にケアを促すための保護者の指示・命令やしかる態度により、喘息児は吸入や PEF に嫌悪反応を示す

→ **対策**
- 喘息児の主体的なケアの実施を十分に誉め、自己効力感の強化を図る

■きょうだい葛藤

きょうだい間での保護者の愛情の奪い合いによって保護者の気を引く行動が生じる。例：下のきょうだいの授乳時などに上の子がやきもちを焼く

→ **対策**
- 保護者のストレスマネジメントや、育児スキルの向上、対処方法の習得を促す。例：上のきょうだいにも同じように大切にして愛情をかけていたことを説明する

■心身相関への気づきとセルフコントロール

喘息症状がストレスと関連している心身症的要素が強い場合

→ **対策**
- 心身相関があることを保護者に気づかせ、それに対する対応を説明する。例：バイオフィードバック、リラクセーション法、カウンセリング、自律訓練法など
（場合により専門家へ紹介）

■喘息児のストレス耐性の向上

喘息児のストレスが喘息症状の悪化・遷延に影響を与える

→ **対策**
- 喘息児のストレスに対する耐性を向上させる。例：アサーティブトレーニング（相手に受け入れられる自己主張の方法）、セルフカウンセリング、問題解決スキルなどの方法を習得させる（場合により専門家へ紹介）

■保護者のストレスマネジメントと子どもへの対応

保護者のストレスが児の喘息症状の悪化・遷延に影響を与える

→ **対策**
- 保護者に、子どもの成長発達における心理と喘息との関係の理解を促し、発達段階に合わせた対応を説明する
- 保護者が喘息児を自立させるために医療従事者が保護者を支援する

図 6-3　小児喘息における心理的アプローチ

QOL 尺度には、健常者も対象とする全般的なものもあれば、特定の疾患に偏らず疾患と健康について評価する全般的な健康関連 QOL 尺度もある。日本小児アレルギー学会の Web サイトに掲載した喘息関連の QOL 尺度は、疾患特異的 QOL 尺度に該当する。わが国で開発された喘息児に関する疾患特異的 QOL 尺度は、喘息児と保護者、喘息児、保護者に対するものがあり、それぞれに特徴がある。

1）喘息児と保護者の QOL

　喘息児と親または保護者の QOL 調査票簡易改訂版 2008（Gifu）（web 表 6-4）[49]は、わが国で最初に開発された喘息児に関する QOL 尺度[50]を改訂して、臨床現場で使いやすいように 10 問程度の簡易版として作成されたものである。小児では親（保護者）が治療に大きく関わるため、子どもと保護者の QOL を明確に区別できず、特に年齢が低い場合は子どもの QOL を正確に評価できないが、この尺度は親子の QOL を同時に評価することができ、日常臨床での使用にも便利である。

2）喘息児の QOL

　喘息児の QOL 調査票（Version3）（web 表 6-5）[51,52]では、学童期以降の QOL を評価することができる。日本の喘息児を対象としてデータを収集し、計量心理学的プロセスを得て作成された尺度である。26 問からなる評価尺度で、臨床研究や、より詳細な評価が必要な場合には有用である。

3）保護者の QOL

　日本のアレルギー専門医の施設に通院する喘息児の保護者を対象に、基礎的な質的データを収集し計量心理学的プロセスを経て作成した QOL 尺度〔QOLCA-24（web 表 6-6）[53]〕がある。薬物療法による喘息症状の消失で改善する項目と、薬物療法だけでは改善しない項目とが含まれており、保護者の QOL の改善には、薬の副作用に関する懸念および環境整備や薬の負担などに関する包括的な視点からのアプローチが必要であることがわかる。

7. 効率的な吸入療法

1）吸入療法の特徴

　吸入療法では、気道の炎症や狭窄部位に効率よく薬剤を到達させることで良好な治療効果が得られる。したがって、適切な吸入方法を選択し、吸入手技の習得度を上げることで治療効果が向上する。

　吸入療法においては、薬剤による副作用の軽減と薬剤の至適な肺内到達量を得るために、薬剤側の要因（粒子径などの薬剤の特性、吸入機器の種類や性能など）と生体側の要因（呼吸機能、吸入手技など）の両面を考慮する必要がある（web 図 6-2）。

2）吸入機器の種類と特徴（表 6-2）

(1) ネブライザー

　ネブライザーは薬液を霧化して肺内に吸入させる装置であり、ジェット式、メッシュ式、超音波式に分類される。

表6-2 吸入機器の種類と特徴

分類	長所	短所	方式	長所	短所
ネブライザー	普通の呼吸で吸入可、乳幼児に使用可、薬液量調整が容易	吸入装置が大型、高価、使用に時間がかかる、薬物の種類が限定される、電源が必要、騒音が生じる	ジェット式	耐久性に優れる	騒音、比較的大型、交流電源が必要なものが多い、時間がかかる
			超音波式	大量噴霧が可能、静か	薬物の変性、過量の水分吸入、少量の噴霧には不適、装置が大型、ステロイド縣濁液の吸入不可
			メッシュ式	静か、軽量小型、電池で駆動可	耐久性未確認、機器の種類が少ない
定量吸入器	軽量・小型、携行性に優れる、特別な装置不要、騒音がない、電源不要、吸入に時間がかからない	吸入手技の習得が必要、吸入が不確実な場合がある、年少者では使用が難、量の微調整が不可能、安易に反復使用しやすい、過量投与の危険性	加圧噴霧式（pMDI）	スペーサーを使用すると同調不要、携行に便利	吸気と噴霧の同調が必要、使用前によく振って混合する必要あり、噴射用溶媒が必要
			ドライパウダー（DPI）	吸気との同調が不要、操作・管理が容易、噴射用溶媒不要	吸入力が必要、年少児では使用不可、薬剤の種類が限定される

①**ジェット式**：圧縮空気で薬液を霧化する。選択肢が広く、比較的安価で耐久性にも優れ、現在最も普及している。家庭での使用に適しているが、コンプレッサーを装備するため一般的に大型で携帯に不向きである。また、吸入に時間がかかることも欠点として挙げられる。

②**超音波式**：超音波振動子の振動で薬液を霧化する。発熱するため、薬剤の変性、濃度変化などの問題があり、少量の薬剤を正確に吸入する目的には一般に適していない。軽量化されて少量噴霧も可能な製品があるが、懸濁液の噴霧には適さない。

③**メッシュ式**：振動によって薬液をメッシュの穴から押し出して霧化する。ジェット式に比べるとやや高価であるが、小型軽量化されて携帯性がよく、作動時の騒音が小さい。また、傾けて使用することができる。機種が限られ、メッシュの耐久性が低いことが欠点である。

(2) 定量吸入器

　定量吸入器は加圧噴霧式定量吸入器（pMDI）とドライパウダー定量吸入器（DPI）に分けられる。pMDIは、吸入器に充填されている薬剤を一定量のエアロゾルとして噴霧する装置である。噴霧と吸気の同調操作が必要であり、小児では吸入手技の習得や吸入補助具の使用が必要とされる。DPIは、吸入器にセットされた一定量の粉末状薬剤を、吸気によって飛散させて吸入する装置である。pMDIのように噴霧と吸気の同調操作は必要ないが、薬剤を肺内に到達させるためにはある程度の吸気流速が必要となる。定量吸入器はいずれも服のポケットに収まる小型サイズであり、電源が不要なため携帯性に優れている。また、残量を示すカウンター付きや残量が少なくなると色で表示されるものがある。

年齢層	薬剤	吸入機器・補助具	
乳児 （2歳以下）	吸入液	マスクタイプネブライザー	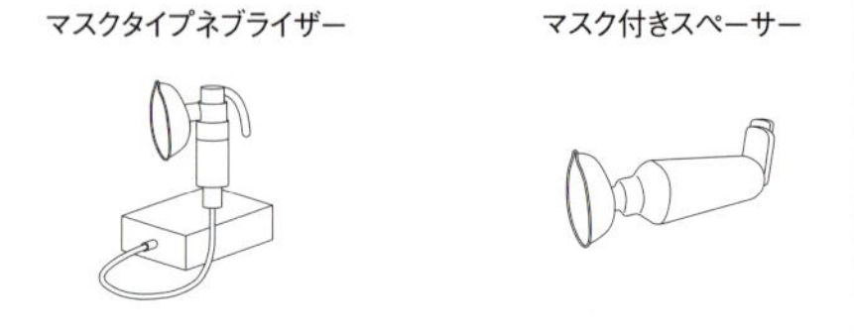 マスクタイプネブライザー　マスク付きスペーサー
	pMDI	マスク付きスペーサー	
幼児 （3〜5歳）	pMDI	マスク付きスペーサーまたは マウスピース付きスペーサー	 マスク付きスペーサー　マウスピース付きスペーサー
	吸入液	マスクタイプネブライザーまたは マウスピースタイプネブライザー	
	pMDI	直接吸入	
学童 （6〜15歳）	DPI	直接吸入	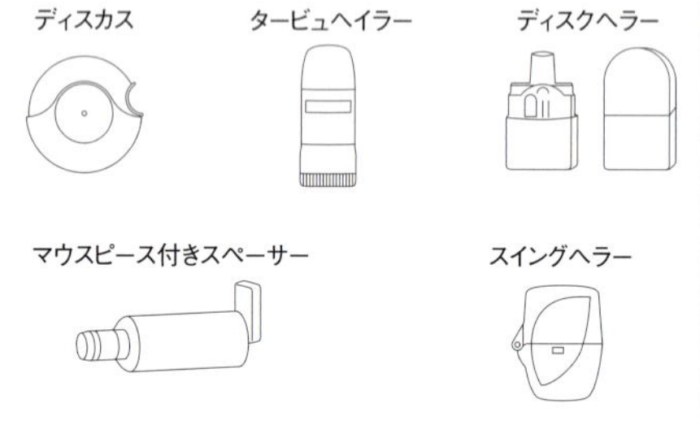 ディスカス　タービュヘイラー　ディスクヘラー
	pMDI	マウスピース付きスペーサー	
	pMDI	直接吸入	マウスピース付きスペーサー　スイングヘラー
	吸入液	マウスピースタイプネブライザー	

図 6-4　年齢層別吸入機器と補助具の組み合わせ

　それぞれの吸入機器には長所・短所があり、使用する薬剤、喘息児の年齢、重症度、アドヒアランス、経済的因子などを考慮して選択する。

3）吸入機器の種類と年齢に応じた選択

　薬剤を効率的に吸入するために、吸入機器と吸入補助具（スペーサーとマスク）の組み合わせを検討する（**図6-4**）[54,55]。

　吸入機器と吸入補助具は、ネブライザーとマウスピースまたはマスクの組み合わせ、pMDIとスペーサーまたはマスク付きスペーサーの組み合わせが考えられる。乳児ではネブライザーにマスクを付けるのが一般的であるが、短い吸入時間を好む場合やマスクを顔に密着させても泣かない児では、マスク付きスペーサーを用いてpMDIでも吸入できる。マスクを用いると鼻呼吸も含まれて鼻腔内に薬剤の一部が捕捉されて吸入効率が低下する可能性があるため、一般的にはマウスピースを用いたほうが高い吸入効率が得られる（低年齢児で

はマウスピースを介して十分な吸気動作ができない児もいるためマスク付きスペーサーを用いる場合も少なくない）。また、スペーサーを用いると息を止める、あるいは息遣いが不規則になってしまう児ではネブライザーの使用も考慮する。スペーサーは正しく使用しなければ効率的な薬剤効果が得られないため、後述する図 6-7 に従って正しく使用することが大切である。

　吸入機器と吸入補助具の詳細は、後述の「8. 定量吸入器と吸入方法」、「9. 吸入補助具（スペーサー）」、「10. ネブライザー」の項に記す。

4）吸入指導の重要性

(1) 吸入療法導入時における指導（図 6-5）

　吸入療法を導入する際には、吸入方法の説明と吸入手技を習得させるための指導を行う。表 6-3 に示すように、実際の吸入手技を確認した上で剤形を選択する。初回の処方時には吸入器具（スペーサーやネブライザー、マスクなどの補助具）の実物を見せて具体的に手技を指導する。セルフケアに基づく喘息管理を実現するためには、必要な道具を準備してから指導する[56]。吸入指導でのパンフレットやビデオの活用は推奨されるが、喘息児の吸入手技を実際に観察しながら指導を行うほうがより有効である[57]。

　乳児期・幼児前期では、いきなりスペーサーのマスクを押し当てられたため嫌がって有効に吸入ができないことがある。また、啼泣すると吸気流速が強すぎるために薬剤が口腔ならびに咽頭部に沈着してきわめて吸入効率が悪くなる。このような場合、吸入（マスク）に対する恐怖心や不安感を軽減させることが重要であり、自分もやってみたいという気持ちを高めてから導入する。吸入前に保護者が楽しそうに手本を見せてから吸入を行い、吸入が終了したら医療者および保護者が笑顔で頑張ったことを称賛する。

　幼児後期では、模型やイラストを用いて、吸入の目的・効果などを説明する。この年齢では発達段階の特徴から自我が確立し、導入がスムーズにいかない場合もある。喘息児のきょうだい（兄姉）から手本を見せてもらうなど、本人が自分もできるという気持ちにさせることが重要である。また、保護者にも喘息児の吸入を補助する役割を担うよう指導する。

　学童期では、3 回の吸入指導で正しい吸入手技が習得できるとの報告があるが[58]、指導回数に拘らず吸入手技を個別に評価しながら導入する。薬剤が肺のどの部分に効果があるのかを、模型などを使用して説明する。保護者には、吸入の様子を見守るよう伝え、適宜、声をかけるように促す。

(2) 吸入療法継続時における指導（図 6-6）

　吸入療法開始後においても、吸入指導を定期的に行うようにする[55]。導入当初は上手に吸入できていても、その後、不適切な方法で吸入するようになることがある。喘息のコントロール状態が悪化してきた場合には、治療のステップアップを行う前に吸入手技を再確認することが重要である。服薬状況を確認してうまく実施できている場合は、医療者が喘息児と

1. 乳児・幼児前期の子どもと保護者への吸入指導

①初めてのときは、無理やりではなく、子どもが「吸入は痛くない」、「安全である」、「自分もやりたい」と興味を持つように演出する。
②保護者が楽しそうに吸入している姿を見せたり、子どもに人気のキャラクターなどのマスクを口に当てる姿を見せる。興味を示してもすぐに与えずにじらすことが有効な場合がある。
③子どもが吸入を始めたら、「もくもくさん気持ちいいね」、「上手にできているよ」などの声かけをする。
④吸入終了時には、笑顔で頑張ったことを褒めて、自信が持てるように関わる。

2. 幼児後期の子どもと保護者への吸入指導

ストローで飲み物を飲むときは「吸う」。息を吸うのも同じようにしてみて

①「吸う・吐く」という理解が難しい場合があるため、ストローなど子どもに身近な物品を使って理解させる。
②保護者には、吸入の目的・効果などについて、模型などを用いてわかりやすく説明する。
③自我が確立し、スムーズに導入できない場合は、きょうだい（兄姉）や、同年齢ですでに吸入を実施している他児に手本を見せてもらう。
④保護者が子どもの吸入を補助する役割を担えるようにサポートする。

3. 学童期の子どもと保護者への吸入指導

①吸入手技を個別に評価する。
②薬剤が肺のどの部分に効果があるのか、吸入時にゆっくり深く呼吸する必要性などを、模型などを用いて説明する。
③保護者には、子どもの吸入の様子を見守るように伝え、適宜、子どもに声かけをするように促す。

図 6-5　吸入療法導入時における指導

保護者を称賛し、服薬アドヒアランスの継続を支援する。服薬状況が芳しくない場合は、その理由や生活スタイルなどを喘息児と保護者に確認し、実施可能な対処法・対応策を提案する。吸入デバイスの変更時においても、やる気を引き出し、上手にできたら称賛する。

表 6-3　吸入指導の際に注意するポイント

全体の注意点
　□鼻呼吸をせずに口呼吸をしている
　□泣かずに吸入できる、嫌がらずに吸入できる
　□吸入後にうがい/飲水をしている（吸入ステロイド薬の場合）
①マスクやマウスピースを使用する場合
　・マスク
　□吸入の間ずっとマスクが顔に密着している
　□吸入後に口の周りを拭いている（マスクをつけて吸入ステロイド薬を吸入する場合）
　・マウスピース
　□マウスピースをしっかり口にくわえている
　□マウスピースから唾液がネブライザー内に逆流しないようにしている
②スペーサーを使用する場合
　□1押しするごとに吸入している
③pMDIを使用する場合
　□押すタイミングと吸気のタイミングが一致している
　□ゆっくりと深く吸える
　□息どめができる（特にキュバール®、オルベスコ®）
④DPIを使用する場合
　□薬剤がこぼれないように、容器を正しく持つことができる
　□吸入前に息を吹きかけて薬剤を吹き飛ばすようなことはしていない
　□力強く深く吸える
　□息どめができる

図 6-6　吸入療法継続時における指導

表 6-4　ドライパウダー定量吸入器（DPI）の吸入方法

・薬剤の添付文書に従って、薬剤を充填する
　－ディスカス®：水平にしてレバーを押す
　－タービュヘイラー®：垂直にして回転グリップを回す
　－スイングヘラー®：垂直にしてレバーを押す
・器具に呼気を吹きかけないように横を向いて息を吐き出し、吸入口をくわえて口を閉じ、力強く深く吸う。数秒間息を止めて、ゆっくりと吐き出す
・注意点
　－医師から複数回の吸入指示がある場合には、1押しごとに吸入を行う
　－吸入ステロイド薬の吸入終了後は、うがい（あるいは飲水）を行う

8. 定量吸入器の吸入方法

1）ドライパウダー定量吸入器（DPI）

　吸気によって薬剤を吸い込むために、pMDI のように噴霧に同期させる必要はないが、薬剤が肺内に到達するためにはある程度の吸気流速が必要であり、一般的には 5 歳以上では吸入可能である[59~61]。また、極端に吸気時間が短いと吸入効率が低下するため、「力強く深く吸う」ように指導する（表6-4）。吸入手技には個人差が大きいため、製薬会社が用意している練習用の器具（既定の吸気流速以上で音が出る、など）を用いてチェックするとよい。ICS では、副作用軽減のために吸入後にうがいするように指導する。なお、吸入器の種類によって操作方法が異なるので、説明書に従って使用することが大切である。

2）加圧噴霧式定量吸入器（pMDI）

　基本的な吸入手技はどの薬剤も同様であり（図6-7）[62,63]、後述する吸入補助具（スペーサー）の使用によって年少児でも容易に使用できる。学童では、SABA を使用する際には pMDI から直接吸入することも可能である（表6-5）。しかし、操作方法はそれぞれの吸入器で異なるため、使用説明書で確認する。ICS では、吸入後にうがいか飲水するように指導する。多くの pMDI は懸濁製剤であるのに対し、キュバール®とオルベスコ®は溶解製剤であるために吸入前に容器を振る必要はない。これら 2 剤は噴霧スピードが緩やかなために、肺内沈着率に関してはスペーサーの有無で差がないとの報告がある[64]。一方、これら 2 剤は粒子径が小さいために、吸入後に息こらえをしたほうが肺内沈着率は増加する[65]。

9. 吸入補助具（スペーサー）

　スペーサーは pMDI に取り付けて使用する筒状の容器であり、噴霧薬剤をスペーサーに収めてから吸入する。pMDI にスペーサーを組み合わせると吸気を噴霧に同調させる必要が

pMDI＋スペーサーを使用した吸入方法
- 薬剤の容器（カニスター）をよく振る（キュバール®、オルベスコ®では不要）
- カニスターのキャップを外してスペーサーに装着し、一押しする
- マウスピース付きスペーサーを使用する場合
  - 息を吐いた状態でマウスピースをくわえて口を閉じ、ゆっくりと大きく吸入する。
    数秒間息こらえをして、ゆっくり吐き出す。
  - 1回では吸入しきれない場合には、再度吸入する。
- マスク付きスペーサーを使用する場合
  - マスクを顔に密着し、安静呼吸を数回行う。
  - エアロチャンバーの場合は、フローインジケーターの動きで呼吸しているかを確認できる。
- 注意点
  - 噴霧後は速やかに吸入する。
  - 医師から複数回の吸入指示がある場合にはスペーサーに複数回分をまとめて噴霧せずに1押しごとに吸入を繰り返す。
  - 吸入ステロイド薬の吸入終了後は、うがい（あるいは飲水）を行う。
  - 静電気を生じないように取り扱う（スペーサーをこすらないなど）。

ネブライザーを使用した吸入方法
- マウスピースを使用する場合
  - 口呼吸で安静呼吸をする。
  - ネブライザーへの唾液の逆流に注意し、時々器械を止めてティッシュなどに吐き出す。
  - 鼻呼吸をしないように注意を促す。
- マスクを使用する場合
  - マスクを顔にできる限り密着させる。
  - 泣かないように心掛ける。
  - 吸入後には、顔についた薬液を拭い取る。

マスクを使用する場合は顔に密着させる。

マウスピースを使用する場合は口の左右に隙間ができないようにくわえ口呼吸を行う。

吸入ステロイド薬の吸入後は口に残った薬を洗い流すためうがい（あるいは飲水）をする。

図6-7　pMDI＋スペーサー、ネブライザーを使用した吸入方法

なくなり、ネブライザーを使用することなく吸入でき、吸入効率を保つことができる。また、口腔内に沈着するような大型の薬剤粒子をスペーサーが捕捉することで、口腔カンジダ症などのICSの副作用のリスクを軽減することができるため、副作用軽減のためにスペーサーの使用が推奨される（オルベスコ®はプロドラッグであることからスペーサーを用いる必要はないとの考え方もある）。年長児では、スペーサーに装着したマウスピースをくわ

表 6-5　加圧噴霧式定量吸入器（pMDI）からの直接吸入の方法[62, 63]

1. 初めて使用する場合は、ボンベがアダプターにしっかりはまっているかどうかを確認するために、試し押しを2回行う。
2. キャップをはずしてから容器をよく振る。
3. 機能的残気量（FRC）レベルで舌を下げて、喉を拡げた状態になるようにする。
4. アダプターを歯で噛んで、噛んだ歯の隙間から空気も同時に吸入できるように口を開ける。
5. ボンベを1回強く押すと同時に、息を深くゆっくり吸い込む（吸気時間約3秒）。
6. 息を吸い込んだ状態で、3秒以上、息を止める。息は、ゆっくり吐く。
7. 2回以上の吸入をする場合は最初の吸入終了後、続けて3〜6の手技を繰り返す。
8. 吸入ステロイド薬では吸入後にうがいをする。β_2刺激薬は必ずしもうがいはしなくてよい[*]。

*：振戦などの副作用が出現する者や、頻回使用者には吸入後のうがいを励行し、スペーサーの使用を試みる。ICSの吸入では口腔内への余分な沈着を避けるために、年長児においてもスペーサーを併用することが望ましい。

え、口呼吸で安静呼吸を行う。しかし、乳幼児ではこの吸入手技が効率よくできないため、吸入補助具としてマスクを用いる。重症心身障がい児（者）などでは、マスク付きのスペーサーを用いてpMDIで吸入するか、あるいはネブライザーにマスクを付けて吸入するほうがより高い吸入効率が得られる可能性がある。なお、ICSを服用する際に吸入補助器具を必要とする6歳未満の患者に対して、吸入補助器具を提供し服薬指導などを行った場合に、初回に限り「喘息治療管理料2」が算定できる。

1）吸入方法

スペーサーを用いた吸入方法を**図6-7**に示す。注意すべき点は、①スペーサーの中に複数回の噴霧をしないこと[66]、②噴霧後速やかに吸入すること[67]、③マスク付きスペーサーを使用する際にはマスクを顔に密着させること[68]、④静電気を生じさせないように取り扱うことである（後述）。

2）推奨されるスペーサー

スペーサーには汎用に適したものがあり、それぞれ形状、用量、呼気・吸気弁、素材などで種々の工夫が施されている。しかし、その多くは空気力学的な特性や臨床的な有用性ならびに安全性に関するデータが十分ではない。日本小児アレルギー学会と日本アレルギー学会は、汎用性があり、かつ空気力学的ならびに臨床的検討がすでになされているスペーサーを用いることが望ましいとの提言を行っている[69, 70]。現段階でこの条件が比較的よく担保されているのは、エアロチャンバー・プラス®、ボアテックス®、オプティチャンバーダイアモンド®の3種類である（**図6-8**）。これら3種類のスペーサーは、いずれも静電気が発生しにくくなっている。これら3つ以外のスペーサーの使用を否定するものではないが、今後は欧米と同様に一定の規格を満たしたものの使用が推奨されていくと思われる。

エアロチャンバー・プラス®　　ボアテックス®　　オプティチャンバーダイアモンド®

図 6-8　代表的なスペーサー

3）静電気の問題

スペーサー内に生じる静電気によって、肺内到達可能な粒子径の薬剤もスペーサー内に沈着することが問題となる。そのため、静電気を生じさせにくい工夫（①使用前にスペーサーを擦らない、②食器用洗剤を用いて洗浄して自然乾燥させる[71]など）を行うことや、静電気が生じにくい素材でできたスペーサー（エアロチャンバー・プラス®、ボアテックス®、オプティチャンバーダイアモンド®）を用いることの有用性が報告されている[72]。

10. ネブライザー

ネブライザーは全年齢層で使用できるが、1回の吸入に時間を要するという欠点がある。通常は、マウスピースを用いて口呼吸で安静呼吸を行うが、鼻呼吸になってしまう場合にはノーズクリップを用いる。マウスピースを通した唾液のネブライザー内への逆流にも注意する。乳幼児でマウスピースを介する呼吸ができない場合には、マスクを用いて吸入する。その際、マスクと口の距離が離れると吸入効率が悪くなるため[73〜75]、できるだけマスクを顔に密着させる。ステロイド薬を吸入した後には、顔面に付着した薬剤を拭き取り、飲水またはうがいをするよう指導する。

なお、吸入機器・吸入療法に関する語彙の表記は文献[76]に準拠した。

[参考文献]

1) National Asthma Education and Prevention Program. Expart Panel Report3：Guidelines for the Diagnosis and Management of Asthma. Full Report 2007. Naional Heart, Lung and Blood Institute.
2) Gibson PG, Powell H, Coughlan J, et al. Limited (information only) patient education programs for adults with asthma. Cochrane Database Syst Rev. 2002；(2)：CD001005.
3) Gibson PG, Ram FS, Powell H. Asthma education. Respir Med. 2003；97：1036-44.
4) Wolf F, Guevara JP, Grum CM, et al. Educational interventions for asthma in children. Cochrane Database Syst Rev. 2003；(1)：CD00326.
5) Guevara JP, Wolf FM, Grum CM, et al. Effects of educational interventions for self management of

asthma in children and adolescents：systematic review and meta-analysis. BMJ. 2007；326：1308-15.

6) Stewart MA. Effective physician-patient communication and health outcomes：a review. CMAJ. 1995；152：1423-33.

7) Teutsch C. Patient-doctor communication. Med Clin North Am. 2003；87：1115-45.

8) Ohya Y, Williams H, Steptoe A, et al. Psychosocial factors and adherence to treatment advice in childhood atopic dermatitis. J Invest Dermatol. 2001；117：852-7.

9) Borrelli B, Riekert KA, Weinstein A, et al. Brief motivational interviewing as a clinical strategy to promote asthma medication adherence. J Allergy Clin Immunol. 2007；120：1023-30.

10) Meichenbaum D, Turk DC. Facilitating treatment adherence：A practitioner's handbook. Plenum Press, New York, 1987.

11) Ley P. Improving patients' understanding, recall, satisfaction and compliace. In A Broome (Ed), Health Psychology. London：Chapman and Hall. 1989.

12) Fiks AG, Mayne SL, Karavite DJ, et al. Parent-reported outcomes of shared dicision-making portal in asthma：a practice-based RCT. Pediatrics. 2015；135：e965-73.

13) Rosenstock IM. Why people use health services. Milbank Mem Fund Q. 1966；44：94-127.

14) Rogers RW. Cognitive and physiological processes in fear appeals and attitude change：A revised theory of protection motivation. In JR Cacioppo and RE Pety (Eds), Social Psychology：A Source Book. New York. Guilford Press：153-76, 1983.

15) Haby MM, Walters E, Robertson CF, et al. Interventions for educating children who have attended the emergency room for asthma. Cochrane Database Syst Rev. 2001；(1)：CD001290.

16) Tapp S, Lasserson TJ, Rowe Bh. Education interventions for adults who attend the emergency room for acute asthma. Cochrane Database Syst Rev. 2007；(3)：CD003000.

17) Iio M, Hamaguchi M, Narita M, et al. Tailored education to increase self-efficacy for caregivers of children with asthma：A randomized controlled trial. Comput Inform Nurs. 2017；35：36-44.

18) 飯尾美沙，大矢幸弘，濱口真奈，他．気管支喘息の長期管理における患児用セルフ・エフィカシー尺度の開発．日小ア誌．2012；26：266-76.

19) 飯尾美沙，前場康介，島崎崇史，他．気管支喘息患児の長期管理に対する保護者用セルフ・エフィカシー尺度の開発．健康心理学研究．2012；25：64-73.

20) Gibson PG, Powell H. Written action plans for asthma：an evidence-based review of the key components. Thorax. 2004；59：94-9.

21) Ring N, Jepson R, Pinnock H, et al. Developing novel evidence-based interventions to promote asthma action plan use：a cross-study synyjesis of evidence from randomized controlled trials and qualitative studies. Trials. 2012；13：216.

22) Gibson PG, Powell H. Written action plans for asthma：an evidence-based review of the key components. Thorax. 2004；59：94-9.

23) Zemek RL, Bhogal SK, Ducharme FM. Systematic review of randomized controlled trials examining written action plans in children：what is the plan? Arch Pediatr Adolesc Med. 2008；162：157-63.

24) Coffman JM, Cabana MD, Halpin HA, et al. Effects of asthma education on children's use of acute care services：a meta-analysis. Pediatrics. 2008；121：575-86.

25) Tran N, Coffman JM, Sumino K, et al. Patient reminder systems and asthma medication adherence：a systematic review. J Asthma. 2014；51：536-43.

26) Clark NM, Griffiths C, Kateyian SR, et al. Educational and behavioral interventions for asthama：who achieves which outcomes? A systematic review. J Asthma Allergy. 2010；3：187-97.

27) Joseph CL, Ownby DR, Havstad SL, et al. Evaluation of a web-based asthma management intervention program for urban teenagers：reaching the hard to reach. J Adolesc Health. 2013；52：419-26.

28) Sandberg S, Paton JY, Ahola S, et al. The role of acute and chronic stress in asthma attacks in children. Lancet. 2000；356：982-7.

29) Wright RJ, Cohen S, Carey V, et al. Parental stress as a predictor of wheezing in infancy：a prospec-

tive birth-cohort study. Am J Respir Crit Care Med. 2002；165：358-65.

30）McQuaid EL, Kopel SJ, Nassau JH. Behavioral adjustment in children with asthma：a meta-analysis. J Dev Behav Pediatr. 2001；22：430-9.

31）Global Initiative for Asthma（GINA）2006〈日本語版〉．協和企画，東京，2006.

32）Mackenzie JN. The production of "rose asthma" by artificial rose. Am J Med Sci. 1886；91：45.

33）Luparello T, Lyons HA, Bleecker ER, et al. Influences of suggestion on airway reactivity in asthmatic subjects. Psychosom Med. 1968；30：819-25.

34）McFadden ER, Luparello T, Lyons HA, et al. The machanism of action of suggestion in the induction of acute asthma attacks. Psychosom Med. 1969；31：134.

35）Put C, van den Bergh O, Lemaigre V, et al. Evaluation of an individualized asthma programme directed at behavioral change. Eur Respir J. 2003；21：109-15.

36）Dahl J, Gustafsson D, Melin L. Effects of a behavioral treatment program on children with asthma. J Asthma. 1990；27：41-6.

37）Kotses H, Harver A, Segreto J, et al. Long-term effects of biofeedback-induced facial relaxation on measures of asthma severity in children. Biofeedback Self Regul. 1991；16：1-21.

38）Rakos RF, Grodek MV, Mack KK. The impact of a self-administered behavioral intervention program on pediatric asthma. J Psychosom Res. 1985；29：101-8.

39）Sommaruga M, Spanevello A, Migliori GB, et al. The effects of a cognitive behavioral intervention in asthma patients. Monaldi Arch Chest Dis. 1995；50：398-402.

40）Huntley A, White AR, Ernst E. Relaxation therapies for asthma：a systematic review. Thorax. 2002；57：127-31.

41）Stetter F, Kupper S. Autogenic training：a meta-analysis of clinical outcome studies. Appl Psychophysiol Biofeedback. 2002；27：45-98.

42）Lehrer PM, Hochron SM, Mayne T, et al. Relaxation and music therapies for asthma among patients prestabilized on asthma medication. J Behav Med. 1994；17：1-24.

43）Perrin JM, MacLean WE Jr, Gortmaker SL, et al. Improving the psychological status of children with asthma：a randomized controlled trial. J Dev Behav Pediatr. 1992；13：241-7.

44）Sommaruga M, Spanevello A, Migliori GB, et al. The effects of a cognitive behavioural intervention in asthmatic patients. Monaldi Arch Chest Dis. 1995；50：398-402.

45）Colland VT. Learning to cope with asthma：a behavioral self-management program for children. Patient Educ Couns. 1993；22：141-52.

46）Gustafsson PA, Kjellman NI, Cederblad M. Family therapy in the treatment of severe childhood asthma. J Psychosom Res. 1986；30：369-74.

47）Henry M, de Rivera JL, Gonzalez-Martin IJ, et al. Improvement of respiratory function in chronic asthmatic patients with autogenic therapy. J Psychosom Res. 1993；37：265-70.

48）ピーター・M・フェイヤーズ，デビット・マッキン．QOL 評価学：測定，解析，解釈のすべて．福原俊一，数馬恵子，中山書店，東京，2005.

49）近藤直実，平山耕一郎，松井永子，他．小児気管支喘息児と親又は保護者の QOL 調査票簡易改定版 2008（Gifu）．アレルギー．2008；57：1022-33.

50）近藤直実，深尾敏幸，平山耕一郎，他．小児気管支喘息患児と親又は保護者の QOL 調査票の評価—徐放性テオフィリンドライシロップ投与前後における評価—．アレルギー．1999；48：535-45.

51）Sugiura T, Asano M, Miura K, et al. Development of the revised final version of the quality of life of Japanese school aged children with asthma questionnaire：The characteristics of the low QOL scoring group and development of an evaluation form. Allergol Int. 2005；54：589-99.

52）Asano M, Sugiura T, Miura K, et al. Reliability and validity of the self-report Quality of Life Questionnaire for Japanese School-aged Children with Asthma (JSCA-QOL v.3). Allergol Int. 2006；55：59-65.

53）渡辺博子，勝沼俊雄，近藤直実，他．小児気管支喘息養育者 QOL（QOLCA-24）の開発．アレルギー．2008；57：1302-16.

54) 濱崎雄平, 眞弓光文, 足立雄一. 小児気管支喘息治療・管理ガイドライン 2008 解説「ガイドラインをどう読むか」: 第 10 章　小児気管支喘息における吸入機器とその使い方. 日小ア誌. 2010；24：241-6.

55) Pedersen S, Dubus JC, Crompton GK；ADMIT Working Group. The ADMIT series-issues in inhalation therapy. 5) Inhaler selection in children with asthma. Prim Care Respir J. 2010；19：209-16.

56) Gibson PG, Powell H, Coughlan J, et al. Self-management education and regular practitioner review for adults with asthma. Cochrane Database Syst Rev. 2003；(1)：CD001117.

57) Sleath B, Ayala GX, Gillette C, et al. Provider demonstration and assessment of child device technique during pediatric asthma visits. Pediatrics. 2011；127：642-8.

58) Brand PL. Key issues in inhalation therapy in children. Curr Med Res Opin. 2005；21 Suppl 4：S27-32.

59) Prime D, Grant AC, Slater AL, et al. A critical comparison of the dose delivery characteristics of four alternative inhalation devices delivering salbutamol：pressurized metered dose inhaler, Diskus inhaler, Diskhaler inhaler, and Turbuhaler inhaler. J Aerosol Med. 1999；12：75-84.

60) Nielsen KG, Auk IL, Bojsen K, et al. Clinical effect of Diskus dry-powder inhaler at low and high inspiratory flow-rates in asthmatic children. Eur Respir J. 1998；11：350-4.

61) Adachi YS, Adachi Y, Itazawa T, et al. Ability of preschool children to use dry powder inhalers as evaluated by In-Check Meter. Pediatr Int. 2006；48：62-5.

62) 西間三馨, 小田嶋博, 古賀一吉, 他；西日本小児吸入療法研究会. β_2 刺激薬の定量噴霧式吸入器の至適吸入法の検討：第 4 編単回吸入児の吸入間隔と吸入回数. 日小ア誌. 1996；10：44-52.

63) 西間三馨, 小田嶋博, 西尾　健, 他；西日本小児吸入療法研究会. β_2 刺激薬の定量噴霧式吸入器の至適吸入法の検討：第 5 編吸入補助器具の効果. 日小ア誌. 1997；12：24-32.

64) Leach CL, Colice GL. A pilot study to assess lung deposition of HFA-beclomethasone and CFC-beclomethasone from a pressurized metered dose inhaler with and without add-on spacers and using varying breathhold times. J Aerosol Med Pulm Drug Deliv. 2010；23：355-61.

65) Roller CM, Zhang G, Troedson RG, et al. Spacer inhalation technique and deposition of extrafine aerosol in asthmatic children. Eur Respir J. 2007；29：299-306.

66) Barry PW, O'Callaghan C. Multiple actuations of salbutamol MDI into a spacer device reduce the amount of drug recovered in the respirable range. Eur Respir J. 1994；7：1707-9.

67) Barry PW, O'Callaghan C. The effect of delay, multiple actuations and spacer static charge on the in vitro delivery of budesonide from the Nebuhaler. Br J Clin Pharmacol. 1995；40：76-8.

68) Smaldone GC, Berg E, Nikander K. Variation in pediatric aerosol delivery：importance of facemask. J Aerosol Med. 2005；18：354-63.

69) 西間三馨, 森川昭廣. 吸入補助器具（スペーサー）に関する諸問題. アレルギー. 2008；57：1-4.

70) 西間三馨, 森川昭廣. 吸入補助器具（スペーサー）に関する諸問題　続報. アレルギー. 2008；57：1079-82.

71) Piérart F, Wildhaber JH, Vrancken I, et al. Washing plastic spacers in household detergent reduces electrostatic charge and greatly improves delivery. Eur Respir J. 1999；13：673-8.

72) Bisgaard H, Anhøj J, Klug B, et al. A non-electrostatic spacer for aerosol delivery. Arch Dis Child. 1995；73：226-30.

73) Everard ML, Clark AR, Milner AD. Drug delivery from jet nebulisers. Arch Dis Child. 1992；67：586-91.

74) Iles R, Lister P, Edmunds AT. Crying significantly reduces absorption of aerosolised drug in infants. Arch Dis Child. 1999；81：163-5.

75) Murakami G, Igarashi T, Adachi Y, et al. Measurement of bronchial hyperreactivity in infants and preschool children using a new method. Ann Allergy. 1990；64：383-7.

76) 浜崎雄平, 眞弓光文. 吸入器および吸入補助器具の表記法について. 日小ア誌. 2008；22：291-2.

第7章 長期管理に関する薬物療法

第7章 長期管理に関する薬物療法

　本章では、長期管理において臨床上重要と考えられる課題についてClinical Question（CQ）を設定し、最適な治療方法として何を選択すべきかなど、症状改善が強く期待できる重要な臨床課題を重点的に取り上げた（第1章参照）。

要旨

- 長期管理の目標は、基本病態である気道炎症を抑制し、無症状の維持、呼吸機能や気道過敏性の正常化、QOLの改善を図り、最終的には寛解・治癒を目指すことである。
- 長期管理では、薬物療法だけではなく、増悪因子への対応、患者教育やパートナーシップの向上が必要であり、評価・調整・治療のサイクルを基本とする。
- 薬物療法は、重症度を判定して、対応する治療ステップの基本治療から開始する。
- 長期管理薬の投与開始後は随時コントロール状態を評価して、良好なコントロール状態を維持できる必要最小限の治療を行う。
- 長期管理における薬物療法では、主に症状発現を予防するための長期管理薬（コントローラー）を用い、急性増悪（発作）時には症状を改善させるための発作治療薬（リリーバー）を適宜併用する。
- コントローラーは、吸入ステロイド薬やロイコトリエン受容体拮抗薬を中心とした気道炎症に対する抗炎症治療薬を用いる。経口薬や貼付薬のβ_2刺激薬は、長期管理薬としては使用せず、コントロール状態の悪化が一過性に認められた場合に短期間使用して、症状が改善したら速やかに中止する（短期追加治療）。
- 良好なコントロール状態を3か月以上維持できたときには増悪予測因子を考慮しながらステップダウンを検討する。

1. 長期管理の目標と実践：薬物療法の位置づけ

　長期管理の目標は、薬物療法による副作用を最小限に留めて基本病態である気道炎症を抑制し、かつ気流制限を軽減することで、無症状状態の維持、呼吸機能や気道過敏性の正常化、QOLの改善を図り、最終的には寛解・治癒を目指すことである（表7-1）。
　近年の薬物療法の進歩は著しく、適切な薬剤により良好な症状のコントロール、QOL改善だけでなく、保護者や社会的な負担軽減が可能である。一方で、薬剤の副作用を最小限に

表7-1 小児喘息の治療目標

最終的には寛解・治癒を目指すが、日常の治療の目標を以下に示す

症状のコントロール
・短時間作用性 β_2 刺激薬の頓用が減少、または必要がない
・昼夜を通じて症状がない

呼吸機能の正常化
・ピークフロー（PEF）やスパイロメトリーがほぼ正常で安定している
・気道過敏性が改善し、運動や冷気などによる症状誘発がない

QOL の改善
・スポーツも含めて日常生活を普通に行うことができる
・治療薬による副作用がない

表7-2 小児喘息の長期管理の要点

薬物療法
・気道炎症の抑制を目的とした長期管理薬を中心とした治療
・重症度・コントロール状態に応じた治療ステップの選択

増悪因子への対応
・環境整備（ダニ、ペット、受動喫煙など）
・運動誘発喘息（EIA）予防、合併症治療など

患者教育・パートナーシップ
・病態の理解
・アドヒアランスの向上
・吸入手技の向上

留めて目標を達成するためには、長期管理は薬物療法だけではなく、急性増悪（発作）の誘引となる増悪因子への対応、およびよりよい患者教育やパートナーシップを三位一体で進める（**表7-2**）。また、長期管理は漫然と実施するのではなく、評価・調整・治療のサイクルを基本として行う（**図7-1**）。すなわち、コントロール状態や呼吸機能に加えて、服薬や吸入のアドヒアランス、吸入手技、増悪因子の有無、薬剤の副作用を評価し、それらを調整した上で薬物治療を必要に応じて変更するサイクルを繰り返すことで、治療目標の達成を目指す。

2. 小児喘息の長期管理に用いられる薬剤

長期管理における薬物療法では、主に症状発現を予防するための長期管理薬（コントローラー）を用い、急性増悪（発作）時には症状を改善させるための発作治療薬（リリーバー）を適宜併用する。長期管理薬には、気道炎症を抑制するための抗炎症薬と長時間にわたって気道収縮を予防する気管支拡張薬があるが、抗炎症薬を中心にして、必要に応じて気管支拡張薬を使用する。

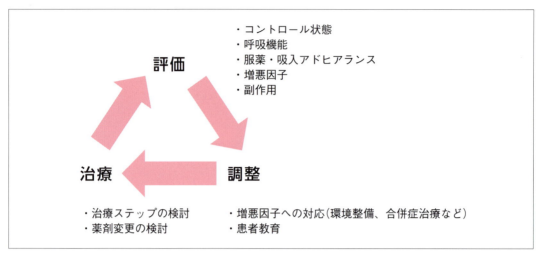

図 7-1 コントロール状態に基づいた小児喘息の長期管理のサイクル

1）吸入ステロイド薬（ICS）

現在、日本で小児に保険適用のある吸入ステロイド薬（ICS）は、フルチカゾンプロピオン酸エステル（FP）、ベクロメタゾンプロピオン酸エステル（BDP）、ブデソニド（BUD）、シクレソニド（CIC）の4種類である（**表7-3**）。

①**効果**：ICSは直接気道に作用して気道炎症を強力に抑制することで長期管理の中心的な薬剤となっている[1]。喘息症状を軽減[2]するとともに、呼吸機能や気道過敏性を改善し[3,4]、急性増悪（発作）の頻度や程度を軽減[5]する。発作入院や喘息死の減少[6]が明らかになっている。しかし、中断により気道過敏性が再亢進して症状が再燃し得ることが報告され[7,8]、使用継続が小児喘息の寛解（outgrow）率を上昇させることは示されていない[9]。用量依存性に呼吸機能やコントロール状態の改善などの臨床効果の増強が認められるが[10,11]、高用量では増量効果が乏しくなる[1]。年齢や吸入能力に応じて薬剤および吸入デバイスを選択し、十分な指導を行って吸入効率を高めることが重要である（第6章参照）。

②**安全性**：副作用は局所的・全身的に大別される。局所的な副作用には、咽頭刺激感、咳嗽、嗄声、口腔カンジダ症などがあるが、吸入後のうがい[12]や飲水による口腔内の洗浄、吸入補助具の使用[13]、吸入指導などにより頻度が減少する。マスクを用いた場合は、口周囲への薬剤付着による接触皮膚炎などの副作用が報告されており、吸入後の洗顔や清拭の指導が望ましい[14]。近年のメタ解析では、ICSの使用と呼吸器感染との関連はないとの報告がある[15]。

全身的な副作用については、FP換算で200 μg/日以下であれば概ね問題ないとする報告が多い[3,16]。身長に関しては、使用開始後1年間で0.48 cm程度の成長抑制が生じ、成人期までフォローした報告では1.2 cm程度の成長抑制が認められる（**CQ1**）。間脳・下垂体・副腎皮質系に対して、通常量での使用で臨床上問題となる副作用の報告はないが[17]、小児にお

表7-3 わが国で小児喘息に保険適用のある吸入ステロイド薬

種類	商品名	剤形	小児用量	備考
フルチカゾンプロピオン酸エステル (FP)	フルタイドエアゾール	pMDI	通常1回50 µg、1日2回、最大200 µg/日	
	フルタイドロタディスク	DPI	通常1回50 µg、1日2回、最大200 µg/日	乳糖含有
	フルタイドディスカス	DPI	通常1回50 µg、1日2回、最大200 µg/日	乳糖含有
ベクロメタゾンプロピオン酸エステル (BDP)	キュバール	pMDI	通常1回50 µg、1日2回、最大200 µg/日	アルコール含有
ブデソニド (BUD)	パルミコート吸入液	懸濁液	通常0.25 mgを1日2回または0.5 mgを1日1回、最大1.0 mg/日	
	パルミコートタービュヘイラー	DPI	通常1回100または200 µgを1日2回、最大800 µg/日	添加剤なし
シクレソニド (CIC)	オルベスコ	pMDI	通常100〜200 µgを1日1回、最少50 µg/日	アルコール含有プロドラッグ
サルメテロールキシナホ酸塩・フルチカゾンプロピオン酸エステル配合剤 (SFC)	アドエアエアゾール	pMDI	1噴霧FP 50 µg/SLM 25 µg製剤のみ適用（最大2噴霧を1日2回）	FPとサルメテロールキシナホ酸塩 (SLM) の配合剤
	アドエアディスカス	DPI	FP 100 µg/SLM 50 µg製剤のみ適用（1回FP 100 µg/SLM 50 µgを1日2回）	乳糖含有 FPとサルメテロールキシナホ酸塩 (SLM) の配合剤
ホルモテロールフマル酸塩水和物・フルチカゾンプロピオン酸エステル配合剤 (FFC)	フルティフォーム	pMDI	FP 50 µg/FM 5 µg製剤のみ適用（1回FP 100 µg/FM 10 µgを1日2回）	FPとホルモテロールフマル酸塩水和物 (FM) の配合剤

いてFP 500 µg/日以上の使用で副腎皮質機能不全の報告がある[18,19]。骨代謝、皮膚や眼などに対する重篤な副作用について小児での報告はない[20]。

　ステロイド薬に対する感受性や吸入効率は個人差が大きいため[21]、発現する可能性のある副作用に常に注意し、漫然と使用するのではなく、リスク/ベネフィットを考慮して最少必要量で維持するように心がける（web7-1)[2]。高用量ICSを用いる必要がある場合には、小児喘息治療に精通した医師の管理下で治療することが望ましい。

<table>
<tr><td rowspan="3">CQ
1</td><td>小児喘息患者の長期管理において、吸入ステロイド薬（ICS）の長期使用と成長抑制との関連はあるか？</td></tr>
<tr><td>推　奨：ICS の長期使用は成長抑制と関連する可能性があるため、適切な投与を心がけることが推奨される。</td></tr>
<tr><td>推奨度：1　エビデンスレベル：B（中）</td></tr>
</table>

2）吸入ステロイド薬/長時間作用性吸入 β_2 刺激薬（LABA）配合剤

　長時間作用性吸入 β_2 刺激薬（LABA）は 12 時間以上作用が持続する気管支拡張薬である。臨床的に気道炎症抑制は認められないものの、抗炎症治療のみで良好なコントロールが得られない場合に ICS と併用することで長期管理薬として用いられる。現在、わが国で小児に保険適用のある薬剤はフルチカゾン（FP)/サルメテロール（SLM）配合剤（SFC）と 2020 年 6 月に小児適用が追加されたフルチカゾン（FP)/ホルモテロール（FM）配合剤（FFC）の 2 種類であり、5 歳以上に限定されている。

①効果：ICS と LABA を同時に投与することで得られる薬理的作用として、ステロイドによる β_2 受容体数増加[22]や β_2 刺激薬によるステロイド受容体の核内移行促進[23]といった相互の作用を増強する効果が報告されている。臨床症状あるいは呼吸機能を指標とした場合には、SFC は FP の 2 倍量と同等の効果が認められる[24,25]。小児を対象としたメタ解析では、ICS でコントロール不十分な症例に LABA を加えると、急性増悪（発作）による全身性ステロイド薬の使用や入院頻度、喘息症状点数、QOL に差は認められないが、呼吸機能の改善や短時間作用性吸入 β_2 刺激薬（SABA）の使用頻度の減少が認められている[26]（**CQ2**）。呼吸機能の改善は ICS を 2 倍に増量した場合よりも有意に大きい[27]。ステップダウンに関して、SFC（FP200/SLM100）でコントロール良好な状態から SFC（FP100/SLM50）または FP200 にステップダウンした場合、両者ともに気道炎症やコントロール状態に変化はないものの、FP 群で呼吸機能の低下が認められた[28]との報告がある。しかしながら、ステップダウンに関するデータは乏しく、今後の検討課題である[29]。SFC の保険適用は 5 歳以上であるが、4 歳以下の ICS/LABA に関する報告では、SFC と FP の無作為化比較試験では、FP と比較して SFC による喘息スコアの有意な改善は認められなかった[30]。また、低用量 ICS でコントロール不良の患者に対して低用量 SFC に変更することで有意にコントロール状態が改善したとの報告がある[31]。

②安全性：LABA は、小児で重篤な有害事象を高めたとのメタ解析結果[32,33]に基づいて、米国 FDA が 2010 年に LABA 単独での使用は禁忌としたが、その後の安全性確認のための試験において、4〜11 歳の長期管理中の症例に対する SFC（年齢に応じて FP250/SLM50 または FP100/SLM50）の 1 日 2 回 26 週間の使用では、FP250 または FP100 の使用に比べて重篤な有害事象の発生率に有意な差は認められなかった[34]。成人においても有害事象に有意な差は認められず[35]、この結果に基づき 2017 年に FDA は ICS と LABA の配合剤の製品表示

から、喘息死に関する枠組み警告を削除した[36]。しかしながら、より長期間の ICS/LABA 使用における安全性のデータは乏しく、漫然と使用せずにコントロール状態に応じて ICS 単独への切り替えを考慮する。

CQ 2

小児喘息患者において、吸入ステロイド薬（ICS）で長期管理中にステップアップする際は ICS の増量と ICS に長時間作用性吸入 β_2 刺激薬（LABA）を追加する方法（ICS/LABA）のどちらが有用か？

推　奨：ICS で長期管理中の小児喘息患者のステップアップとして、ICS 増量と ICS への LABA 追加（ICS/LABA）の有用性に明らかな差はなく、いずれも提案される。
推奨度：2　エビデンスレベル：B（中）

3）ロイコトリエン受容体拮抗薬（LTRA）

　ロイコトリエン（LT）のうち、LTC_4、LTD_4、LTE_4 はシステイニルロイコトリエンと総称され、強力な気管支平滑筋収縮、血管透過性亢進、気道分泌亢進などの作用を示す[37]。これらのうち、LTC_4 と LTD_4 の受容体であるシステイニルロイコトリエン受容体（$CysLT_1$ 受容体）の拮抗薬が、ロイコトリエン受容体拮抗薬（LTRA）であり、プランルカスト水和物とモンテルカストナトリウムに小児の保険適用がある。

①**効果**：LTRA は気管支拡張作用[38]と気道炎症抑制作用[39,40]、運動誘発喘息の抑制効果を有する[41,42]。学童期の軽症例でモンテルカストと ICS を比較すると、効果はほぼ同等であり、アドヒアランスはモンテルカストが優れる[43,44]。6 歳未満の軽症持続型でも急性増悪（発作）を減少させ、β_2 刺激薬の使用を減らすことが報告されている[45]。ICS への追加薬としても有効であり、ICS の減量効果も認められるが[46~49]、6 歳以上の中用量 ICS 投与中の児に対する追加効果に関するメタ解析では十分な確証が得られていない[50]（**CQ3**）。呼吸器ウイルス感染症に関連した喘鳴に対しては、経口ステロイド薬の使用、救急外来受診や入院回数などを減らす効果は認められず[51]、JPGL2020 では小児のウイルス感染による喘鳴の治療として LTRA を投与しないことを提案している（第 9 章参照）。

②**安全性**：発疹、下痢・腹痛、肝機能障害などの報告があるが、その頻度は従来の抗アレルギー薬と差がなく、安全性の高い薬物といえる。プランルカスト水和物は、実地診療で 1 歳未満の喘息症状を示す児に用いられることがあり、その効果と安全性が報告されている[52,53]。

CQ 3

小児喘息患者において、吸入ステロイド薬（ICS）で長期管理中の追加治療としてロイコトリエン受容体拮抗薬（LTRA）は有用か？

推　奨：ICS で長期管理中の小児喘息患者において LTRA の追加治療が提案される。
推奨度：2　エビデンスレベル：C（弱）

4) LTRA 以外の抗アレルギー薬

(1) クロモグリク酸ナトリウム (DSCG)

加圧噴霧式定量吸入薬（1 噴霧 1 mg）、吸入液（20 mg/2 mL）の 2 つの剤形がある。

①**効果**：主たる薬理作用は、マスト細胞からの化学伝達物質遊離抑制作用である[54]。臨床的には、急性増悪（発作）の予防効果、併用薬の減量効果、呼吸機能の改善が報告されている[55]。しかし、メタ解析ではプラセボと比較した優位性について十分な確証は得られていない[56]。

(2) Th2 サイトカイン阻害薬

①**効果**：スプラタストトシル酸塩は、ヘルパー T 細胞から IL-4 および IL-5 の産生を抑制することで好酸球浸潤抑制作用や IgE 抗体産生抑制作用をもたらし、抗アレルギー作用を発揮すると考えられる[57]。喘息においては、アレルギー性気道収縮反応を抑制し、メタコリンによる気道過敏性を抑制したとの報告がある[58,59]。小児の報告は少ないが、LTRA 不応例に効果があったとの報告がある[60]。

5) テオフィリン徐放製剤

テオフィリンは半減期が短いが、その徐放製剤は 1 日 2 回の経口投与で古くより、長期管理薬として用いられてきた。

①**効果**：非特異的なホスホジエステラーゼ（PDE）阻害による気管支拡張作用に加えて、線毛運動の促進、肺血管拡張作用、抗炎症作用を有する[61~63]。気管支拡張作用は、SABA より弱い。抗炎症作用は ICS より弱いが、異なる機序であり併用効果が期待されることもある[64]。

②**安全性**：テオフィリンの有効安全域は狭く、年齢、個人差、感染症などの合併症、食事内容、使用薬剤（エリスロマイシン、クラリスロマイシンなど）などにより血中濃度が変動しやすいので、血中濃度のモニタリングが必要である。至適血中濃度は 5～15 μg/mL とされるが、抗炎症作用は血中濃度 10 μg/mL 以下でも発揮される[65,66]。年長児では 8～10 mg/kg/日より開始し、臨床効果と血中濃度を確認しながら調節する。

小児におけるテオフィリンの副作用は、悪心・嘔吐が最も多く、興奮、食欲不振、下痢および不眠なども報告されている。血中濃度が上昇すると頻脈や不整脈が誘発され、さらに高濃度では痙攣重積で死に至ることがある。テオフィリン使用中の痙攣は 5 歳以下に多い[67,68]。痙攣重積化の危険因子は 6 歳未満で血中濃度 15 μg/mL 以上もしくは神経学的素因を有することである[69]。ただし、血中濃度が高値でなくとも難治性の痙攣が起き、重篤な後遺症を来す症例のあることが指摘されている[70,71]。

6) 生物学的製剤

小児喘息に保険適用のある生物学的製剤は、抗 IgE 抗体（オマリズマブ）、抗 IL-5 抗体（メポリズマブ）、抗 IL-4／IL-13 受容体抗体（デュピルマブ）の 3 製剤がある。2015 年か

らは、生物学的製剤の使用は「小児慢性特定疾病医療費助成」の対象となっている（**表7-13**）。

(1) 抗IgE抗体（オマリズマブ）

オマリズマブは、高用量ICSおよび複数の喘息治療薬を併用しても症状が安定せず、通年性吸入アレルゲンに対して陽性を示し、体重および初回投与前の血清中IgE濃度が投与量換算表で定義される基準を満たす場合に追加使用が可能となる。日本では2014年より6歳以上に適用が拡大されている。成人および12歳以上の小児では、喘息以外に、既存治療で効果不十分な特発性の慢性蕁麻疹や季節性アレルギー性鼻炎にも保険適用がある。

①効果：IgEと結合して遊離型IgEを減少させ、高親和性IgE受容体へのIgEの結合を阻害する[72]。さらに、組織マスト細胞および循環血中好塩基球上の高親和性IgE受容体の発現も低下する[73]。これらの機序によってIgEを介した反応とそれに続く炎症を抑制し、喘息症状を軽減させる[74]。高用量ICSおよび他の喘息治療薬の投与にもかかわらずコントロール不良の6歳以上にオマリズマブを24週間追加すると、血中遊離IgE値の減少に加え、急性増悪（発作）の頻度、喘息による入院ならびにQOLの改善が認められた[75～77]。また、ステロイド薬の減量効果も認められている[75,78,79]。

小児を対象とした検討のメタ解析で、オマリズマブをICSに追加すると急性増悪（発作）頻度の減少や併用薬の減量効果が確認された[80]。また、通年投与で季節性の急性増悪（発作）頻度の改善が報告されている[78]。その一因として、オマリズマブのウイルス感染に対する防御効果が想定されているが、詳細な機序は今後の検討課題である[81]。

②安全性：主な副作用は、注射局所の疼痛や腫脹で、他の副反応は少ない[82]。重篤なものとして海外では0.1～0.2％の患者にショック、アナフィラキシー症状が報告されており、注射後に観察を十分に行う。

(2) 抗IL-5抗体（メポリズマブ）

メポリズマブは、2016年3月に12歳以上の難治喘息患者に対して保険適用となり、2020年3月からは6歳以上に適用が拡大されている。高用量のICSとその他の長期管理薬を併用しても、全身性ステロイド薬の投与などが必要な急性増悪（発作）を来す患者や血清総IgE値が高くオマリズマブの適応とならない患者に考慮され、特に末梢血好酸球数の増加している患者に急性増悪（発作）の発現頻度抑制や経口ステロイド薬の減量効果が認められている。成人では、喘息以外に好酸球性多発血管炎性肉芽腫症にも保険適用がある。

①効果：IL-5は好酸球の増加、分化、活性化、生存などに関わるサイトカインであり、メポリズマブは血中IL-5に結合することで、好酸球などに発現するIL-5受容体への結合を阻害する。臨床試験では、好酸球性の重症喘息で、急性増悪（発作）を有意に減少させる効果が認められている[83～85]。ただし、小児のデータはまだ少なく、安全性は確認されているが、臨床効果は成人と同程度とされているのみである[86]。メポリズマブは、6歳以上12歳未満では1回40mg、12歳以上では1回100mgを4週間に1回皮下注射する。

②**安全性**：主な副作用は注射部位の反応や頭痛で、その他の副作用は少ない。

（3）抗 IL-4/IL-13 受容体抗体（デュピルマブ）

　デュピルマブは 2018 年 1 月に成人のアトピー性皮膚炎に保険適用となり、2019 年 3 月に 12 歳以上の中用量または高用量の ICS とその他の長期管理薬を併用しても、全身性ステロイド薬の投与などが必要な急性増悪を来す患者に保険適用となっている。

①**効果**：デュピルマブは IL-4 および IL-13 受容体複合体に共通の IL-4 受容体 α サブユニットに特異的に結合し、両受容体複合体の形成を阻害することで IL-4/IL-13 シグナル伝達を阻害し、2 型免疫応答を抑制する[87]。臨床試験では、12 歳以上の中等症から重症患者において、急性増悪発生率の低下、呼吸機能の改善などが認められている[88]。デュピルマブは、通常、初回に 600 mg を皮下投与し、その後は 1 回 300 mg を 2 週間隔で皮下投与する。自己注射も可能である。

②**安全性**：主な副作用は注射部位の紅斑、浮腫、瘙痒感である。また、2 型免疫応答を抑制する薬剤であるため、寄生虫感染患者に対しては本剤を投与する前に寄生虫感染の治療を行う。また、安全性が確認されていないため本剤投与中の生ワクチンの接種は避ける。

在宅自己注射について

　前述の生物学的製剤は、すべてが皮下注射製剤であり、注射のために患者は定期的に医療機関を受診しなければならない。特に、オマリズマブは 2〜4 週間ごと、メポリズマブは 4 週ごと、デュピルマブは 2 週ごとに受診を要するため患者の負担が大きい。また、生活環境によっては受診が困難な場合もあるが、適切な間隔で投与できない場合は、喘息コントロールの悪化につながる可能性が高く、大きな課題であるといえる。

　さらに、前述の薬剤のうち、デュピルマブは 2019 年 5 月より在宅自己注射管理料の対象製剤となっており、患者の負担軽減、服薬順守に役立っている。オマリズマブではプレフィルドシリンジが、メポリズマブではプレフィルドシリンジとオートインジェクターがそれぞれ発売されて、海外では両薬剤ともに在宅自己注射が行われており、それらの有用性や患者負担軽減が報告されている[89,90]。わが国においても、両製剤が在宅自己注射可能となることが望まれる。

3. 短期追加治療に用いられる薬剤

　長期管理における短期追加治療の実際については、「長期管理における薬物療法の流れ」（**図 7-2**）を参照する。

LABA 以外の長時間作用性 β_2 刺激薬

(1) 貼付薬

ツロブテロール貼付薬は、皮膚に貼付後 24 時間血中濃度が維持される。わが国で開発された薬物である。後発品は製剤間で経皮吸収速度が著しく異なることがあり、注意が必要である[91]。

①**効果**：1 日 1 回就寝前に貼付することで、喘息点数、夜間睡眠点数、起床時および夜間の PEF、FEV_1、FVC の改善、夜間症状および明け方の急性増悪（発作）頻度の減少などの効果を有している[92, 93]。小児の重症喘息では、ICS 増量群と比較して、増量せずに同量の ICS にツロブテロール貼付薬を併用した群のほうが、朝の PEF 値が改善して呼吸器症状のない日数が増加したとの報告がある[94]。また、軽症持続型で LTRA により管理されている 4〜12 歳の児に対して、4 週間の追加治療としてテオフィリン製剤よりもツロブテロール貼付薬のほうがピークフロー（% PEF）が改善されたと報告されている[95]。

②**安全性**：振戦、動悸、頻脈などを認めることがある。連用した際に薬剤耐性や気道過敏性に対する影響を考慮しなければならない。気道過敏性についての二重盲検による 2 週間の検討では影響は認められないが[96]、長期間使用の安全性は十分な検討がなされていない。

(2) 経口薬

血中半減期がサルブタモール硫酸塩（1.5〜2 時間）などの短時間作用性に比べて長い製剤が長時間作用性と称されている。プロカテロール塩酸塩水和物、クレンブテロール塩酸塩、ツロブテロール塩酸塩がある。

①**効果**：就寝前投与により夜間症状に有効であり[97]、末梢気道狭窄を持続的に改善させる[98]。気管支拡張作用以外に、粘液線毛クリアランス促進作用、血管透過性抑制作用も示す。長期管理薬としてのエビデンスは乏しい。

②**安全性**：小児での長期使用における安全性に関するエビデンスはない。

4. 長期管理における薬物療法の進め方

長期管理薬は、気道炎症に対する抗炎症治療薬が中心である。ICS が長期管理の基本治療であり、そのほか LTRA などの抗アレルギー薬を使用する。ICS は経口薬や静注薬と比べて全身性副作用は少ないが、成長抑制を来し得るため（**CQ1**）、最少必要量による治療を心がける（web7-1）。

1）長期管理における薬物療法開始時の重症度評価と治療開始ステップ

診断時に喘息が未治療の場合には、急性増悪の頻度と症状の程度により **表7-4** を参考にして重症度を判定し、重症度に応じた治療ステップの基本治療から治療を開始する。一方、すでに長期管理薬の投与が開始されている場合はコントロール状態ならびに喘息の増悪因子を

表 7-4　長期管理薬未使用患者の重症度評価と治療ステップの目安（第 2 章参照）

重症度	間欠型	軽症持続型	中等症持続型	重症持続型
症状の頻度と程度	軽い症状（数回/年）短時間作用性 β_2 刺激薬頓用で短期間に改善する	1 回/月以上時に呼吸困難。日常生活障害は少ない	1 回/週以上時に中・大発作となり日常生活が障害される	毎日週に 1〜2 回中・大発作となり日常生活が障害される
開始する治療ステップ	治療ステップ 1	治療ステップ 2	治療ステップ 3	治療ステップ 4

評価し、良好なコントロール状態を維持できるように長期管理を行う。長期管理開始時には、喘息の病態、治療目標、使用薬剤の作用や具体的な使用方法、注意点などを患児ならびに保護者に十分に説明して理解を得る。

2）長期管理中の評価項目（表 7-5、表 7-6）

(1) コントロール状態

　長期管理開始後は、定期的にコントロール状態を評価して、治療内容を調整する。一般的には最近 1 か月程度の症状などをもとに **表 7-5** を参考として、軽微な症状・明らかな急性増悪（発作）・日常生活の制限・短時間作用性 β_2 刺激薬の使用の有無で評価する。コントロール状態の評価には、喘息日誌（第 5 章参照）や質問票（**表 7-7**）の活用が有用である。質問票は JPGL に準じた JPAC（乳幼児用：生後 6 か月〜4 歳未満と小児用：4〜15 歳）、Best ACT-P（6 歳未満）、GINA のコントロール状態に準じた C-ACT（4〜11 歳）、ACT（12 歳以上）がある（web7-2）[99〜103]。また、ピークフロー（PEF）モニタリング、フローボリューム曲線などの呼吸機能検査による客観的評価も参考にする。臨床症状のみではなく、FeNO を加えて評価して長期管理薬を調節することで急性増悪（発作）が起きにくくなることから[104]、JPGL では臨床症状と FeNO を合わせてコントロール状態を評価して長期管理することを提案する（**CQ4**）。ただし、FeNO はさまざまな状況に影響を受けるため[105]、その判断には十分に注意する（第 5 章参照）。

CQ4	小児喘息患者の長期管理において、呼気中の一酸化窒素（NO）濃度（FeNO）値に基づく管理は有用か？
	推　奨：臨床症状と FeNO 値を合わせてコントロール状態を評価して長期管理することが提案される。
	推奨度：2　エビデンスレベル：B（中）

①コントロール状態「良好」：コントロール状態「良好」とは、**表 7-5** にあるコントロール状態の評価項目がいずれも良好に該当する状態である。また、PEF の変動や呼吸機能検査の結果も安定していることが望ましい。治療目標が達成されている状態であるが、時に過剰

表 7-5　喘息の長期管理の評価ステップ

1. コントロール状態の評価（最近 1 か月の状態で評価）

最近 1 か月の状態で評価

軽微な症状[*1]	□ なし	□ 月 1 回以上	□ 週 1 回以上
明らかな急性増悪（発作）	□ なし		□ 月 1 回以上
日常生活の制限[*2]	□ なし	□ 軽微にあり	□ 月 1 回以上
β_2 刺激薬の使用	□ なし	□ 月 1 回以上	□ 週 1 回以上

*1：運動や大笑い、啼泣後に一過性に認められる咳や喘鳴、夜間の咳込みなど
*2：夜間の覚醒、運動ができないなど

	すべて該当する	上記に一つ以上該当ありかつ、不良に該当がない	一つ以上該当あり
コントロール状態	良好	比較的良好	不良

2. 増悪因子の評価、診断の再評価

表 7-6 を参考に増悪因子の有無について評価を行う
コントロール状態「不良」の場合は診断の再評価を考慮

3. 治療の再評価

コントロール状態
良好

増悪因子　あり → 増悪因子への対応・患者教育を実施して　現在の治療継続

　　　　　なし → 3 か月以上、安定が維持できていれば　ステップダウンを検討

コントロール状態
比較的良好　　**不良**

増悪因子　あり → 増悪因子への対応・患者教育を実施して
　　　　　　　　・改善の見込みがある場合は　治療継続
　　　　　　　　・改善の見込みがない場合は　追加治療 or ステップアップを検討

　　　　　なし → 追加治療 or ステップアップを検討

治療（over treatment）になっていることもあり、良好な状態が維持できている場合には治療薬の減量・中止を考慮していく。

②コントロール状態「比較的良好」：表 7-5 の評価項目で不良の項目は認めないが、比較的良好のいずれかの項目が該当した場合に判定する。軽微でも症状が残存する状態であり、寛解・治癒を目指すという視点から、喘息の増悪因子の再評価、および追加治療やステップアップを考慮する。

③コントロール状態「不良」：表 7-5 の評価項目で不良のいずれかの項目が該当した場合に判定する。喘息症状を頻回に認め、SABA の使用や日常生活に支障を来している状態であ

表7-6 喘息の増悪因子と対応

	増悪因子	対応
患者・家族因子[*1]	服薬・吸入アドヒアランスの不良 不適切な吸入手技	患者教育
個体因子	合併症[*2]（アレルギー性鼻炎、副鼻腔炎、胃食道逆流症など）	合併症治療。ダニによるアレルギー性鼻炎の場合はアレルゲン免疫療法（SCITおよびSLIT）を考慮
	肥満	体重の減量を指導
	発達障がい	患者教育、特に個別性に応じた教育が必要
	心因（ストレス）	心理的因子の解消、適切な心理療法
環境因子[*3]	ダニ	環境整備、アレルゲン免疫療法
	受動喫煙 ペット飼育	環境整備、喫煙者に対する禁煙指導、アレルゲン曝露の回避
	気象、花粉	ステップダウンの時期が症状増悪の季節と一致する場合は現行治療の継続を考慮 スギ花粉症の場合は、アレルゲン免疫療法（SLIT）を考慮
	呼吸器感染症	（可能な場合）感染症に対してワクチン接種を含めた予防や治療
呼吸機能[*4]	ピークフロー（PEF）の日内変動が20%以上、あるいは自己最良値の80%以下であるとき フローボリューム曲線測定による1秒量（FEV_1）が予測値の80%以下、β_2刺激薬吸入に対する反応性が12%以上ある場合	ステップダウンの際はより慎重に行う
既往	最近1年間における、大発作以上の急性増悪の既往 過去に人工呼吸管理などの集中治療を要した治療の既往	ステップダウンの際はより慎重に行う
その他	イベント（受験、登山、マラソン大会など）	ステップダウンの時期がイベント直前の場合は現行治療の継続を考慮

詳細は各章を参照：＊1：第6章、＊2：第11章、＊3：第4章、＊4：第5章

る。喘息症状がある場合は急性増悪（発作）時の治療を行い、症状改善に努める。同時に喘息の増悪因子の再評価、および追加治療・ステップアップを考慮する。

(2) 喘息の増悪因子

長期管理開始後は、コントロール状態とともに、定期的に表7-6に示す喘息の増悪因子の有無を評価し、合併症治療・環境整備・患者教育などの対応を行う。増悪因子には、評価時点までの因子に加え、季節性の増悪など評価時点で予想される今後の因子も含まれる。増悪因子への対応で十分な改善が見込める場合には、現在の治療を継続して効果を確認する。一方、増悪因子への対応だけでは十分な改善が見込まれない場合には、追加治療やステップアップを考慮する。コントロール状態が「不良」で明らかな増悪因子が認められない場合や、増悪因子の対応をしても予想された改善が認められない場合は、喘息の診断自体の再評価や合併症の有無についても確認する（鑑別疾患は第2章、乳幼児は第9章、喘息の増悪因子の対応については、第4、5、6、11章を参照）。

表7-7　喘息コントロール状態を評価するための質問票（web7-2 参照）

質問票	対象年齢	内容			判定基準		備考
		評価者	点数	合計点			
JPAC 乳幼児用	6か月〜4歳未満	保護者6項目	各0〜3点	18点	18点 13〜17点 12点以下	完全コントロール 良好なコントロール コントロール不良	JPGL に準拠現在の治療内容と質問票から真の重症度を評価することができる
JPAC 小児用	4〜15歳	本人5項目	各0〜3点	15点	15点 12〜14点 11点以下	完全コントロール 良好コントロール コントロール不良	
Best ACT-P	6歳未満	保護者6項目	各0〜4点	24点	23点以上 21〜22点 19〜20点 18点以下	コントロール良好 コントロール比較的良好 コントロール不良 コントロールきわめて不良	JPGL に基づく質問票
C-ACT	4〜11歳	本人4項目 保護者3項目	各0〜3点 各0〜5点	27点	27点 20〜26点 19点以下	完全コントロール コントロール良好 コントロール不良	海外で作成され、日本語に翻訳された質問票であり、コントロール不良の定義はGINA を参考にしている
ACT	12歳以上	本人5項目	各1〜5点	25点	25点 20〜24点 19点以下	トータルコントロール ウェルコントロール コントロール不良	

(3) 薬剤の副作用

　薬物療法開始後は、定期的に副作用の発生について確認を行う。薬剤の副作用を認める場合は、薬剤の変更および吸入指導などで対応する（第6章参照）。

3）長期管理の考え方（図7-2）

(1) 基本治療

　重症度に応じた各治療ステップの主たる治療である。この治療でコントロール状態が良好となった場合には、同治療を継続する。

(2) 追加治療

　各治療ステップの基本治療に追加もしくは併用する治療である。基本治療によってコントロール状態が改善したものの、良好なコントロール状態に至らない場合に1か月以上の継続治療として考慮する治療である。

(3) 短期追加治療

　長期管理中に感冒や季節性の変化などの増悪因子への曝露などにより一過性にコントロール状態が悪化した場合に追加する治療である。喘鳴や呼気延長などの明らかな急性増悪（発

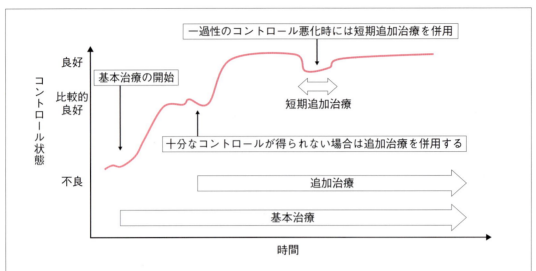

図7-2 長期管理における薬物療法の流れ

作）には至らないが、運動、啼泣の後や起床時などに認められる一過性の咳嗽、覚醒するほどではない夜間の咳き込み、PEFモニタリングにおける日内変動の増加や自己最良値からの低下などが認められるときに併用し、吸入薬以外の貼付もしくは経口の β_2 刺激薬が該当する。ただし、ICS/LABA使用中は、原則として貼付もしくは経口の長期間作用性 β_2 刺激薬を併用しない。漫然と使用せずに症状がコントロールされたら速やかに中止する。2週間以上必要である場合には、追加治療やステップアップを行う。

(4) 増悪因子への対応、患者教育・パートナーシップ

どの治療ステップであっても、薬物療法プランに加えて、増悪因子（表7-6）への対応や、患者教育、パートナーシップ（第6章）の改善を継続的に行う（表7-2）。

(5) ステップアップ、ステップダウン、および長期管理薬中止の判断

①ステップアップの判断：基本治療開始後にコントロール状態が改善せず、追加治療後もコントロールが「良好」にならない場合や増悪因子を調節しても改善しない場合は治療のステップアップ（治療を1段階上げる）を検討する。一過性に増悪して、短期追加治療を併用したが改善が乏しい場合は、追加治療やステップアップを考慮する。

②ステップダウンの判断：コントロール状態「良好」が3か月以上維持できたら追加治療薬の中止、ステップダウン（治療を1段階下げる）を検討する（呼吸機能がほぼ正常で安定し

ていることが望ましい）。6歳以上の小児から成人までを対象としたメタ解析にて、喘息が3か月以上安定している場合、50％程度のICSの減量は喘息の増悪を増加しないことが示されている[106]。ただし、過去1年以内の急性増悪（発作）による入院や全身性ステロイド薬を必要とする強い急性増悪（発作）の既往、ステップダウンの時期が症状増悪の季節と一致する場合は現行治療の継続を考慮する。ステップダウンの際は治療の過程で最も効果が認められた薬剤を残すのがよいとされるがエビデンスは少なく、効果やアドヒアランスを考慮して患児や家族と相談しながら実施する。

③**長期管理薬の中止**：長期管理において薬物療法の中止に関する一定の基準はない。良好なコントロールを維持しながらステップダウンして、治療ステップ1までステップダウンできれば定期的な薬剤使用は中止となる。小児から成人までを対象としたメタ解析にて、低用量ICSの中止後に増悪頻度が増加することが報告されており[107]、中止後も環境整備や日常生活管理の指導を行い、定期的に経過の確認や呼吸機能検査などを継続することが望ましい。

4）各治療ステップにおける薬物療法の進め方（表7-8、表7-9）

乳幼児（5歳以下）と6〜15歳の2つの年齢に分けて長期管理プランを選択する。

（1）治療ステップ1

重症度が間欠型に該当する治療ステップであり、基本治療では長期管理薬を使用せず、症状出現時にSABAを対症的に短期間用いるか、2週間をめどに短期追加治療を上乗せする。普段はコントロール状態が良好でも季節の変わり目などに一時的に増悪傾向を認める症例には、追加治療としてLTRAなどを1か月間程度使用することを考慮する。なお、有症状時にのみICSを使用する治療（間欠吸入療法）の効果が海外で報告されているが、吸入薬の種類・量・使用方法が一定ではないためにJPGLでは推奨しない（**CQ5**）。

CQ 5	小児喘息患者の長期管理において、有症状時にのみ吸入ステロイド薬（ICS）を吸入（間欠吸入）することは有用か？ 推　奨：現時点ではICSの間欠吸入を標準治療としないことが提案される。 推奨度：3　エビデンスレベル：C（弱）

（2）治療ステップ2

重症度が軽症持続型に相当する場合に該当する治療であり、基本治療として低用量ICSもしくはLTRAなどから選択し、長期管理を開始する。JPGLの軽症持続型に相当する重症度に対して、諸外国のガイドラインは長期管理薬投与を行わないが、わが国ではよりよいコントロールのために長期管理薬による治療を推奨する。実際に、1〜6歳の軽症持続型にLTRAを長期管理薬として投与して、急性増悪（発作）の頻度が減少したことが報告されている[45]。低用量ICSとLTRAとの比較はこの重症度での報告がないため、それぞれの患者でアドヒアランスがよいと考えられる薬剤を選択する。基本治療を開始後にコントロール

表7-8　小児喘息の長期管理プラン（5歳以下）

	治療ステップ1	治療ステップ2 下記のいずれかを使用	治療ステップ3*2	治療ステップ4*2
基本治療	長期管理薬なし	▶LTRA*1 ▶低用量ICS	▶中用量ICS	▶高用量ICS （LTRAの併用も可）
追加治療	▶LTRA*1	上記治療薬を併用	上記にLTRAを併用	以下を考慮 ▶β₂刺激薬（貼付）併用 ▶ICSのさらなる増量 ▶経口ステロイド薬
短期追加治療	貼付もしくは経口の長時間作用性β₂刺激薬　数日から2週間以内			
	増悪因子への対応、患者教育・パートナーシップ			

*1：DSCG吸入や小児喘息に適応のあるその他の経口抗アレルギー薬（Th2サイトカイン阻害薬など）を含む。
*2：治療ステップ3以降の治療でコントロール困難な場合は小児の喘息治療に精通した医師の下での治療が望ましい。
なお、5歳以上ではICS/LABAも保険適用がある（治療ステップ、投与量は**表7-9**を参照）。
LTRA：ロイコトリエン受容体拮抗薬　　ICS：吸入ステロイド薬　　DSCG：クロモグリク酸ナトリウム（吸入）
ICS/LABA：吸入ステロイド薬/長時間作用性吸入β₂刺激薬配合剤

吸入ステロイド薬の用量の目安（µg/日）

	低用量	中用量	高用量
FP、BDP、CIC	100	200	400※
BUD	200	400	800
BIS	250	500	1,000

※小児への保険適用範囲を超える。
FP：フルチカゾン　BDP：ベクロメタゾン　CIC：シクレソニド　BUD：ブデソニド　BIS：ブデソニド吸入懸濁液

状態が良好にならない場合には追加治療として基本治療の他の薬剤を併用する。

（3）治療ステップ3

　重症度が中等症持続型に相当する場合に該当する治療であり、基本治療として5歳未満では中用量ICS、5歳以上では中用量ICSもしくは低用量ICS/LABAを選択する。JPGLの中等症持続型に相当する重症度における中用量ICSとLTRAとの比較試験では、前者で全身性ステロイド薬を必要とする急性増悪（発作）が生じた者が有意に少ないと報告されており、基本治療にはICSを選択する（**CQ6**）。

CQ 6	小児喘息患者の長期管理において、ロイコトリエン受容体拮抗薬（LTRA）と吸入ステロイド薬（ICS）のどちらが有用か？
	推　奨：中等症持続型以上の基本治療ではICSを用いることが提案される。 推奨度：2　エビデンスレベル：B（中）

表 7-9　小児喘息の長期管理プラン（6～15歳）

	治療ステップ 1	治療ステップ 2	治療ステップ 3[*3]	治療ステップ 4[*3]
基本治療	長期管理薬なし	下記のいずれかを使用 ▶低用量 ICS ▶LTRA[*1]	下記のいずれかを使用 ▶中用量 ICS ▶低用量 ICS/LABA[*2]	下記のいずれかを使用 ▶高用量 ICS ▶中用量 ICS/LABA[*2] 以下の併用も可 ・LTRA ・テオフィリン徐放製剤
追加治療	▶LTRA[*1]	上記治療薬を併用	以下のいずれかを併用 ▶LTRA ▶テオフィリン徐放製剤	以下を考慮 ▶生物学的製剤[*4] ▶高用量 ICS/LABA[*2] ▶ICS のさらなる増量 ▶経口ステロイド薬
短期追加治療	貼付もしくは経口の長時間作用性 β_2 刺激薬　数日から 2 週間以内			
	増悪因子への対応、患者教育・パートナーシップ			

＊1：DSCG 吸入や小児喘息に適応のあるその他の経口抗アレルギー薬（Th2 サイトカイン阻害薬など）を含む。
＊2：ICS/LABA は 5 歳以上から保険適用がある。ICS/LABA の使用に際しては原則として他の長時間作用性 β_2 刺激薬は中止する。
＊3：治療ステップ 3 以降の治療でコントロール困難な場合は小児の喘息治療に精通した医師の下での治療が望ましい。
＊4：生物学的製剤（抗 IgE 抗体、抗 IL-5 抗体、抗 IL-4/IL-13 受容体抗体）は各薬剤の適用の条件があるので注意する。
LTRA：ロイコトリエン受容体拮抗薬　　ICS：吸入ステロイド薬　　DSCG：クロモグリク酸ナトリウム（吸入）
ICS/LABA：吸入ステロイド薬/長時間作用性吸入β_2刺激薬配合剤

吸入ステロイド薬の用量の目安（μg/日）

	低用量	中用量	高用量
FP、BDP、CIC	100	200	400[※]
BUD	200	400	800
BIS	250	500	1,000

※小児への保険適用範囲を超える。

FP：フルチカゾン　BDP：ベクロメタゾン　CIC：シクレソニド　BUD：ブデソニド　BIS：ブデソニド吸入懸濁液

吸入ステロイド薬/長時間作用性吸入β_2刺激薬配合剤の用量の目安（μg/日）

用量	低用量	中用量	高用量
FP/SLM	100/50	200/100	400～500/100
使用例	SFC 50 エアゾール 1 回 1 吸入、 1 日 2 回	SFC 100 DPI 1 回 1 吸入、 1 日 2 回	中用量 SFC＋中用量 ICS あるいは SFC 250 DPI[※2] 1 回 1 吸入、1 日 2 回
FP/FM	100/10[※1]	200/20	400～500/20
使用例	FFC 50 エアゾール 1 回 1 吸入、 1 日 2 回	FFC 50 エアゾール 1 回 2 吸入、 1 日 2 回	中用量 FFC＋中用量 ICS あるいは FFC 125 エアゾール[※2] 1 回 2 吸入、1 日 2 回

※1 エビデンスなし　※2 小児適応なし

FP：フルチカゾン　SLM：サルメテロール　SFC：サルメテロール/フルチカゾン配合剤
FM：ホルモテロール　FFC：ホルモテロール/フルチカゾン配合剤

SFC 50 μg エアゾール製剤：1 噴霧中　FP 50 μg/SLM 25 μg、100 μg DPI 製剤：1 吸入中　FP 100 μg/SLM 50 μg、
250 μg DPI 製剤：1 吸入中　FP 250 μg/SLM 50 μg
FFC 50 μg エアゾール製剤：1 噴霧中　FP 50 μg/FM 5 μg、125 μg エアゾール製剤：1 噴霧中　FP 125 μg/FM 5 μg

表 7-10 生物学的製剤の対象年齢、用量・用法

	抗 IgE 抗体 (オマリズマブ)	抗 IL-5 抗体 (メポリズマブ)	抗 IL-4/IL-13 受容体抗体 (デュピルマブ)
商品名	ゾレア	ヌーカラ	デュピクセント
対象年齢	6 歳以上	6 歳以上	12 歳以上
用量・ 用法	体重、血清総 IgE 濃度に応じて変化（1 回 75〜600 mg） 2〜4 週間毎に皮下注射	6 歳以上 12 歳未満：1 回 40 mg 12 歳以上：1 回 100 mg 4 週間毎に皮下注射	初回 600 mg、 2 回目以降 300 mg を 2 週間毎に皮下注射

　基本治療でコントロール状態が良好にならない場合には追加治療として 5 歳以下では LTRA、6 歳以上では LTRA もしくはテオフィリン徐放製剤の併用を考慮する。ICS でコントロールが得られない場合に LTRA 併用の有用性を示すエビデンスはないが、5 歳以下では ICS 単剤より LTRA 単剤で効果が得られる症例があるとの報告もあるため[108]、JPGL は LTRA 併用を追加治療とする（**CQ3**）。なお、治療ステップ 3 以降の治療で良好なコントロール状態が得られない場合は、小児の喘息治療に精通した医師の管理下での治療が望ましい。

(4) 治療ステップ 4

　重症度が重症持続型に相当する場合に該当する治療である。基本治療として高用量 ICS もしくは 5 歳以上であれば中用量 ICS/LABA を選択する。また、LTRA 併用、6 歳以上であればテオフィリン徐放製剤の併用も検討する。高用量 ICS と中用量 ICS/LABA の有効性は大きな差はないことが示されている（**CQ2**）。

　基本治療でコントロール良好とならない場合は追加治療として 5 歳以下では高用量 ICS に貼付 β_2 刺激薬の併用、もしくは ICS のさらなる増量、6 歳以上では抗 IgE 抗体（オマリズマブ）または抗 IL-5 抗体（メポリズマブ）、12 歳以上では抗 IL-4/IL-13 受容体抗体（デュピルマブ）などの生物学的製剤の使用、もしくは ICS のさらなる増量または高用量 ICS/LABA〔中用量 ICS ＋中用量 ICS/LABA の併用、あるいは SFC 250 μg 製剤や FFC 125 μg 製剤（小児適用はない）〕を検討する（**表 7-10**）。ただし、ICS は高用量で全身性の副作用や身長抑制を認める可能性があるため（**CQ1**）、高用量 ICS の長期間の使用は望ましくない。

　生物学的製剤の使用に際して、治療開始時ならびに治療中はできる限り客観的な評価に基づいて、その適応と効果の判定を行う必要がある。そこで、JPGL では**表 7-11** に示す具体的な評価項目を参考にして、**表 7-12** のチェックリストを用いて評価を行うことを推奨する。また、環境因子・養育環境の問題などに対して時間をかけた包括的ケアが必要と考えられる場合には学校教育も含めた多職種チームでの対応が可能な施設での長期入院療法も検討する（付記 1）。生物学的製剤や長期入院療法などが必要な患者は、喘息の「小児慢性特定疾病医療費助成」の対象となる（**表 7-13**）。さらに、前述の治療でもコントロール状態が得

表 7-11　生物学的製剤の使用に際しての評価項目

	開始時	開始後
鑑別診断	開始前に他疾患の鑑別を行う。	治療効果が乏しい際には、再度他疾患の鑑別を行う。
喘息の増悪	過去1年における発作入院と経口ステロイド薬使用の回数を確認する。	治療中における発作入院と経口ステロイド薬使用の有無を確認する。
コントロール状態	質問票などを用いて客観的に評価する。運動誘発喘息の有無やQOLも評価する。	
治療内容	生物学的製剤の適応とされる治療ステップ4であるかを確認する。	生物学的製剤が有効な場合には、併用薬剤の減量を考慮する。
アドヒアランス	吸入手技を含めて確認する。	併用薬剤のアドヒアランスも確認する。
環境因子	受動喫煙、ペットとの接触、ダニが多い環境かなどを確認する。必要に応じて、家庭訪問も考慮する。症状が安定しても確認する。	
合併症	アレルギー性鼻炎・副鼻腔炎の有無やその重症度を評価する。また、心理的な側面についても評価する。	
スパイロメトリー	可逆性試験を含めて、正しい手技で測定する。	
血清総 IgE 値	血清総 IgE 値ならびにダニ特異的 IgE 値を測定する。また、環境や合併症によって、ダニ以外の吸入アレルゲンについても測定する。	
末梢血好酸球数	絶対数で評価する。特にメポリズマブやデュピルマブでは定期的に評価する。	
呼気中一酸化窒素濃度	自施設で測定できない場合には、他の医療機関での測定を考慮する（病病連携や病診連携）。	
副作用	ICS 関連（身長の伸びなど）を確認する。	生物学的製剤関連（アナフィラキシー、局所反応、その他予期せぬ症状）を確認する。

表 7-12　生物学的製剤の使用に際してのチェックリスト

	開始時	1か月後	3か月後	6か月後	1年後	毎年
鑑別診断	☐		☐	☐		
喘息の増悪	☐	☐	☐	☐	☐	☐
コントロール状態	☐	☐	☐	☐	☐	☐
治療内容	☐	☐	☐	☐	☐	☐
アドヒアランス	☐	☐	☐	☐	☐	☐
環境因子	☐			☐	☐	☐
合併症	☐			☐	☐	☐
スパイロメトリー	☐	☐	☐	☐	☐	☐
血清総 IgE 値	☐					
末梢血好酸球数	☐		☐		☐	☐
呼気中一酸化窒素濃度	☐		☐	☐	☐	☐
副作用	☐	☐	☐	☐	☐	☐

＊チェックのタイミングは、使用薬剤や症例の状態によって適宜調整する。

表 7-13 「小児慢性特定疾病医療費助成」における喘息の対象基準

次の①から⑤のいずれかに該当する場合
①この 1 年以内に大発作が 3 か月に 3 回以上あった場合
　・「大発作」とは、歩行困難な著明な呼吸困難またはパルスオキシメーターによる酸素飽和度
　　（SpO_2）が 91％以下の状態を伴う発作である場合
②1 年以内に意識障害を伴う大発作があった場合
　・「意識障害」とは、過度な興奮を認めるまたは意識レベルがやや低下している場合
③治療で人工呼吸管理または挿管を行う場合
④オマリズマブなどの生物学的製剤の投与を行った場合
　・『小児気管支喘息治療・管理ガイドライン』における治療ステップ 4 の治療でもコントロール不良
　　で発作が持続し、経口ステロイド薬の継続投与が必要な状態であること
⑤概ね 1 か月以上の長期入院療法を行う場合
　・当該長期入院療法を、小児の喘息の治療管理に精通した常勤の小児科医の指導下で行われている
　　こと
　・当該長期入院療法を行う医療機関に院内学級、養護学校などが併設されていること
　・医療意見書と共に次の二つのデータがあること
　　(1) 非発作時のフローボリュームカーブ
　　(2) 直近 1 か月の吸入ステロイド薬の 1 日使用量

小児慢性特定疾病情報センター
https://www.shouman.jp/disease/instructions/03_02_002/

られない場合には全身性ステロイド薬の隔日投与を考慮する。このような最重症患者は小児喘息に精通した医師の管理下で治療すべきである。

　治療ステップ 4 からのステップダウンについてのエビデンスは少ないが、中用量 SFC でコントロール状態が維持された後に、中用量 ICS あるいは低用量 SFC に減量する RCT がわが国で行われ、両者とも同等の有効性であったと報告されている[29]。

5）難治性喘息について（図 7-3）

　治療ステップ 4 の基本治療を行っても良好なコントロールが得られない患者が存在する。これらの患者群から、vocal cord dysfunction（VCD）や気道異物、先天性の気道狭窄などによる症状を喘息と誤診している例を除外（第 2 章参照）したものを難治性喘息と定義する。この中には、治療アドヒアランス不良や不適切な吸入手技、アレルゲンや受動喫煙からの回避困難、肥満、アレルギー性鼻炎や副鼻腔炎の合併、発達・心理・精神的問題などのコントロール状態を不良にする要因を見極めて対策を講じること、すなわち、個別的な医療介入によってコントロール状態を改善することが期待できる症例が存在する。このような対応によってもコントロールが維持できない喘息を真の重症喘息と定義する。

付記 1：長期入院療法

　かつては、療養型の入院施設に長期入院しながら疾患教育や生活指導を行い、併設の特別

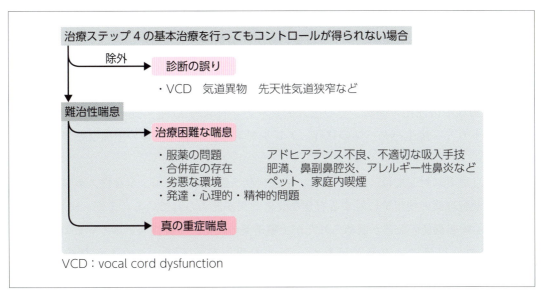

図 7-3　難治性喘息の概念

支援学級や院内学級への通学で教育を受ける長期入院療法が広く行われていた[109〜111]。身体的・精神的な成長を促すとともに、地域の教育・行政・福祉など関連諸機関と連携して問題を克服し、自宅への復帰を目指すのが目的である。しかし、薬物治療の進歩などによって多くの患者が外来治療で症状のコントロールが可能となり、長期入院療法の適応となる患者が激減した。現在、実施可能な施設は多くないが、心理社会的問題・医療ネグレクトなどの社会的な背景が原因となって環境整備や定期通院などが困難となる喘息児が少数ながら存在しており、その役割と意義が不要となることはない。必要な例はそれら専門施設に紹介するとよい。サマースクールや喘息キャンプなど、長期入院療法のエッセンスを短期間に圧縮して実施している施設もある。

付記2：ダニアレルゲン特異的免疫療法（減感作療法）

　アレルゲン特異的免疫療法（AIT）とは、当該アレルゲンを投与することによりアレルゲンに対する脱感作・耐性化を誘導することを目的とした治療であり、アレルギー疾患の自然経過に影響する唯一の治療とされている。喘息の長期管理はICSやLTRAなどによる抗炎症治療が主体となっており、現在、AITは喘息の標準的な長期管理治療として位置付けられていないが、2014年12月に標準化ダニアレルゲン皮下注製剤が承認され、ダニによる喘息およびアレルギー性鼻炎に保険適用となった。また、アレルギー性鼻炎に対しては、2015年にダニアレルゲンの舌下免疫療法薬が承認された。

　GINA2019では、成人喘息において治療ステップ3もしくは治療ステップ4の治療をしているにもかかわらず増悪を認めるような患者に対して追加治療として舌下免疫療法（SLIT）が考慮されると記載され[112]、今後長期管理における追加治療の位置付けとして期待されて

いる。現在、AIT のアレルゲン投与経路としては皮下（SCIT）と SLIT があるが、わが国で喘息に保険適用がある製剤は、ダニ抗原の皮下注製剤のみとなっている。アレルギー性鼻炎では、AIT は重症度にかかわらず明らかなアレルゲンの関与がある場合には適応となっている[113]。AIT の作用メカニズムとしては十分に解明されていないが、早期にはマスト細胞や好塩基球の活性化の抑制、その後、アレルゲン特異的 Treg の誘導、Th2 型から Th1 型のサイトカイン産生パターンの移行、アレルゲン特異的 IgG 抗体の増加などが考えられている[114]。

　小児喘息患者に対しては、SCIT では、喘息症状、頓用薬の使用、全身性ステロイド薬の使用、長期管理薬の使用量に対する有意な改善効果が認められている。また、SLIT では、喘息症状や呼吸機能の改善が認められたが、頓用薬の使用、全身性ステロイド薬の使用、長期管理薬の使用量には有意差はなかったとの報告がある[115]。このような結果から、JPGL2020 では「ダニに感作された小児喘息患者にダニ AIT を標準治療とする」ことを提案する（**CQ7**）。ただし、現時点でわが国では 5 歳以上の小児喘息に対して SCIT の保険適用があるが、SLIT は小児喘息に適用外である。

　日本アレルギー学会から「ダニアレルギーにおけるアレルゲン免疫療法の手引き」が公開されている[113]（日本アレルギー学会 HP 上からダウンロード可能）。この手引きでは、明らかなアレルゲンの関与が認められ、現行の薬物療法の減量を望む場合や薬物療法で望ましくない副作用が現れる患者が AIT の対象となる。また、ダニの SCIT は、年齢が 5 歳以上、重症度は軽症から重症まで（ただし、全身性ステロイド薬を必要としない程度）、呼吸機能は % FEV_1 が 70％以上ある患者が適応ありとされる。実際には、希釈した製剤を用いて皮内テストで閾値を判定し、閾値量もしくは 1/10 量から治療を開始する。増量は週 1〜2 回投与し徐々に増量する従来法や、毎週 1〜2 日に数回ずつ投与するクラスター法、入院し 1 日数回投与して 3〜14 日間かけて増量するラッシュ法などがある。

　一般的に SCIT では 500〜1,000 回の注射で 1 回程度の全身副作用、100 万〜250 万回に 1 回程度で致死的な副作用発現の危険性があるとされているため、注射した際には症状出現の有無を観察し、万が一にも症状出現が認められた場合に備えて速やかに治療対応できるようにしておくことが望ましい[116]。SCIT は SLIT に比べると効果は高いが副反応が起こりやすく、SLIT のほうが安全性は高い。また、SCIT は注射時に疼痛を伴うため小児では使用しにくい点がある。一方、SLIT は疼痛を伴わず、自宅での治療が可能である。今後 SLIT が喘息にも保険適用が認可された場合には、アレルギー性鼻炎と同様に長期管理薬の選択肢として考慮されていく可能性がある。

CQ 7

小児喘息患者の長期管理において、ダニアレルゲン特異的免疫療法は有用か？

推 奨：ダニに感作された小児喘息患者にダニアレルゲン特異的免疫療法を標準治療とすることが提案される。ただし、現時点では舌下免疫療法は喘息への保険適用がない。

推奨度：2　エビデンスレベル：B（中）

[参考文献]

1) Barnes PJ, Pedersen S, Busse WW. Efficacy and safety of inhaled corticosteroids. New developments. Am J Respir Crit Care Med. 1998；157(3 PT 2)：S1-53.

2) Rachelefsky G. Inhaled corticosteroids and asthma control in children：assessing impairment and risk. Pediatrics. 2009；123：353-66.

3) Calpin C, Macarthur C, Stephens D, et al. Effectiveness of prophylactic inhaled steroids in childhood asthma：a systemic review of the literature. J Allergy Clin Immunol. 1997；100：452-7.

4) Childhood Asthma Management Program Research Group, et al. Long-term effects of budesonide or nedocromil in children with asthma. N Engl J Med. 2000；343：1054-63.

5) Roorda RJ, Mezei G, Bisgaard H, et al. Response of preschool children with asthma symptoms to fluticasone propionate. J Allergy Clin Immunol. 2001；108：540-6.

6) Suissa S, Ernst P, Benayoun S, et al. Low-dose inhaled corticosteroids and the prevention of death from asthma. N Engl J Med. 2000；343：332-6.

7) Waalkens HJ, Van Essen-Zandvliet EE, Hughes MD, et al. Cessation of long-term treatment with inhaled corticosteroid (budesonide) in children with asthma results in deterioration. The Dutch CNSLD Study Group. Am Rev Respir Dis. 1993；148：1252-7.

8) Guilbert TW, Morgan WJ, Zeiger RS, et al. Long-term inhaled corticosteroids in preschool children at high risk for asthma. N Engl J Med. 2006；354：1985-97.

9) Martinez FD, Vercelli D. Asthma. Lancet. 2013；382：1360-72.

10) Pedersen S, Hansen OR. Budesonide treatment of moderate and severe asthma in children：a dose-response study. J Allergy Clin Immunol. 1995；95(1 PT 1)：29-33.

11) Shapiro G, Bronsky EA, LaForce CF, et al. Dose-related efficacy of budesonide administered via a dry powder inhaler in the treatment of children with moderate to severe persistent asthma. J Pediatr. 1998；132：976-82.

12) Lipworth BJ. Clinical pharmacology of corticosteroids in bronchial asthma. Pharmacol Ther. 1993；58：173-209.

13) Toogood JH, White FA, Baskerville JC, et al. Comparison of the antiasthmatic, oropharyngeal, and systemic glucocorticoid effects of budesonide administered through a pressurized aerosol plus spacer or the Turbuhaler dry powder inhaler. J Allergy Clin Immunol. 1997；99：186-93.

14) 西間三馨，森川昭廣，西牟田敏之．小児気管支喘息治療におけるステロイド吸入用懸濁液の適正使用．日小ア誌．2006；20：218-30.

15) Cazeiro C, Silva C, Mayer S, et al. Inhaled corticosteroids and respiratory infections in children with asthma：A meta-analysis. Pediatrics. 2017；139：e20163271.

16) Visser MJ, van der Veer E, Postma DS, et al. Side-effects of fluticasone in asthmatic children：no effects after dose reduction. Eur Respir J. 2004；24：420-5.

17) Dluhy RG. Clinical relevance of inhaled corticosteroids and HPA axis suppression. J Allergy Clin Immunol. 1998；101(4 PT 2)：S447-50.

18) Todd GR, Acerini CL, Ross-Russell R, et al. Survey of adrenal crisis associated with inhaled corticosteroids in the United Kingdom. Arch Dis Child. 2002；87：457-61.

19) Todd GR, Acerini CL, Buck JJ, et al. Acute adrenal crisis in asthmatics treated with high-dose fluticasone propionate. Eur Respir J. 2002 ; 19 : 1207-9.

20) Hossny E, Rosario N, Lee BW, et al. The use of inhaled corticosteroids in pediatric asthma : update. World Allergy Organ J. 2016 ; 9 : 26.

21) Tamesis GP, Krawiec ME. Heterogeneity in response to asthma medications. Curr Opin Allergy Clin Immunol. 2007 ; 7 : 185-9.

22) Mak JC, Nishikawa M, Shirasaki H, et al. Protective effects of a glucocorticoid on downregulation of pulmonary beta 2-adrenergic receptors *in vivo*. J Clin Invest. 1995 ; 96 : 99-106.

23) Usmani OS, Ito K, Maneechotesuwan K, et al. Glucocorticoid receptor nuclear translocation in airway cells after inhaled combination therapy. Am J Respir Crit Care Med. 2005 ; 172 : 704-12.

24) de Blic J, Ogorodova L, Klink R, et al. Salmeterol/fluticasone propionate vs. double dose fluticasone propionate on lung function and asthma control in children. Pediatr Allergy Immunol. 2009 ; 20 : 763-71.

25) Vaessen-Verberne AA, van den Berg NJ, van Nierop JC, et al. Combination therapy salmeterol/fluticasone versus doubling dose of fluticasone in children with asthma. Am J Respir Crit Care Med. 2010 ; 182 : 1221-7.

26) Chauhan BF, Chartrand C, Ni Chroinin M, et al. Addition of long-acting β_2-agonists to inhaled corticosteroids for chronic asthma in children. Cochrane Database Syst Rev. 2015 ; (11) : CD007949.

27) Castro-Rodriguez JA, Rodrigo GJ. A systematic review of long-acting β_2-agonists versus higher doses of inhaled corticosteroids in asthma. Pediatrics. 2012 ; 130 : e650-7.

28) Yoshihara S, Fukuda H, Tamura M, et al. Efficacy and Safety of Salmeterol/fluticasone Combination Therapy in Infants and Preschool Children with Asthma Insufficiently Controlled by Inhaled Corticosteroids. Drug Res (Stuttg). 2016 ; 66 : 371-6.

29) Akashi K, Mezawa H, Tabata Y, et al. Optimal step-down approach for pediatric asthma controlled by salmeterol/fluticasone : A randomized, controlled trial (OSCAR study). Allergol Int. 2016 ; 65 : 306-11.

30) Kew KM, Beggs S, Ahmad S. Stopping long-acting beta2-agonists (LABA) for children with asthma well controlled on LABA and inhaled corticosteroids. Cochrane Database Syst Rev. 2015 ; 2015(5) : CD011316.

31) Yoshihara S, Tsubaki T, Ikeda M, et al. The efficacy and safety of fluticasone/salmeterol compared to fluticasone in children younger than four years of age. Pediatr Allergy Immunol. 2019 ; 30 : 195-203.

32) Levenson M. Long-acting beta-agonists and adverse asthma events meta-analysis. http://www.fda.gov/ohrms/dockets/ac/08/briefing/2008-4398b1-01-FDA.pdf

33) McMahon AW, Levenson MS, McEvoy BW, et al. Age and risks of FDA-approved long-acting β_2-adrenergic receptor agonists. Pediatrics. 2011 ; 128 : e1147-54.

34) Stempel DA, Szefler SJ, Pedersen S, et al. Safety of adding salmeterol to fluticasone propionate in children with asthma. N Engl J Med. 2016 ; 375 : 840-9.

35) Busse WW, Bateman ED, Caplan AL, et al. Combined analysis of asthma safety trials of long-acting β_2-agonists. N Engl J Med. 2018 ; 378 : 2497-505.

36) FDA. https://www.fda.gov/drugs/drug-safety-and-availability/fda-drug-safety-communication-fda-review-finds-no-significant-increase-risk-serious-asthma-outcomes

37) Holgate ST, Sampson AP. Antileukotriene therapy. Future directions. Am J Respir Crit Care Med. 2000 ; 161(2 PT 2) : S147-53.

38) Reiss TF, Sorkness CA, Stricker W, et al. Effects of montelukast (MK-0476) ; a potent cysteinyl leukotriene receptor antagonist, on bronchodilation in asthmatic subjects treated with and without inhaled corticosteroids. Thorax. 1997 ; 52 : 45-8.

39) Pizzichini E, Leff JA, Reiss TF, et al. Montelukast reduces airway eosinophilic inflammation in asth-

ma：a randomized, controlled trial. Eur Respir J. 1999；14：12-8.

40）Bisgaard H, Loland L, Oj JA. NO in exhaled air of asthmatic children is reduced by the leukotriene receptor antagonist montelukast. Am J Respir Crit Care Med. 1999；160：1227-31.

41）Nishima S, Furusho K, Morikawa A, et al. Pranlukast inhibits exercise-induced bronchospasm in asthmatic children：a randomized, multicenter, double-blind, placebo-controlled two-period cross-over Trial. Pediatric Asthma, Allergy Immunol. 2005；18：5-11.

42）Villaran C, O'Neill SJ, Helbling A, et al. Montelukast versus salmeterol in patients with asthma and exercise-induced bronchoconstriction. Montelukast/Salmeterol Exercise Study Group. J Allergy Clin Immunol. 1999；104(3 PT 1)：547-53.

43）Bukstein DA, Luskin AT, Bernstein A. "Real-world" effectiveness of daily controller medicine in children with mild persistent asthma. Ann Allergy Asthma Immunol. 2003；90：543-9.

44）Garcia Garcia ML, Wahn U, Gilles L, et al. Montelukast, compared with fluticasone, for control of asthma among 6- to 14-year-old patients with mild asthma：the MOSAIC study. Pediatrics. 2005；116：360-9.

45）Nagao M, Ikeda M, Fukuda N, et al. Early control treatment with montelukast in preschool children with asthma：a randmized controlled trial. Allergol Int. 2018；67：72-8.

46）Williams B, Noonan G, Reiss TF, et al. Long-term asthma control with oral montelukast and inhaled beclomethasone for adults and children 6 years and older. Clin Exp Allergy. 2001；31：845-54.

47）Simons FE, Villa JR, Lee BW, et al. Montelukast added to budesonide in children with persistent asthma：a randomized, double-blind, crossover study. J Pediatr. 2001；138：694-8.

48）Phipatanakul W, Greene C, Downes SJ, et al. Montelukast improves asthma control in asthmatic children maintained on inhaled corticosteroids. Ann Allergy Asthma Immunol. 2003；91：49-54.

49）Price DB, Hernandez D, Magyar P, et al. Randomised controlled trial of montelukast plus inhaled budesonide versus double dose inhaled budesonide in adult patients with asthma. Thorax. 2003；58：211-6.

50）Chauhan BF, Ben Salah R, Ducharme FM. Addition of anti-leukotriene agents to inhaled corticosteroids in children with persistent asthma. Cochrane Database Syst Rev. 2013；(10)：CD009585.

51）Brodlie M, Gupta A, Rodriguez-Martinez CE, et al. Leukotriene receptor antagonists as maintenance and intermittent therapy for episodic viral wheeze in children. Cochrane Database Syst Rev. 2015 2015(10)：CD008202.

52）岩田　力，栗原和幸，小田島安平，他．1歳未満の気管支喘息に対するオノンドライシロップ10％（プランルカスト水和物）製造販売後調査結果　プロスペクティヴ調査．日小ア誌．2009；23：629-42.

53）岩田　力，栗原和幸，小田島安平，他．1歳未満の気管支喘息に対するオノンドライシロップ10％（プランルカスト水和物）製造販売後調査結果（第2報）　長期投与症例の追跡調査．日小ア誌．2010；24：693-704.

54）Leung KB, Flint KC, Brostoff J, et al. Effects of sodium cromoglycate and nedocromil sodium on histamine secretion from human lung mast cells. Thorax. 1988；43：756-61.

55）Eigen H, Reid JJ, Dahl R, et al. Evaluation of the addition of cromolyn sodium to bronchodilator maintenance therapy in the long-term management of asthma. J Allergy Clin Immunol. 1987；80：612-21.

56）van der Wouden JC, Uijen JH, Bernsen RM, et al. Inhaled sodium cromoglycate for asthma in children. Cochrane Database Syst Rev. 2008；(4)：CD002173.

57）Koda A, Yanagihara Y, Matsuura N. IPD-1151T：a prototype drug for IgE antibody synthesis modulation. Agents Actions Suppl. 1991；34：369-78.

58）Yoshida M, Aizawa H, Inoue H, et al. Effect of suplatast tosilate on airway hyperresponsiveness and inflammation in asthma patients. J Asthma. 2002；39：545-52.

59）Horiguchi T, Tachikawa S, Handa M, et al. Effects of suplatast tosilate on airway inflammation and airway hyperresponsiveness. J Asthma. 2001；38：331-6.

60）松井永子，近藤直実，金子英雄，他．薬剤の臨床　小児気管支喘息患児におけるトシル酸スプラタストの有用性の検討．小児科診療．2009；72：2379-88.

61）Ito K, Lim S, Caramori G, et al. A molecular mechanism of action of theophylline：Induction of histone deacetylase activity to decrease inflammatory gene expression. Proc Natl Acad Sci U S A. 2002；99：8921-6.

62）Weinberger M, Hendeles L. Theophylline in asthma. N Engl J Med. 1996；334：1380-8.

63）Barnes PJ. Inflammatory mechanisms and nocturnal asthma. Am J Med. 1988；85：64-70.

64）Barnes PJ. Theophylline. Am J Respir Crit Care Med. 2013；188：901-6.

65）足立　満，美濃口健治，美田俊一，他．気管支喘息における徐放性テオフィリン薬の気道炎症に対する効果．アレルギー．1998；47：734-43.

66）Sullivan P, Bekir S, Jaffar Z, et al. Anti-inflammatory effects of low-dose oral theophylline in atopic asthma. Lancet. 1994；343：1006-8.

67）平野幸子．テオフィリン関連けいれん．小児科．1994；35：1385-91.

68）北林　耐，飯倉洋治，赤澤　晃，他．テオフィリンの小児における副作用と上手な使い方　テオフィリン関連痙攣についての検討．日小児臨薬理会誌．1998；11：11-5.

69）小田島安平，中野裕史，加藤哲司．テオフィリン投与中の痙攣症例に関する臨床的検討　特に痙攣発症に影響を及ぼす因子について．アレルギー．2006；55：1295-303.

70）松岡典子，森田清子，絹巻暁子，他．テオフィリン治療中に生じた痙攣重積状態の臨床的検討．日児誌．2006；110：1234-41.

71）川崎有希，塩見正司，外川正生，他．テオフィリン投与中の熱性けいれん重積後に脳葉性浮腫を来し後遺症を残した8症例．日児誌．2006；110：674-80.

72）Humbert M, Busse W, Hanania NA, et al. Omalizumab in asthma：an update on recent developments. J Allergy Clin Immunol Pract. 2014；2：525-36. e1.

73）Kuhl K, Hanania NA. Targeting IgE in asthma. Curr Opin Pulm Med. 2012；18：1-5.

74）Holgate ST, Chuchalin AG, Hebert J, et al. Efficacy and safety of a recombinant anti-immunoglobulin E antibody (omalizumab) in severe allergic asthma. Clin Exp Allergy. 2004；34：632-8.

75）Lanier B, Bridges T, Kulus M, et al. Omalizumab for the treatment of exacerbations in children with inadequately controlled allergic (IgE-mediated) asthma. J Allergy Clin Immunol. 2009；124：1210-6.

76）Odajima H, Ebisawa M, Nagakura T, et al. Omalizumab in Japanese children with severe allergic asthma uncontrolled with standard therapy. Allergol Int. 2015；64：364-70.

77）Odajima H, Ebisawa M, Nagakura T, et al. Long-term safety, efficacy, pharmacokinetics and pharmacodynamics of omalizumab in children with severe uncontrolled asthma. Allergol Int. 2017；66：106-15.

78）Busse WW, Morgan WJ, Gergen PJ, et al. Randomized trial of omalizumab (anti-IgE) for asthma in inner-city children. N Engl J Med. 2011；364：1005-15.

79）Milgrom H, Berger W, Nayak A, et al. Treatment of childhood asthma with anti-immunoglobulin E antibody (omalizumab). Pediatrics. 2001；108：E36.

80）Rodrigo GJ, Neffen H. Systematic review on the use of omalizumab for the treatment of asthmatic children and adolescents. Pediatr Allergy Immunol. 2015；26：551-6.

81）Sattler C, Garcia G, Humbert M. Novel targets of omalizumab in asthma. Curr Opin Pulm Med. 2017；23：56-61.

82）Ohta K, Yamamoto M, Sato N, et al. One year treatment with omalizumab is effective and well tolerated in Japanese Patients with moderate-to-severe persistent asthma. Allergol Int. 2010；59：167-74.

83）Ortega HG, Liu MC, Pavord ID, et al. Mepolizumab treatment in patients with severe eosinophilic asthma. N Engl J Med. 2014；371：1198-207.

84）Pavord ID, Korn S, Howarth P, et al. Mepolizumab for severe eosinophilic asthma (DREAM)：a multicentre, double-blind, placebo-controlled trial. Lancet. 2012；380：651-9.

85) Bel EH, Wenzel SE, Thompson PJ, et al. Oral glucocorticoid-sparing effect of mepolizumab in eosinophilic asthma. N Engl J Med. 2014；371：1189-97.

86) Gupta A, Ikeda M, Geng B, et al. Long-term safety and pharmacodynamics of mepolizumab in children with severe asthma with an eosinophilic phenotype. J Allergy Clin Immunol. 2019；144：1336-42.

87) Wenzel S, Ford L, Pearlman D, et al. Dupilumab in persistent asthma with elevated eosinophil levels. N Engl J Med. 2013；27；368：2455-66.

88) Castro M, Corren J, Pavord ID, et al. Dupilumab efficacy and safety in moderate-to-severe uncontrolled asthma. N Engl J Med. 2018；28；378：2486-96.

89) Liebhaber M, Dyer Z. Home therapy with subcutaneous anti-immunoglobulin-E antibody omalizumab in 25 patients with immunoglobulin-E-mediated (allergic) asthma. J Asthma. 2007；44：195-6.

90) Shaker M, Briggs A, Dbouk A, et al. Estimation of health and economic benefits of clinic versus home administration of omalizumab and mepolizumab. J Allergy Clin Immunol Pract. 2020；8：565-72.

91) Yoshihara S, Fukuda H, Abe T, et al. Comparative study of skin permeation profiles between brand and generic tulobuterol patches. Biol Pharm Bull. 2010；33：1763-5.

92) 田村　弦，山内広平，本間正明，他．成人気管支喘息に対するツロブテロール経皮吸収型製剤（HN-078）の長期投与試験．臨床医薬．1995；11：1067-80.

93) 宮本昭正，滝島　任，高橋昭三，他．気管支喘息に対するツロブテロール経皮吸収型製剤（HN-078）の臨床第3相試験　塩酸プロカテロール錠を対照薬とした二重盲検群間比較試験．臨床医薬．1995；11：783-807.

94) Yoshihara S, Yamada Y, Abe T, et al. The use of patch formulation of tulobuterol, a long-acting beta2-adrenoreceptor agonist, in the treatment of severe pediatric asthma. Ann Allergy Asthma Immunol. 2006；96：879-80.

95) Katsunuma T, Fujisawa T, Mizuho N, et al. Effects of transdermal tulobuterol in pediatric asthma patients on long-term leukotriene receptor antagonist therapy：Results of a randomized, open-label, multicenter clinical trial in Japanese children aged 4-12 years. Allergol Int. 2013；62：37-43.

96) 西間三馨，古庄巻史，向山徳子，他．小児気管支喘息におけるツロブテロール貼付薬の気道過敏性に及ぼす影響多施設二重盲検群間比較試験．日小ア誌．2003；17：204-9.

97) Baughman RP, Loudon RG. The utility of a long-acting sympathomimetic agent, procaterol, for nocturnal asthma. Chest. 1988；93：285-8.

98) 岡田宏基，中村洋之，久保昭仁，他．多剤併用喘息患者の長時間作動型経口β_2刺激薬中止後の呼吸機能変化に関する検討．日呼吸会誌．2005；43：16-22.

99) Ito Y, Adachi Y, Itazawa T, et al. Association between the results of the childhood asthma control test and objective parameters in asthmatic children. J Asthma. 2011；48：1076-80.

100) 板澤寿子，足立陽子，岡部美恵，他．小児喘息コントロールテスト（Childhood Asthma Control Test：C-ACT）の有用性と問題点．日小児難治喘息・アレルギー会誌．2011；9：30-5.

101) 磯崎　淳，川野　豊，正田哲雄，他．Japanese Pediatric Asthma Control Program（JPAC），小児喘息コントロールテスト（Childhood Asthma Control Test：C-ACT）と呼吸機能，呼気一酸化窒素の経時的変化の検討．アレルギー．2010；59：822-30.

102) 西牟田敏之，佐藤一樹，海老澤元宏，他．Japanese Pediatric Asthma Control Program（JPAC）とChildhood Asthma Control Test（C-ACT）との相関性と互換性に関する検討．日小ア誌．2009；23：129-38.

103) Sato K, Sato Y, Nagao M, et al. Development and validation of asthma questionnaire for assessing and achieving best control in preschool-age children. Pediatr Allergy Immunol. 2016；27：307-12.

104) Petsky HL, Kew KM, Chang AB. Exhaled nitric oxide levels to guide treatment for children with asthma. Cochrane Database Syst Rev. 2016；11(11)：CD011439.

105) American Thoracic Society, European Respiratory Society. ATS/ERS Recommendations for standardized procedures for the online and offline measurement of exhaled lower respiratory nitric oxide and nasal nitric oxide, 2005. Am J Respir Crit Care Med. 2005；171：912-30.

106) Hagan JB, Samant SA, Volcheck GW, et al. The risk of asthma exacerbation after reducing inhaled corticosteroids：a systematic review and meta-analysis of randomized controlled trials. Allergy. 2014；69：510-6.

107) Rank MA, Hagan JB, Park MA, et al. The risk of asthma exacerbation after stopping low-dose inhaled corticosteroids：a systematic review and meta-analysis of randomized controlled trials. J Allergy Clin Immunol. 2013；131：724-9.

108) Szefler SJ, Phillips BR, Martinez FD, et al. Characterization of within-subject responses to fluticasone and montelukast in childhood asthma. J Allergy Clin Immunol. 2005；115：233-42.

109) Tani H, Matsuda K, Matsumoto T, et al. Extended-stay hospitalization for childhood asthma in Japan. Pediatr Int. 2009；51：502-6.

110) 杉本日出雄，赤坂　徹，杉江信之，他．気管支喘息児に対する施設入院療法の効果　国立療養所中央共同研究「小児慢性疾患の治療・管理に関する研究班」報告より．日小ア誌．2001；15：219-26.

111) 松原和樹，杉本日出雄，松田秀一，他．施設入院療法の効果と推移に影響する因子に関する検討　入院時気道過敏性の観点から．日小ア誌．1999；13：23-8.

112) Global initiative for asthma. Global strategy for Asthma Management and Prevention (2017 updated). http://ginasthma.org/2017-gina-report-global-strategy-for-asthma-management-and-prevention/

113) 日本アレルギー学会「ダニアレルギーにおけるアレルゲン免疫療法の手引き」作成委員会．ダニアレルギーにおけるアレルゲン免疫療法の手引．http://www.jsaweb.jp/modules/journal/index.php?content_id=4

114) Akdis M, Akdis CA. Mechanisms of allergen-specific immunotherapy：multiple suppressor factors at work in immune tolerance to allergens. J Allergy Clin Immunol. 2014；133：621-31.

115) Rice JL, Diette GB, Suarez-Cuervo C, et al. Allergen-specific immunotherapy in the treatment of pediatric asthma：A Systematic Review. Pediatrics. 2018；141：e20173833.

116) Fujisawa T, Shimoda T, Masuyama K, et al. Long-term safety of subcutaneous immunotherapy with TO-204 in Japanese patients with house dust mite-induced allergic rhinitis and allergic bronchial asthma：Multicenter, open label clinical trial. Allergol Int. 2018；67：347-56.

第8章

急性増悪(発作)への対応

第8章 急性増悪（発作）への対応

　本章では、急性増悪（発作）において臨床上重要と考えられる課題について Clinical Question（CQ）を設定し、最適な治療方法として何を選択すべきかなど、症状改善が強く期待できる重要な臨床課題を重点的に取り上げた（第1章参照）。

要旨

■ 急性増悪（発作）への対応には、「家庭での対応」と「医療機関での対応」がある。症状を重篤化・遷延化させないために、家庭では急性増悪（発作）を認めた早期からの適切な対応が重要である。医療機関では治療と同時に発作強度や合併症の把握、また他疾患との鑑別も行う。さらに、慢性疾患の急性増悪（発作）であることを認識して、重症度の評価と患者指導を行う。

[家庭での対応]

■ 個々の患者とその保護者に対して、急性増悪（発作）時の対処法を発作強度に応じて具体的に指示する。

■ 大発作以上では迅速な対応が必要であり、「強い喘息発作のサイン」が認められた場合には直ちに受診が必要であることを十分に説明する。

[医療機関での対応]

■ 家庭での治療内容を把握して発作強度を評価し、迅速に治療を進める。

■ 過去の急性増悪（発作）歴や受けた治療は、治療方針を決める上で参考になる。

■ 低酸素血症の有無を SpO_2 で把握し、必要に応じて酸素を投与する。

■ β_2 刺激薬、ステロイド薬、イソプロテレノール、アミノフィリンなどの作用や副作用ならびに投与方法を熟知して、適切に対応する。

■ 全身性ステロイド薬の使用は必要最小限に抑える。ステロイド薬の頻回あるいは持続的な全身投与は副作用の恐れがあるため、反復投与が必要な症例は小児の喘息治療に精通した医師に紹介する。

■ 発作の原因を検討して適切な生活指導と長期管理薬の見直しを行い、喘息コントロールの向上を図る。

■ 救急体制は地域や医療機関によって人員や救急用設備が異なる。JPGL を参考に、個々の医療機関や地域に適した治療手順を作成することが望ましい。

急性増悪（発作）の程度は、軽度なものから重篤なものまでさまざまであり、呼吸不全に至る可能性もあるため、早期からの適切な治療で速やかに症状を改善させる必要がある。急性増悪（発作）の対応には、「家庭での対応」と「医療機関での対応」がある。家庭では、症状を重篤化させず、遷延化させないように急性増悪（発作）を認めた早期からの適切な対応が重要である。医療機関では、治療と同時に発作強度や合併症の把握、さらに他疾患の鑑別も行う。その誘因、発作強度、頻度に加え、患児や家族の疾病理解や対応の適切さを把握するように努める。これらは急性増悪（発作）時の適切な対応の指導のほか、適切な生活指導と長期管理薬の見直しにも関与し、喘息コントロールの向上を図ることに結びつく。JPGLでは喘息は慢性疾患であるとの観点から、症状発現を「急性増悪（発作）」とし、症状の程度を「発作」と表現している。

1. 家庭での対応

　家庭で急性増悪（発作）に対して早期から治療介入することによって、さらなる増悪を防ぎ、患児ならびにその保護者のQOL低下（夜間の睡眠障害や欠席・欠勤など）を最小限に抑えることができる。逆に、医療機関への受診の遅れや家庭での不適切な対応は、症状の重篤化につながる恐れがあるため、日頃から患児や家族へ指導することが重要である。図8-1に具体的な対応の流れを示す。

1）「強い喘息発作のサイン」の有無による対応
　発作強度は小・中・大発作と呼吸不全の4段階に分けられるが、家庭での対応は医療機関を受診すべきタイミングを逃さないために、「強い喘息発作のサイン」（図8-1）の有無に注目し、それに従って対応を判断するように指導する。また、増悪を認めたときに頓用薬がない場合には、原則として医療機関を受診するように指導する。

2）「強い喘息発作のサイン」がある場合の対応
(1) 症状
　大発作ならびに呼吸不全に該当する。
(2) 対応
　「強い喘息発作のサイン」が認められた場合には、直ちに医療機関を受診する。特に、著明な呼吸困難や意識レベルの変化（意識低下あるいは過度な興奮）がある場合には、救急車を要請する。頓用の吸入β_2刺激薬が手元にある場合には、受診準備が整うまでの間に吸入を行う。さらに、携帯用の吸入器を持っている場合には、医療機関までの道中で20〜30分ごとに吸入してもよい。

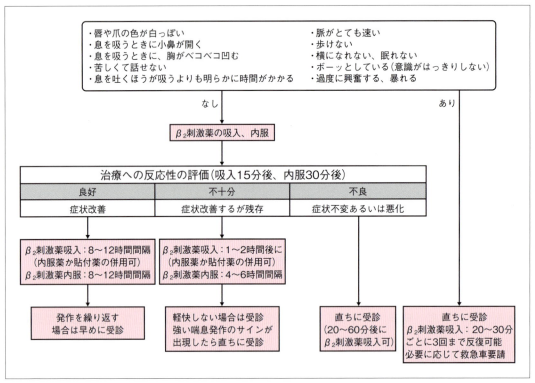

図8-1 小児の「強い喘息発作のサイン」と家庭での対応

3）「強い喘息発作のサイン」がない場合の対応
(1) 症状

小発作（日常生活が障害されない程度の咳嗽、喘鳴、軽度の呼吸困難）から中発作（咳嗽や喘鳴に加えて呼気延長や呼吸困難を伴い、日常生活にも影響がある）までの症状に該当する（表8-1）。

(2) 対応

医療機関から事前に説明されている方法に従って頓用のβ_2刺激薬（吸入薬あるいは内服薬）を使用し、吸入薬は15分後に、内服薬は30分後に、その効果を評価する。なお、貼付薬には即効性がないため、発作治療薬としては不適切である。

①頓用のβ_2刺激薬への反応が良好な場合

症状：消失している。

対応：家庭でそのまま様子を見てよいが、β_2刺激薬の吸入薬、内服薬、貼付薬のいずれかを数日間使用する。その間あるいは投薬終了後に発作を繰り返す場合には、受診予定日よりも早めに主治医を受診する。

②頓用のβ_2刺激薬の効果が不十分な場合

症状：改善するが、残存している。

対応：家庭でβ_2刺激薬の吸入が可能な場合には、1～2時間後に再度吸入を行う（その際、

表8-1 急性増悪（発作）治療のための発作強度判定

			小発作	中発作	大発作	呼吸不全
主要所見	症状	興奮状況	平静		興奮	錯乱
		意識	清明		やや低下	低下
		会話	文で話す	句で区切る	一語区切り～不能	不能
		起坐呼吸	横になれる	座位を好む	前かがみになる	
	身体所見	喘鳴	軽度		著明	減少または消失
		陥没呼吸	なし～軽度		著明	
		チアノーゼ	なし		あり	
	SpO$_2$（室内気）[*1]		≧96%	92～95%	≦91%	
参考所見	身体所見	呼気延長	呼気時間が 吸気の2倍未満		呼気時間が 吸気の2倍以上	
		呼吸数[*2]	正常～軽度増加		増加	不定
	PEF	（吸入前）	>60%	30～60%	<30%	測定不能
		（吸入後）	>80%	50～80%	<50%	測定不能
	PaCO$_2$		<41 mmHg		41～60 mmHg	>60 mmHg

主要所見のうち最も重度のもので発作強度を判定する。

*1：SpO$_2$ の判定にあたっては、肺炎など他に SpO$_2$ 低下を来す疾患の合併に注意する。

*2：年齢別標準呼吸数（回/分）

　　0～1歳：30～60　　1～3歳：20～40　　3～6歳：20～30　　6～15歳：15～30　　15歳～：10～30

内服薬あるいは貼付薬の β_2 刺激薬の併用は可能）。2回目の吸入後も呼吸困難が残存している場合には、医療機関を受診する。家庭に β_2 刺激薬の吸入薬がない場合には、内服後1～2時間は経過を見てもよいが、その後も呼吸困難が残存している場合は医療機関を受診する。

③頓用の β_2 刺激薬の効果が認められない場合

症状：不変か、むしろ増悪している。

対応：呼吸困難が軽度であれば1～2時間そのまま経過を見てもよいが、その後も症状が残存しているときには医療機関を受診する。また、呼吸困難が明らかな場合には直ちに医療機関を受診する。受診に時間を要する場合、β_2 刺激薬の吸入薬があれば20分～1時間後に再度吸入を行ってもよい。

4）喘息児とその家族に対する指導のポイント

(1) 症状観察

　直ちに医療機関を受診する必要がある「強い喘息発作のサイン」について、日頃からよく説明する。また、自宅で行った初期対応の効果判定のためにも、家族が発作強度による全身状態（動作、会話、顔色、日常生活、食欲、睡眠など）の変化を見分けられることが望ましい。特に、喘鳴の強弱だけでは発作強度が判別困難であることは十分に説明する。なお、指導の際には、『おしえて先生！　子どものぜん息ハンドブック』[1]などが有用である。

149

(2) 急性増悪（発作）時の治療薬

　急性増悪（発作）時に家庭で頓用薬を用いた対応が必要であると考えられる場合には前もって処方しておく。処方の際には、薬効や持続時間、使用間隔など具体的な使用法について説明する。特に、吸入薬による定期治療を行っていない患児と家族に対しては、実技を交えて吸入指導を行う。指導するにあたっては、喘息個別対応プラン（web 図 6-1）などの文章を用いた指導が勧められる[2]。頓用薬として用いるのは下記薬剤である。各薬剤の詳細は本章「3.　一般的な急性増悪（発作）の治療薬」の項を参照されたい。

①短時間作用性吸入 β_2 刺激薬（SABA）：即効性があり、有効である。剤形としては吸入液と加圧噴霧式定量吸入器（pMDI）、ドライパウダー定量吸入器（DPI）がある。吸入液の場合、クロモグリク酸ナトリウム（DSCG）液もしくは生理食塩水との混合液で吸入する。使用量は、乳幼児で 0.3 mL 程度、学童以上で 0.3〜0.5 mL を推奨する（注：小児適用は 0.1〜0.3 mL）。pMDI や DPI は 1 回につき 1〜2 噴霧を吸入する。

②経口 β_2 刺激薬：即効性や効果は吸入薬に劣るが、吸入薬に比べて確実に服薬できる。一方、テオフィリン徐放製剤、ツロブテロール貼付薬はいずれも即効性がなく、家庭で用いる単独の発作治療薬としては不適である。

③経口ステロイド薬：臨床効果が発現するまでに一定の時間がかかるので、小児では一般的に家庭での発作治療薬には適していない。なお、ICS の増量によってその後の全身性ステロイド薬投与、予定外受診、緊急入院が回避できるなどの有効性は示されていない（**CQ8**）。

CQ 8	小児喘息患者の急性増悪（発作）時に吸入ステロイド薬（ICS）の増量は有用か？ 推　奨：急性増悪（発作）時に ICS を増量しないことが提案される。 推奨度：3　エビデンスレベル：B（中）

2.　医療機関での対応

　医療機関受診前に β_2 刺激薬の吸入あるいは内服などの治療が開始されている場合も多いが[3]、家庭での対応後も症状が不変もしくは悪化している場合には、追加治療を行うなどの対応を行う。また、喘息発作への治療を行うとともに、合併症の検索や喘鳴を来す他の疾患も鑑別する（鑑別を要する疾患：**表 2-1**、合併症：第 11 章参照）。

　救急医療体制は地域ごとに異なり、診療所、病院など医療機関によっても異なる。JPGL を参考にして、個々の医療機関で急性増悪（発作）時の治療手順をまとめ、可能であれば各地域で治療手順を共有して連携することが望ましい。

1）救急外来治療で把握すべきこと

　患者が急性増悪（発作）で受診した場合は、治療を開始するとともに**表 8-2** の各事項を把

表8-2 救急外来治療で把握すべきこと

・発作強度（迅速な入院治療が必要かどうかの判断）
・発症からの時間と増悪の原因
・喘息の重症度と服薬状況（長期管理薬の内容・アドヒアランス、急性増悪（発作）時に家庭あるいは前医で使用した薬物とその時間）
・喘息による入院および呼吸不全の既往の有無と救急外来の受診状況
・薬物などのアレルギーの有無

握し、より適切かつ安全な治療を行うように心がける。

(1) 発作強度判定について

受診をしたら、速やかに発作強度の判定を行う（**表8-1**）。症状（興奮状況、意識、会話、起坐呼吸）、身体所見（喘鳴、陥没呼吸、チアノーゼ）、SpO_2 を主要所見とし、そのうち最も重度のもので発作強度を判定する。ほかに、身体所見（呼気延長、呼吸数）、% PEF値（自己最良値もしくは予測値に対する%）[5,6]、$PaCO_2$ を参考所見とする。治療経過を継続的に評価する指標として修正 pulmonary index スコア（web 表8-1）[7]などがある。来院時に中発作までの状態であれば、その後の外来治療で症状が十分に改善し、帰宅させ得る場合もある。一方、大発作や呼吸不全であれば入院治療を考慮する。すでに喘息としての日常管理をされている患児では、重症度や長期管理薬を把握することも過少治療を防ぐ上で重要である。過去に重症化した既往のある患児では、来院時は中発作であってもその後の経過に注意する。また、治療に際して、薬物などのアレルギーがあるときは適切に対応する。

(2) SpO_2 と血液ガス分析について

急性増悪（発作）時の換気状態を正確に把握するために、動脈血液ガス分析で PaO_2（動脈血酸素分圧）や $PaCO_2$（動脈血二酸化炭素分圧）を評価する。特に呼吸不全時には web図8-1[8]に示すように、急激に $PaCO_2$ が上昇するため重要な検査である。しかし、小児の動脈血液ガス分析は必ずしも容易に行える検査ではないため、発作程度が比較的軽度と考えられる場合には静脈血液ガス分析をスクリーニングとして行うこともある。二酸化炭素分圧は動脈と静脈で乖離を認める場合があるため、静脈血液ガス分析で二酸化炭素分圧高値を認めた場合は動脈血液ガス分析を行って $PaCO_2$ の確認をする。一方、SpO_2 の測定は、非侵襲的、リアルタイム、連続測定、記録可能などより、発作強度や治療効果の判定に有用であるが（web 表8-2）[9]、その間も二酸化炭素分圧が評価できていないことを念頭に置く。また、実際の使用に際しては、末梢循環不全などの身体的要因、プローブのサイズや接着の問題など外的要因に影響されることにも注意する。

2) 小発作に対する治療（表8-1、表8-4）

β_2 刺激薬の単回あるいは反復吸入のみで改善することが多い。それでも十分に改善しな

い場合は、長期管理薬を含めた家庭での治療内容や他疾患の鑑別も考慮して、中発作に対する治療に移行する。

3）中発作に対する治療（図8-2、表8-1、表8-4）

中発作までは外来治療でも改善が期待できるが、**表8-3**のような場合には早期から入院治療の必要性を判断する。

（1）中発作に対する初期治療

①酸素投与の必要性：SpO_2を測定し、必要であれば$SpO_2 \geqq 95\%$となるように酸素投与を行う[5, 10]。

②β_2刺激薬吸入：β_2刺激薬をネブライザーで吸入させる。わが国ではサルブタモールとプロカテロールが使用可能である。患児の体格、発作強度、吸入効率などを考慮し、乳幼児では0.3 mL程度、学童以上では0.3〜0.5 mLを生理食塩水（2 mL）またはDSCG吸入液（1アンプル＝2 mL）とともに用いるが、小児への保険適用は0.3 mLまでである。吸入後15〜30分で効果を判定し、改善が不十分であれば20〜30分ごとに3回まで反復することができる。β_2刺激薬吸入を反復する必要がある場合には追加治療の開始を考慮する。ネブライザーによる吸入の代わりにpMDIを用いることも可能である（**CQ9**）。pMDIを使用する場合はスペーサーの使用を推奨する。なお、換気血流不均等を増悪させ、低酸素血症を悪化させることがあるため、SpO_2が95％未満のときには酸素吸入を併用しながら吸入薬を使用することが望ましい。

CQ 9	小児喘息患者において、急性増悪（発作）時に短時間作用性吸入β_2刺激薬（SABA）を反復吸入する場合は、スペーサーを用いた加圧噴霧式定量吸入器（pMDI）による吸入と吸入液の電動ネブライザーによる吸入とどちらが有用か？
	推　奨：SABAの吸入方法として、スペーサーを用いたpMDIによる吸入と吸入液の電動ネブライザーによる吸入のいずれも提案される。
	推奨度：2　エビデンスレベル：C（弱）

（2）中発作に対する追加治療

β_2刺激薬吸入を反復してもなお十分に改善しない場合は、下記治療の追加を検討する。外来治療は2〜3時間程度を目安にし、その後は入院を考慮する。

①全身性ステロイド薬投与：ステロイド薬の内服または静注を追加する。治療早期からステロイド薬の併用を考慮すべき患者を**表8-5**に示す。全身性ステロイド薬は、通常は即効性がなく効果発現に数時間を要するため、患者の状態によっては外来でステロイド薬の効果発現を待たずに早期の入院治療も検討する。標準的な投与量は**表8-9**に示す。

②アミノフィリン点滴静注、持続点滴：アミノフィリンは気管支拡張作用を持ち、発作時の治療として有効であるが、JPGLでは外来治療ならびに入院治療を問わず「考慮」としてい

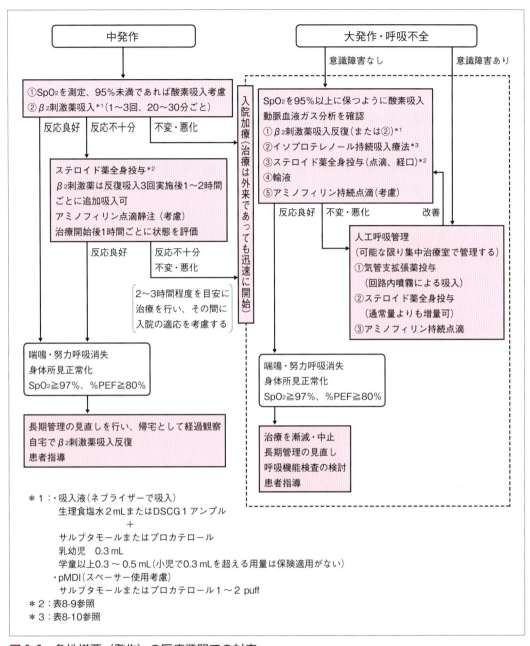

図 8-2 急性増悪（発作）の医療機関での対応

表 8-3 中発作における入院治療の適応

- 前日から急性増悪（発作）が持続して、夜間睡眠障害があった場合
- すでに家庭でβ₂刺激薬の吸入や内服を繰り返し使用している場合
- 重篤な発作の既往歴がある場合
- 乳幼児の場合
- 合併症がある場合

表 8-4　医療機関での急性増悪（発作）に対する薬物療法プラン

発作強度	小発作	中発作	大発作	呼吸不全
初期治療	β_2 刺激薬吸入	酸素吸入（SpO$_2$≧95％が目安）β_2 刺激薬吸入反復[*1]	入院 酸素吸入・輸液 β_2 刺激薬吸入反復[*1] または イソプロテレノール持続吸入[*3] ステロイド薬全身投与	入院 意識障害があれば人工呼吸管理 酸素吸入・輸液 イソプロテレノール持続吸入[*3] ステロイド薬全身投与
追加治療	β_2 刺激薬吸入反復[*1]	ステロイド薬全身投与 アミノフィリン点滴静注（考慮）[*2] 入院治療考慮	イソプロテレノール持続吸入（増量）[*3] アミノフィリン持続点滴（考慮）[*2] 人工呼吸管理	イソプロテレノール持続吸入（増量）[*3] アミノフィリン持続点滴[*2] 人工呼吸管理

[*1]：β_2 刺激薬吸入は改善が不十分である場合に 20〜30 分ごとに 3 回まで反復可能である。
[*2]：アミノフィリン持続点滴は痙攣などの副作用の発現に注意が必要であり、血中濃度のモニタリングを行うことを原則として、小児の喘息治療に精通した医師の管理下で行われることが望ましい。実施にあたっては、表 8-6 を参照のこと。

> ・アミノフィリン投与を推奨しない患者
> 　1） 2 歳未満の患者
> 　2） 痙攣既往者、中枢神経系疾患合併例
> 　3） アミノフィリンやテオフィリン徐放製剤による副作用の既往がある患者

[*3]：イソプロテレノール持続吸入を行う場合は人工呼吸管理への移行を念頭に置く。実施にあたっては表 8-10 を参照。

表 8-5　全身性ステロイド薬の併用を考慮すべき患者

> ・治療ステップ 3 以上の長期管理を行っている。
> ・過去 1 年間に急性増悪（発作）による入院の既往がある。
> ・意識障害を伴う急性増悪（発作）や急性増悪（発作）治療で気管挿管をされたことがある。

る。これは安全に使用できる有効血中濃度域が狭く、かつ副作用発現の可能性がある濃度と近接しているためである。アミノフィリンの使用に際しては、血中濃度のモニタリングによる管理を原則とする。発作治療時の血中濃度は 8〜15 μg/mL を目安とする[11]が、血中濃度が 18 μg/mL を超えると濃度依存性に副作用を発現する症例が増加する[12]。医療機関内で迅速に測定できるシステムがないことや、急激な血中濃度上昇で有効濃度域でも頭痛や嘔気、嘔吐が生じるという副作用の観点から、最近ではアミノフィリンの使用が減少している[13]。

　乳幼児では、血中濃度が 15 μg/mL 以下であっても発熱時には痙攣を誘発する可能性が指摘されており[14]、特に 2 歳未満では外来での使用は控える。アミノフィリンの投与量の目安を **表 8-6**、web 表 8-3 に示す。また、アミノフィリン投与を推奨しない患者を **表 8-4** の脚注に示す[15〜17]。

(3) 中発作に対する治療に反応良好の場合

　治療に対して反応良好で帰宅可能と判断できる場合を **表 8-7** に示す。

表8-6 喘息の急性増悪（発作）時のアミノフィリン投与量の目安

	投与量	
	初期投与（mg/kg）	維持量（mg/kg/時）
あらかじめ経口投与されていない場合	4〜5	0.6〜0.8
あらかじめ経口投与されている場合	3〜4	

・2歳未満の乳幼児については、原則として投与を推奨しない
・初期投与量は250 mgを上限とする
・肥満がある場合、投与量は標準体重で計算する
・目標血中濃度：8〜15 μg/mL

表8-7 帰宅可能とする判断要件と患者への指導内容

◎帰宅可能とする判断要件
・咳嗽、喘鳴、陥没呼吸がほぼ消失して呼吸数が正常に戻っている。
・SpO_2が97%以上、PEF値が自己最良値、または予測値の80%以上である[18]。
・家庭での対応を含めて2回以上のβ_2刺激薬吸入あるいは追加治療が必要であった場合は、可能な限り改善後1時間程度の経過を観察して悪化がないことを確認することが望ましい。

◎帰宅時に必要な指導
・家庭で行った発作対応の評価（適切な点と改善すべき点）を口頭で伝える。
・家庭でβ_2刺激薬（吸入薬・内服薬・貼付薬）を数日間使用すること。
・次回受診日を設定して帰宅後の再悪化時の対応を伝える。
・家庭に発作時のβ_2刺激薬がなければ処方する。
・発作誘因の検討と対策、および長期管理薬の見直しを考慮する。限られた時間内での有効な指導内容には限界があることに留意し、指導できなかった点は再診時に、あるいは救急処置が他院で行われた場合はかかりつけ医で行うようにする。
・一旦発作が治まったと判断できれば、その後の再増悪予防を目的とした経口ステロイド薬は不要である。

（4）中発作に対する治療に反応不十分、不変・悪化の場合

①入院治療：追加治療を行っても反応良好でない場合や悪化傾向が認められる場合には入院治療に移行する。追加治療中でも悪化傾向が認められれば、その時点で入院治療に移行する。入院後、症状が中発作までの強度で遷延している場合には外来での治療を継続してもよいが、悪化傾向にある場合は大発作の治療を開始する。入院治療の適応を**表8-8**に示す。
②合併症検索・他疾患の鑑別：発作治療による改善が乏しい場合には、再度合併症や他疾患を鑑別する。

4）大発作・呼吸不全に対する治療（入院での対応）（図8-2）

大発作・呼吸不全は、早急に強力な治療を開始すべき状態である。入院治療を原則とし、受診後速やかに治療を開始する。大発作以上では$PaCO_2$が40 mmHg以上となることが予想されるため血液ガス分析による状態把握も行い、発作治療と同時に胸部X線写真による

表 8-8　入院治療の適応

・当初から大発作である。
・外来で追加治療を含む治療を 2 時間行ってもなお反応良好とならない。
・外来治療中に悪化が認められた。
・肺炎、無気肺、縦隔気腫、皮下気腫などの合併症がある。
・2 歳未満の中発作以上で β_2 刺激薬吸入に対する反応が良好でない。

合併症（皮下気腫、縦隔気腫、気胸、無気肺、肺炎など）の検索も行う。喘息の急性増悪（発作）では末梢気道狭窄による呼出障害のためにエアトラッピング（auto-PEEP）が生じ、肺の過膨張を来す。大発作・呼吸不全では、結果として換気量が低下し $PaCO_2$ が上昇して呼吸性アシドーシスとなる。

　呼吸不全とは、一般的には異常な PaO_2 低下、$PaCO_2$ 上昇が認められ、生体が正常な機能を発揮できなくなった状態を指し、具体的には、酸素非投与下での PaO_2 が 60 mmHg 以下である状態を指す[19]。呼吸不全は $PaCO_2$ が 45 mmHg 未満を I 型呼吸不全、45 mmHg 以上を II 型呼吸不全と分類される。I 型呼吸不全は酸素化が障害されている状態で、酸素投与での対応が可能であるが、II 型呼吸不全は換気障害であり、治療は酸素投与に加えて $PaCO_2$ をモニタリングしながらの対応が求められる。喘息の発作強度が強いと過呼吸になるが、それにもかかわらず $PaCO_2$ が低下していない場合は呼吸不全への進行を予測させる。このため、後述する人工呼吸管理の適応には、$PaCO_2$ が 1 時間に 5 mmHg 以上上昇する場合も含まれる。また、無気肺合併などで高濃度酸素投与でも SpO_2 が維持できない場合も人工呼吸管理の適応となる。呼吸不全の状態では、集中治療による管理が望ましい。

　大発作以上では経時的に治療効果を評価し、有効であれば改善するまで治療継続を、不十分であれば遅滞なく治療強化を行う。治療効果を評価する指標として、修正 pulmonary index スコア（web 表 8-1）が参考になる。また、各種薬物治療に対する反応には個人差があるため、過去に大発作の既往のある患者では、そのときの治療反応性を参考に治療を選択することは有用である。

(1) 大発作・呼吸不全に対する初期治療

　意識障害を認める場合は人工呼吸管理を検討する。意識障害がない場合は次の治療を行う。

①酸素投与と末梢静脈路の確保：大発作と判断した場合には、速やかに酸素投与を開始し、治療反応性と SpO_2 を参考に酸素流量を調整する。末梢静脈路を確保して輸液を開始し、各種薬物投与を行えるように準備する。大発作・呼吸不全では可能な限り血液ガス分析を行い、$PaCO_2$ を把握しながら治療する。スクリーニングとしては静脈血で二酸化炭素分圧の評価を、高値を示す場合は動脈血での評価を行う。

②β_2 刺激薬吸入・全身性ステロイド薬投与：β_2 刺激薬吸入をまず 20〜30 分ごとに 3 回まで反復して行う。症状に改善傾向が認められれば、1〜2 時間ごとに反復することも可能で

表 8-9　全身性ステロイド薬の投与方法[20〜22]

静脈内

	初回投与量	定期投与量
ヒドロコルチゾン	5 mg/kg	5 mg/kg 6〜8 時間ごと
プレドニゾロンもしくは メチルプレドニゾロン	0.5〜1 mg/kg	0.5〜1 mg/kg 6〜12 時間ごと

最大投与量：PSL 換算 60 mg/日

経口

		定期投与量
プレドニゾロン		1〜2 mg/kg/日 （分 1〜3）
デキサメタゾン ベタメタゾン		0.05〜0.1 mg/kg/日 （分 1〜2）

最大投与量：PSL 換算 60 mg/日

・静脈内投与と経口投与で効果に差はない。
・全身性ステロイド薬の投与期間は 3〜5 日間を目安とし漫然と投与しないこと。
・投与期間が 7 日以内であれば中止にあたって漸減の必要はない。
〈静脈内投与方法〉原則、数分間かけて静注または 30 分程度で点滴静注する。
〈注意点〉
・ヒドロコルチゾン：ミネラルコルチコイド作用もあるため、数日以内の使用に留めること。
・静脈内投与で稀に即時型アレルギー反応が誘発されることがある。
・外来での使用は 1 か月に 3 日間程度、1 年間に数回程度とする。これを超える場合には、小児の喘息治療に精通した医師に紹介する。

ある。発作強度が強い場合や外来ですでに β_2 刺激薬吸入を複数回行っている場合には、後述するイソプロテレノール持続吸入を開始する。

　入院時から十分量のステロイド薬を全身投与する。全身状態が悪いことから静注内投与が選択される場合が多いが、内服が可能であれば経口投与でも構わない。静注用ステロイド薬を選択する際には、コハク酸エステルが関連する喘息悪化の可能性に注意する（3. 一般的な急性増悪（発作）の治療薬　3）全身性ステロイド薬の項を参照）。ステロイド薬の標準的な投与量を表 8-9 に示すが[20〜22]、状態によっては増量も考慮する。通常は 3〜5 日間の使用で十分な効果が期待できる。この場合の十分な効果とは聴診上の呼吸副雑音の完全な消失を意味するものではなく、努力呼吸の消失など明らかな臨床的改善を意味している。なお、乳幼児のウイルス性上気道炎に伴う喘鳴に対しては、全身性ステロイド薬投与が無効であるという報告もある[23]。喘鳴が狭義の喘息によるものかどうかの問題もあるが、少なくとも有効性を評価して不要な長期投与を行わないよう配慮する。

　ヒドロコルチゾンはミネラルコルチコイド作用を有し、反復投与によってナトリウム蓄積

表 8-10　イソプロテレノール持続吸入療法実施の要点

1. 準備するネブライザー
   インスピロン® またはジャイアントネブライザーとフェイスマスクを使用する。
2. 吸入液の調節
   アスプール®（0.5%）2〜5 mL（またはプロタノール® L 10〜25 mL）＋生理食塩水 500 mL
   アスプール® の量は症状に応じて 2 倍量に増量可
   注：注射用製剤プロタノール®L は吸入薬としての使用に保険適用はない。
3. 方法
   1. 酸素濃度 50%、酸素流量 10 L/分で開始する。
   2. SpO_2 を 95% 以上に保つことができるように酸素濃度と噴霧量を調整する。
      注：インスピロン® では酸素濃度を上げるとイソプロテレノールの供給量が減少するため、拡張薬
         としての効果が低下する。イソプロテレノール供給量を保つためには酸素流量も増量する必
         要がある。
   3. 開始 30 分後に効果判定を行い、無効・効果不十分な場合は増量、あるいは人工呼吸管理を考慮
      する。
   4. 発作の改善が認められたら、噴霧量を漸減して中止する。その後は β_2 刺激薬の間欠的投与に変
      更する。
4. モニター
   1. パルスオキシメーター、心電図、血圧、呼吸数は必須である。
   2. 血液検査：血清電解質、心筋逸脱酵素、血液ガス
5. 注意点
   1. 必ず人工呼吸管理への移行を念頭に置いて実施する。
   2. 一定時間ごとに排痰、体位変換、体動を促す。
   3. チューブの閉塞（折れ曲がり、液貯留、圧迫など）や噴霧状況などに常に注意する。本療法では
      生理食塩水を用いるため、特にインスピロン® の目詰まりに注意する。
   4. 心電図上の変化、胸痛など心筋障害を疑う所見があったときには心筋逸脱酵素を検査するととも
      に、イソプロテレノールの減量と人工呼吸管理への移行を早急に検討する。

や浮腫が起こる可能性があるため、数日間以上使用する場合は他のステロイド薬への変更を
検討する。

③イソプロテレノール持続吸入療法：イソプロテレノール持続吸入療法によって、人工呼吸
管理を回避できる可能性が大幅に高まる[24〜26]。イソプロテレノールは、β_2 受容体に対する
固有活性（薬物と受容体の結合により生じる生理活性の強さ）が最も高く、かつ生物学的半
減期がきわめて短いため持続吸入で管理しやすい。一方で、イソプロテレノールは β_2 作用
と同等の β_1 作用を有するため、β_1 作用に起因する循環系の副作用が起こり得る[27,28]。中で
も不整脈は最も注意すべき副作用である。

　イソプロテレノール持続吸入療法の詳細を表 8-10 に示す。吸入液残量を確認することで
おおよその噴霧量は把握できるが、正確な時間あたりの噴霧量や患者に吸入された薬物の総
量などは把握できない。したがって、発作強度の推移や副作用を詳細に経時的に観察しなが
ら使用する薬剤の量を決定する。本療法中は心電図モニター、SpO_2 モニターを装着して心
拍数、不整脈の有無などをモニターし、さらに血圧、呼吸数もモニターする。心疾患を合併

表 8-11　気管挿管による人工呼吸管理の適応基準

・初期治療で呼吸状態が改善しないにもかかわらず、呼吸音低下、喘鳴の減弱が認められる。
・意識状態が悪化して傾眠状態～昏睡になる。
・十分な酸素を投与してもPaO_2が 60 mmHg 未満である。
・$PaCO_2$が 65 mmHg 以上、または 1 時間に 5 mmHg 以上上昇する。

している症例では特に注意する。また、血中電解質、特にカリウム値の異常が起こり得るため注意する。持続吸入の効果は、通常は開始 30 分以内に確認でき、治療効果が得られる場合には上昇していた心拍数が減少してくることが多い。治療効果が十分に得られない場合には、イソプロテレノールの増量を考慮する[24, 25, 29]とともに再度合併症の有無を検討する。間欠的吸入に比べて患児への排痰誘導や、体位変換などの機会が減りやすいので、一定時間ごとの観察と処置を励行する。一方で、治療反応性が乏しい場合には、速やかに人工呼吸管理に移行する。本療法では急性期だけでなく回復期にも徐脈を呈する症例があることにも留意する[30]。

④アミノフィリン静注、持続点滴：アミノフィリン静注は、以前はよく用いられていた治療法[31~35]であるが、最近ではその使用に否定的な見解[36~38]もあり、使用される機会が減っている。しかし、大発作以上では人工呼吸管理を回避するためにも積極的に考慮してよい。特に呼吸不全では、副作用の発現に注意して使用することを積極的に否定する根拠はない。

(2) 大発作・呼吸不全に対する追加治療

①人工呼吸管理：呼吸不全と考えられる場合にはイソプロテレノール持続吸入量を増やすことも考慮してもよいが、意識障害がある場合には人工呼吸管理をためらわない（**表 8-11**）。

注：人工呼吸管理は、従来は気管挿管を行うものを指していたが、近年では上気道から陽圧を用いて換気を行う非侵襲的陽圧管理療法（NPPV）も含めるようになってきた。日本呼吸器学会の『NPPV（非侵襲的陽圧換気療法）ガイドライン（改訂第 2 版）』[39]によると、小児の喘息発作において、β_2刺激薬やステロイド薬などの標準的な喘息治療に加えて、NPPV で対応することが症状の早期改善に寄与することが示唆されている。しかしながら、小児では患者の協力が得られにくいなどの問題もあり、実施に際しては NPPV に精通した医師の管理下で行うことが望ましい。NPPV でも呼吸状態が改善しない場合には、速やかに気管挿管による呼吸管理に移行する。また、近年、高流量鼻カニュラ（HFNC）酸素療法の喘息発作への使用報告もされているが[40]、その適応や有効性、注意点などは不明であり、今後の検討が期待される。

②人工呼吸管理の設定：喘息発作時の人工呼吸管理に関する注意事項を記載する（**表 8-12**）。大発作・呼吸不全の状態では気道抵抗が上昇しており、肺の圧傷害や気胸などの air leak に注意を要する。また、十分な呼出量を得るための呼気時間を設定する。換気量をモニタリングしながら、呼吸回数を少なく設定して呼出量を確保し、機能的残気量が過剰に増えないようにする[41]。まずは血液ガス分析で pH 7.2 以上、PaO_2 60 mmHg 以上に保つことを目標とし、pH が保たれていれば $PaCO_2$ 上昇は許容する。

表 8-12　気管挿管による人工呼吸管理法の実際

挿管に際してはできるだけ麻酔科医などの経験豊富な医師に依頼することが望ましい。
①酸素投与下にバッグバルブマスクなどを用いて換気補助を行う。
②気管挿管自体が気管支攣縮を誘発することがあるので十分な鎮静下に気管挿管を行う。バルビツ
　レートによる麻酔導入は、喘息発作を悪化させる可能性があるので禁忌である。
③挿管後もそれまでの薬物療法が奏効しない場合は、気管支拡張作用のあるセボフルランなどの揮発
　性吸入麻酔薬を用いることも可能であるが、明確な投与基準はない。

5）入院治療の調整と退院の基準

　治療によって症状が改善傾向を示せば、その程度に応じて治療を調整する。一般的には、①人工呼吸管理の中止、②イソプロテレノール持続吸入療法漸減中止と間欠 β_2 刺激薬吸入への変更、③全身性ステロイド薬の中止、④ β_2 刺激薬吸入の漸減中止の順で治療レベルを下げる。その判断時期について統一の見解はないが、陥没呼吸を認めず、酸素投与を必要としない程度にまで改善させた上で全身性ステロイド薬を中止し、 β_2 刺激薬の頻回吸入を漸減・中止することが望ましい。最終的には退院後に家庭で継続する治療（短期で終了する発作治療薬）として、**表 8-13** の状態が 1～2 日間持続することを確認できれば退院としてよい。

6）退院時の指導

　患者・家族への指導は入院当初から計画を立てて、段階的に行うことが望ましい（**表8-14**）。一般的な病態についての説明も重要であるが、患者・家族の受療態度、理解の程度、重症度などを勘案し、具体的に治療行動や発作時対応に結びつくような指導を第一に考える（具体的な指導方法は本章の「1. 家庭での対応　4）喘息児とその家族に対する指導のポイント」の章を参照）。

3.　一般的な急性増悪（発作）の治療薬

1） β_2 刺激薬

　吸入薬（DPI、pMDI、吸入液）、内服薬、貼付薬、注射薬などがある。喘息治療で注射薬が使われることはあまりない。 β_2 刺激薬は種類により作用の持続時間が異なるため、効果と副作用（動悸、頻脈、不整脈、振戦、嘔気、嘔吐など）に注意して投与間隔を決める。

　吸入薬は、吸入手技が確実であれば、効果の発現が早く確実であり副作用も少ない。その一方で、手軽に使用できるために過剰使用に陥りやすく、喘息死に関連している可能性も指摘されている。現在、わが国で使用可能な SABA は、添付文書ではいずれも 1 日 4 回までとされているが吸入間隔に関する記載はない。しかし、JPGL では海外のガイドラインや文献も検討し、エキスパートオピニオンとして「治療当初に 20～30 分間隔で 3 回まで使用す

表 8-13　退院の要件

・咳嗽、喘鳴、陥没呼吸が十分に消失して呼吸数が正常であること。
・夜間睡眠中を含めて SpO_2 が 97％以上で安定していること。
・PEF 値が自己最良値（あるいは予測値）の 80％以上で安定していること。
・（6 歳以上では可能な限り）フローボリューム曲線の正常化が確認されること。可能であれば β_2 刺激
　薬吸入前後での変化の有無を確認して次回外来受診時に再度評価する。

表 8-14　退院時の患者・家族への指導内容

・喘息の病態
・今回の発作強度および現在の重症度
・今回の発作対応の適切性と改善すべき点
・予防的治療（長期管理）と発作治療の違い
・喘息発作強度の判断方法と発作時対応（家庭での対応を念頭に）
・（5 歳以上では）PEF モニタリングとその活用方法
・家庭に発作時用の β_2 刺激薬（吸入薬・内服薬）がなければ処方し、使用法を説明
・上記を踏まえた喘息個別対応プランの作成と説明
・退院後の発作治療薬の継続期間
・発作誘因の検索と対策
・長期管理薬の見直しおよび吸入方法の指導
・帰宅後の悪化時の対応、悪化がない場合の再診日

ることは、副作用の危険性よりも吸入の効果が勝る」と結論づけて、推奨することとした。家庭での使用にあたっては、効果の限界と過剰使用による危険性を含めた適正使用に関する患者教育を徹底する。医療機関の治療では、ネブライザーによる SABA が用いられることが多いが、スペーサーを用いて pMDI を使用してもよい（**CQ9**）。文献的には中発作で 20～30 分間隔の反復吸入による有効性が報告されている[42]。複数回の吸入で効果が不十分であれば、他の治療法の併用を考慮する。吸入液の使用量はわが国でこれまで用いられてきた 0.3 mL 未満での有効性を示す報告はなく、実際に吸入される量は分時換気量に依存するため体格により異なる。JPGL では乳幼児で 0.3 mL 程度、学童以上で 0.3～0.5 mL を推奨量とするが、小児で 0.3 mL を超える用量は保険適用がない。

　内服薬は 4 時間以上の間隔を空けて服用することが可能である。効果発現は 30 分～1 時間ほどで認められる。

　貼付薬は現在、ツロブテロールのみが使用可能である。貼付後に最高血中濃度に達するのは 8～12 時間後と遅いが、24 時間後にも有効濃度が保たれるのが特徴であり、1 日 1 回の貼付が原則である。効果発現までに 4～6 時間かかるため、急性増悪（発作）が生じてから使用しても即効性は期待できない。しかし、急性増悪（発作）から改善する過程においては有効に使用できる可能性がある。経口 β_2 刺激薬との併用は過剰投与となる恐れがあるので注意して使用する。皮膚への刺激を考慮して毎回、貼付部位を変える。

2）イソプロテレノール

　イソプロテレノールはβ_1作用とβ_2作用を有する。吸入用製剤であるアスプール®（0.5％、1％）には、d体とl体が等量が含まれており、d体にはほとんど活性がない。注射用製剤プロタノール®L（0.2 mg/1 mL、1 mg/5 mL）はl体のみを含んでいるが、吸入薬としての保険適用がない。アスプール®とプロタノール®L間では、l体が等量であれば臨床効果に大きな差はないとされている[43, 44]。β_2刺激薬吸入で改善傾向が認められない重症発作においても、イソプロテレノール持続吸入は、優れた気管支拡張効果を示している[45]。また、l体を用いたイソプロテレノール持続吸入はサルブタモール持続吸入と比較し、有効性と安全性において上回っているとの報告がある[46]。

3）全身性ステロイド薬

　急性増悪（発作）に対するステロイド薬の全身投与は有効であり（**CQ10**）、中発作以上でβ_2刺激薬の吸入療法に対して反応が悪い場合には全身性ステロイド薬が必要となる。全身性ステロイド薬には即効性がなく、効果発現まで少なくとも4時間かかることを考慮して臨床効果を判断する。また、全身への影響も考慮して、漫然と長期にわたって投与し続けることを避ける。静脈内投与は経口投与と比べて有効性に差がないという報告がある[47]。経口ステロイド薬の種類や使用法について比較する報告はあるが、臨床効果の優劣は明らかではない（**CQ11**）。ステロイド薬へのアレルギーを考慮すると、経静脈的に初回投与する際には、ワンショットで投与するよりも10～30分間かけて静注するほうが安全である。欧米では、急性増悪（発作）時の全身性ステロイド薬投与は経口的に行われることが多く、かつ在宅でも行われている。これは医療費の抑制と経静脈的管理の回避が主たる理由で、さらにアスピリン喘息（NSAIDs過敏喘息）も考慮されたためと推測される。アスピリン喘息患者に合併することがあるステロイド製剤のアレルギーは、製剤に含まれる防腐剤のパラベンだけではなく、ステロイドそのものであるコハク酸エステルも関与しているとされている。比較的に安全とされるステロイドのリン酸エステルでも頻度は少ないが、気管支収縮を惹起し得る。また、ソル・メドロール®静注用40 mg、注射用ソル・メルコート40など一部の注射薬には乳糖が添加されており、微量の乳タンパク質が混入しているため牛乳アレルギー患者には慎重に投与する。

　全身性ステロイド薬の投与は患者の発作状態の適切な評価に基づいて行い、改善が得られれば早期に中止する。数日間の投与ならば、副腎皮質機能の抑制は大きくないため、漸減せずに中止してよい[48, 49]。全身性ステロイド薬の使用は1か月に3日間程度とし、これを超える場合は、長期管理の方法を詳細に検討する必要があるため、可能な限り小児の喘息治療に精通した医師へ紹介することが望ましい。

CQ 10	小児喘息患者の急性増悪（発作）時の入院治療に全身性ステロイド薬は有用か？
	推　奨：入院治療に全身性ステロイド薬を投与することが提案される。
	推奨度：2　エビデンスレベル：C（弱）

CQ 11	小児喘息患者の急性増悪（発作）時に特定の経口ステロイド薬の使用法（種類、用量、期間など）が推奨されるか？
	推　奨：急性増悪（発作）時に、特定の経口ステロイド薬の使用法は提案されない。
	推奨度：3　エビデンスレベル：D（とても弱い）

4）吸入ステロイド薬

ICS は、重度の発作[50]だけでなく軽度・中等度の発作[51]でも発作改善効果は期待できないため、原則として急性増悪（発作）時の治療薬としては用いない（**CQ5**、**CQ8**）。

CQ 5	小児喘息患者の長期管理において、有症状時のみ吸入ステロイド薬（ICS）を吸入（間欠吸入）することは有用か？
	推　奨：現時点では ICS の間欠吸入を標準治療としないことが提案される。
	推奨度：3　エビデンスレベル：C（弱）

5）テオフィリン薬

急性増悪（発作）に対してアミノフィリン製剤が使用されることがある。内服薬や坐薬もあるが、前者は即効性が期待できず、後者は急な血中濃度上昇の危険があって血中濃度管理が困難であるため、いずれも急性増悪（発作）時の治療には適さない。アミノフィリンは80～85％のテオフィリンを含む。アミノフィリン点滴は中発作以上で考慮されるが、その必要性は β_2 刺激薬の反復吸入や、より早期の全身性ステロイド薬投与の普及、副作用の懸念によって減少している。

テオフィリンは、血中濃度に依存して気管支拡張効果とともに副作用が現れるが、その代謝は個人差が大きく、さらに併用薬、発熱、感染、食事などの影響も受けるため（web 表8-4）、急性増悪（発作）時の治療では血中濃度のモニタリングが望ましい。また、血中濃度の上昇による中毒作用以外にも治療域濃度においても痙攣を誘発する可能性が指摘されており、痙攣の既往や中枢神経系の疾患を合併している場合は本薬剤の使用を控える。2歳以下の患児に対しても使用は控える。

6）アドレナリン

アドレナリンによる治療は、小児の急性増悪（発作）に対して原則的に推奨されない。アドレナリンの皮下注射や筋肉内注射による副作用の発現は、特に低酸素状態にある患者にお

いて β_2 刺激薬吸入よりも高率に認められる。ただし、アナフィラキシー反応の部分症状として認められる気管支攣縮や喉頭浮腫に対しては、0.1％アドレナリンを 0.01 mg/kg（小児では最大 0.3 mg）筋肉内注射する。

7）抗菌薬

抗菌薬は急性増悪（発作）そのものへの効果はない。しかし、急性増悪（発作）の誘発要因となる感染症があれば抗菌薬を使用する。膿性痰や後鼻漏を認め、細菌性の下気道炎や副鼻腔炎が疑われる場合には、培養検査を行って起因菌に応じた適切な抗菌薬を選択する。なお、14 員環マクロライド系薬はテオフィリン血中濃度を上昇させるため注意を要する。

8）粘液溶解薬と去痰薬

急性増悪（発作）時に気管内分泌物への対応も重要であるが、粘液溶解薬の吸入投与の有効性は明確ではなく[52]、重症発作時にはかえって咳や気道狭窄を増悪させる場合もあり、積極的な使用は推奨されない。内服の去痰薬は気道感染を合併している場合など、急性増悪（発作）に対する十分な治療を行っているにもかかわらず喀痰による症状が残存する場合には使用してもよい。

9）鎮咳薬

中枢性鎮咳薬には呼吸抑制作用があるため、急性増悪（発作）時には使用を控える。麻薬性中枢性鎮咳薬は急性増悪（発作）時には禁忌である。

[参考文献]

1）藤澤隆夫監修．おしえて先生！　子どものぜん息ハンドブック．環境再生保全機構．

2）Zemek RL, Bhogal SK, Ducharme FM. Systematic review of randomized controlled trials examining written action plans in children：what is the plan? Arch Pediatr Adolesc Med. 2008；162：157-63.

3）横田孝之，足立雄一，村上巧啓，他．小児気管支喘息患者家庭における電動式ネブライザーを用いた発作時 β 刺激剤吸入の実態調査．日小ア誌．2000；14：212-8.

4）Fleming S, Thompson M, Stevens R, et al. Normal ranges of heart rate and respiratory rate in children from birth to 18 years of age：a systematic review of observational studies. Lancet. 2011；377：1011-8.

5）末廣　豊，亀崎佐織，四宮敬介．小児気管支喘息における発作強度と SpO_2 の関係についての検討．日小ア誌．1998；12：293-8.

6）Global Initiative for Asthma. Global Strategy for Asthma Management and Prevention. 2009 update. NHLBI/WHO workshop report. National Institutes Heart, Lung, and Blood Institute. 2009, p. 66.

7）Carroll CL, Sekaran AK, Lerer TJ, et al. A modified pulmonary index score with predictive value for pediatric asthma exacerbations. Ann Allergy Asthma Immunol. 2005；94：355-9.

8）西間三馨．臨床症状と検査　血液ガス・酸塩基平衡．馬場実（編）小児気管支喘息．東京医学社，東京，1983，p.301-10.

9）Mochizuki H, Shigeta M, Kato M, et al. Age-related changes in bronchial hyperreactivity to methacholine in asthmatic children. Am J Respir Crit Med. 1995；152：906-10.

10) 池部敏市，勝呂　宏，末廣　豊，他．喘息発作重症度とピークフロー値及び酸素飽和度との関係．日小ア誌．1998；12：172.

11) Sarrazin E, Hendeles L, Weinberger M, et al. Dose-dependent kinetics of theophylline：observations among ambulantory asthmatic children. J Pediatr. 1980；97：825-8.

12) Beker MD. Theophylline toxicity in children. J Pediatr. 1986；109：538-42.

13) 南部光彦．JPGL2005 がもたらした小児気管支喘息治療の変化．日小ア誌．2008；22：15-32.

14) 北林　耐，小田嶋安平，飯倉洋治．テオフィリンの副作用統計．アレルギー・免疫．1999；6：1249-53.

15) 小田島安平，中野裕史，加藤哲司．テオフィリン投与中の痙攣症例に関する臨床的検討：特に痙攣発症に影響を及ぼす因子について．アレルギー．2006；55：1295-303.

16) 小田島安平，岡田邦之，加藤哲司，他．テオフィリン投与中の痙攣症例に関する臨床検討（第2報）中毒例からみた投与上の留意点と予後に関する検討．アレルギー．2007；56：691-8.

17) 西間三馨，森川昭廣，海老澤元宏，他．厚生労働省医薬食品安全局安全対策課　平成17年度研究「小児気管支喘息の薬物療法における適正使用ガイドライン」．

18) 池部敏市，勝呂　宏，末廣　豊，他．喘息発作時のピークフロー及び酸素飽和度の β_2 刺激薬の吸入による影響についての検討．アレルギー．1999；48：1083.

19) Sarnaik AP, Clark JF. Respiratory distress and failure. In：Kliegman RM, (eds.) Nelson textbook of Pediatrics. 19th ed. Elsevier Saunders, Phiradelphia；2011：316-33.

20) McFadden ER Jr, Kiser R, deGroot WJ, et al. A controlled study of the effects of single doses of hydrocortisone on the resolution of acute attacks of asthma. Am J Med. 1976；60：52-9.

21) Younger RE, Gerber PS, Herrod HG, et al. Intravenous methylprednisolone efficacy in status asthmatics of childhood. Pediatrics. 1987；80：225-30.

22) Levy ML, Stevenson C, Maslen T. Comparison of short courses of oral prednisolone and fluticasone propionate in the treatment of adults with acute exacerbations of asthma in primary care. Thorax. 1996；51：1087-92.

23) Panickar J, Lakhanpaul M, Lambert PC, et al. Oral prednisolone for preschool children with acute virus-induced wheezing. N Engl J Med. 2009；360：329-38.

24) 乾　宏行，小幡俊彦，植草　忠，他．小児気管支喘息重症発作に対するイソプロテレノール療法．日小ア誌．1988；2：28-35.

25) 高増哲也，栗原和幸，五藤和子，他．小児気管支喘息発作に対する dl 体イソプロテレノール持続吸入療法（Ⅱ）アスプール少量持続吸入療法—大量療法との比較．アレルギー．1998；47：573-81.

26) 関根邦夫，青柳正彦，西牟田敏之．小児気管支喘息重症発作に対するイソプロテレノール持続吸入療法．喘息．1998；11：67-72.

27) 野々村和男，島田司巳．イソプロテレノール持続吸入療法中に頻拍性不整脈を認めた重症気管支喘息の1例．日小ア誌．1993；7：230.

28) 三好麻里，足立佳代，櫻井　隆，他．l体イソプロテレノール持続吸入療法中に心筋障害，うっ血性心不全を呈した3歳幼児例．日小ア誌．1999；13：51-8.

29) 朱　博光，清酒外文，中野猛夫，他．気管支喘息重症発作に対するイソプロテレノール持続吸入療法について．小児科．1981；22：537-43.

30) 板澤寿子，足立雄一，足立陽子，他．イソプロテレノール持続吸入療法中の徐脈発現に関する検討．日小ア誌．2008；22：349-56.

31) Yung M, South M. Randomised controlled trial of aminophylline for severe acute asthma. Arch Dis Child. 1998；79：405-10.

32) Ream RS, Loftis LL, Albers GM, et al. Efficacy of IV theophylline in children with severe status asthmaticus. Chest. 2001；119：1480-8.

33) Mitra A, Bassler D, Goodman K, et al. Intravenous aminophylline for acute severe asthma in children over two years receiving inhaled bronchodilators. Cochrane Database Syst Rev. 2005；(2)：CD001276.

34）重田政樹．小児気管支喘息発作時の外来初期治療におけるアミノフィリン点滴静注と β_2 刺激剤吸入の併用効果についての比較検討．日小ア誌．1999；13：43-51.

35）海老澤元宏，秋山一男，西間三馨．小児気管支喘息の発作治療におけるアミノフィリンの使用状況について（国立病院機構における治験のための調査研究報告）．日小ア誌．2007；21：729-38.

36）Strauss RE, Wertheim DL, Bonagura VR, et al. Aminophylline therapy does not improve outcome and increases adverse effects in children hospitalized with acute asthmatic exacerbations. Pediatrics. 1994；93：205-10.

37）Parameswaran K, Belda J, Rowe BH. Addition of intravenous aminophylline to beta2-agonists in adults with acute asthma. Cochrane Database Syst Rev. 2000；(4)：CD002742

38）真部哲治，新田啓三，成相昭吉．乳児喘息の急性発作治療におけるアミノフィリン持続点滴の必要性．日児誌．2008；112：1369-72.

39）日本呼吸器学会 NPPV ガイドライン作成員委員会編集．NPPV（非侵襲的陽圧換気療法）ガイドライン改訂第 2 版．南江堂，東京，2015．pp108-11.

40）Mayfield S, Jauncey-Cooke J, Hough JL, et al. High-flow nasal cannula therapy for respiratory support in children. Cochrane Databese Syst Rev. 2014 Mar 07；(3)：CD009850.

41）Werner HA. Status asthmaticus in children：a review. Chest. 2001；119：1913-29.

42）伊藤浩明，山田政功，伊藤和江，他．気管支喘息急性発作時の β_2 刺激薬反復吸入に関する検討．日児誌．2004；108：854-8.

43）大澤正彦，小田嶋博，津田恵次郎，他．イソプロテレノール持続吸入療法についての検討（第 2 報）l-isoproterenol と dl-isoproterenol における気管支拡張作用と心拍増加作用の比較．日小ア誌．1997；11：81-5.

44）松野正知，伊東道夫，吉住　昭，他．小児気管支喘息重症発作に対するイソプロテレノール持続吸入療法：dl 体と l 体の比較検討．日小ア誌．2003；17：115-21.

45）Hanania NA, Moore RH, Zimmerman JL, et al. The role of intrinsic efficacy in determining response to a beta2-agonist in acute severe asthma. Respir Med. 2007；101：1007-14.

46）Katsunuma T, Fujisawa T, Maekawa T, et al. Low-dose l-isoproterenol versus salbutamol in hospitalized pediatric patients with severe acute exacerbation of asthma：A double-blind, randomized controlled trial. Allergol Int. 2019；68：335-41.

47）Jónsson S, Kjartansson G, Gislason D, et al. Comparison of the oral and intravenous routes for treating asthma with methylprednisolone and theophylline. Chest. 1988；94：723-6.

48）O'Driscoll BR, Kalra S, Wilson M, et al. Double-blind trial of steroid tapering in acute asthma. Lancet. 1993；341：324-7.

49）Lederle FA, Pluhar RE, Joseph AM, et al. Tapering of corticosteroid therapy following exacerbation of asthma. A randomized, double-blind, placebo-controlled trial. Arch Intern Med. 1987；147：2201-3.

50）Schuh S, Reisman J, Alshehri M, et al. A comparison of inhaled fluticasone and oral prednisone for children with severe acute asthma. N Engl J Med. 2000；343：689-94.

51）Schuh S, Dick PT, Stephens D, et al. High-dose inhaled fluticasone does not replace oral prednisolone in children with mild to moderate acute asthma. Pediatrics. 2006；118：644-50.

52）Rogers DF. Mucoactive drugs for asthma and COPD：any place in therapy? Expert Opin Investig Drugs. 2002；11：15-35.

第9章 乳幼児期の特殊性とその対応

第**9**章 # 乳幼児期の特殊性と
その対応

要 旨

- 小児の喘息の多くが乳幼児期に発症する。

- 乳幼児喘息の病態には、年長児にはない解剖学的、生理学的な特徴が関与する。また、鼻副鼻腔炎や気管支炎・肺炎、血管輪や腫瘍など、他の喘鳴を呈する疾患との鑑別が重要で、早期診断は必ずしも容易ではない。

- JPGL2020 では、5 歳以下の反復性喘鳴のうち、24 時間以上続く明らかな呼気性喘鳴を 3 エピソード以上繰り返し、β_2 刺激薬吸入後に呼気性喘鳴や努力性呼吸・酸素飽和度（SpO$_2$）の改善が認められる場合に「乳幼児喘息」と診断する。さらに、呼気性喘鳴を認めるが、β_2 刺激薬に反応が乏しい症例に対しては、「診断的治療」を用いて「乳幼児喘息」と診断できる。

- 「診断的治療」とは、重症度に応じた長期管理薬を 1 か月間投与（喘鳴がコントロールできた時点で投与を中止）して経過観察し、治療反応を評価することである。治療を実施している間は症状がなく、中止すると症状が再燃する場合を「乳幼児喘息」と判断する。長期管理薬使用時、中止時も症状が変わらない場合には、喘息はむしろ否定的であり、再度鑑別診断を行う。

- 乳幼児喘息を IgE 関連喘息と非 IgE 関連喘息に分類する。特に、「乳幼児 IgE 関連喘息の診断に有用な所見」を満たす場合を IgE 関連喘息（アレルゲン誘発性喘息／アトピー型喘息）といい、同所見を満たさない場合を非 IgE 関連喘息（ウイルス誘発性喘息など）という。

- IgE 関連喘息の多くは、アトピー型喘息として学童期以降も継続する。一方、非 IgE 関連喘息の一部は、学童期までにアトピー型喘息あるいは非アトピー型喘息へ移行する。

- アレルギー疾患の家族歴、血清総 IgE 高値、ダニなどの吸入アレルゲン特異的 IgE 抗体陽性が IgE 関連喘息の診断に有用である。

乳幼児期の喘息は、学童期と比べて病態、薬物動態、治療において特殊性があり、さらに早期介入（early intervention）により予後の改善が期待できる可能性がある。JPGL2012 までは2歳未満を乳児喘息として定義していたが、病態、症状、治療反応性、予後などに関して、2歳から5歳までの喘息との差異を示すエビデンスがほとんどないため、JPGL2017 以降は5歳以下を乳幼児喘息としている。

　JPGL2012 までは、気道感染の有無にかかわらず反復性喘鳴を3回以上繰り返す2歳未満の喘息を広義の乳児喘息と診断して、早期に治療を行うこととしていた。それにより、臨床の現場では早期介入が可能となり、喘息の重症難治化を阻止することができたと考えられるが、乳幼児期にウイルス感染やその他の環境要因などにより喘鳴を繰り返す反応性気道疾患（RAD）や後述の一過性初期喘鳴群（transient early wheezers）を広義の乳児喘息と診断したことから、一部に過剰治療になる症例も含まれることを指摘されていた。さらに小児のウイルス感染による喘鳴治療として LTRA が過剰に投与される傾向があることから、CQに示す理由により JPGL2020 では小児のウイルス感染による喘鳴の治療に LTRA を投与しないことを提案し（**CQ12**）、より確実に乳幼児喘息と診断するために「診断的治療」を推奨している。

CQ 12	小児のウイルス感染による喘鳴の治療にロイコトリエン受容体拮抗薬（LTRA）は有用か？ 推　奨：小児のウイルス感染による喘鳴の治療として、LTRA を投与しないことが提案される 推奨度：3　エビデンスレベル：B

1. 特徴と課題

　小児の喘息において乳幼児期を重要視するのは、6歳までに喘息の約80〜90％が発症し（**図3-4** 参照）、よりよい予後を確立するためには、発症早期からの適切な診断に基づいた治療・管理（早期介入）が重要と考えられるからである。GINA では、長期管理の対象とされない JPGL「軽症持続型」であった5歳以下の喘息児に、JPGL に基づいて LTRA による長期管理を行ったところ、急性増悪（発作）を有意に低下させ、治療のステップアップや β_2 刺激薬の使用を有意に減らすことができたとの報告[1]もあり、早期介入を勧める JPGL を支持しているかもしれない。

　乳幼児喘息は、反復性に咳嗽や喘鳴を繰り返す時期と呼吸困難症状（努力性呼吸）を伴う時期に若干の時間差があり、早期の診断が困難なことも多い。さらに、呼吸機能検査や気道過敏性検査の実施が困難であり、病状の把握は主に理学的所見に基づく臨床的な判断に頼らざるを得ず、特に乳幼児早期には自覚的に呼吸困難を訴えることができないため、他覚所見

をもとに呼吸困難の程度を判定する（**表 8-1**、web 表 8-1 参照）。

　乳幼児喘息の治療にあたっては、保護者への対応が重要となる。児が喘息と初めて診断されたときの保護者の不安や混乱は大きく、それを軽減するために、医療者は保護者に対して、疾患を理解するための説明、長期管理薬の意義や急性増悪（発作）時における対応、日常生活における環境整備、感染予防などの指導を十分に行うことが求められる。また、重症持続型は、小児の喘息治療に精通した医師の指導・管理の下で治療されることが望ましい。

2. 病態生理

　喘息の本態は、好酸球、好中球、リンパ球などの炎症細胞から放出されるサイトカインや化学伝達物質により生じる慢性の気道炎症である（**図 2-2** 参照）。IgE 依存型の気道アレルギー炎症である IgE 関連喘息（アトピー型喘息）は、マスト細胞および好酸球が中心的な役割を果たすことにより生じる。乳幼児喘息での知見は少ないが、重症患者を対象とした気管支粘膜生検や BALF 採取などの検査から、年長児の喘息と類似した病態が認められると報告されている[2]。ウイルスを含む病原微生物やタバコ煙への曝露が、気道上皮細胞から IL-25、IL-33、TSLP の産生を誘導し、ILC2 を介して IL-5、IL-13 が放出され、気道の好酸球浸潤やムチン産生亢進などを誘導する自然免疫経路もある[3,4]（**図 2-2** 参照）。この経路が乳幼児喘息の病態や発症メカニズムに関与している可能性もあり、今後の検討が待たれる[5]。一方、乳幼児の気道上皮傷害に対しては、好酸球が関与する IgE 依存型のアレルギー性炎症以外に、好中球の関与が大きいとする報告もある[6~8]。

　乳幼児喘息の病態における特異性としては、呼吸器系における解剖学的、生理学的特徴が挙げられる。すなわち、乳幼児は年長児に比し気道内径が狭く、肺弾性収縮力が低い。さらに、気管支平滑筋が少なく、粘液分泌腺や杯細胞が過形成を示し分泌物が多いこと、側副換気が少なく換気血流不均衡による低酸素血症を来しやすいこと、横隔膜が水平に付着して呼吸運動が小さいことなどから、呼吸困難が生じやすい[9]。このようなことから、乳幼児では年長児と比較して気道狭窄が強く現れやすく、症状の進行が速いことが特徴である。

　乳幼児喘息の発症要因としてはウイルス感染が重要と考えられている[10]。乳児期の重症RS ウイルス細気管支炎では、気道上皮傷害が起こり喀痰中に剥離した気道上皮の集塊であるクレオラ体が存在する場合は、5 歳時に反復性喘鳴や喘息（IgE 関連喘息）であることが有意に多いとの報告がある[11]。抗 RS ウイルスヒト化モノクローナル抗体製剤（パリビズマブ）を使用すると、3 歳時点の反復性喘鳴の発症が抑制されるとの報告[12]もある。また、3 歳までの下気道感染時にライノウイルスが検出されると、6 歳での喘息の発症リスクは高まり、RS ウイルス感染時と比較しても有意に高率であったと報告されている[13]。

　さらに、呼気性喘鳴を初めて来した乳幼児の患児において、特異的 IgE 抗体（ハウスダスト、ヤケヒョウヒダニ、卵白、ミルク）が陽性であれば、その後の喘鳴出現者が多かった

という報告[14]がある。1〜5歳の反復喘鳴児を対象とした5つの臨床試験のデータで潜在クラス解析を行った報告では、これら反復喘鳴児は症状または増悪の病歴、感作および抗原曝露によって4つのクラスに分類され、「感作＋室内ペット曝露」群と「多アレルゲン感作＋湿疹」群で、増悪頻度が有意に高く、ICSへの反応性が高かったとされている。また、ライノウイルス感染後の喘息発症には、感染前のアレルゲン感作が重要な要因であることが示されている[15]。

3. 喘鳴性疾患の病型分類（フェノタイプ）

乳幼児期は喘鳴が生じやすく、反復する喘鳴性疾患に複数の病型分類／亜型（フェノタイプ）が認められる（**表9-1**）。Tucson Children's Respiratory Study[16, 17]では、乳幼児の喘鳴性疾患を一過性初期喘鳴群（transient early wheezers）と非アトピー型喘鳴群（non-atopic wheezers）、IgE関連喘鳴／喘息群（IgE-associated wheeze/asthma）と、3分類している（**図9-1**）。2018年のわが国におけるコホート研究[18]では、小児喘鳴のフェノタイプとして、一過性初期喘鳴群（transient early wheeze）、学童期発症群（school-age-onset wheeze）、幼児期発症寛解群（early-childhood-onset remitting wheeze）、持続性喘鳴群（persistent wheeze）の4種類が明らかにされている（**図3-1**参照）。

2008年に乳幼児の喘鳴性疾患の診断と治療に関して、ERS Task Force[19]とPRACTALL

表9-1 乳幼児喘鳴の病型分類（フェノタイプ）の考え方

	特徴	
Tucson Children's Respiratory Study (2003)[17]	臨床経過から分類（**図9-1**参照） ① transient early wheezers	② non-atopic wheezers
	③ IgE-associated wheezers/asthma	
ERS Task Force (2008)[19]	喘鳴の時間的パターンから分類 ① multiple-trigger wheeze	② episodic (viral) wheeze
	喘鳴の期間から分類 ③ transient wheeze	④ persistent wheeze
	⑤ late-onset wheeze	
PRACTALL (2008)[20]	臨床経過から分類 ① virus-induced asthma	② exercise-induced asthma
	③ allergen-induced asthma	④ unresolved asthma
JPGL (2020)	① IgE関連喘息（アレルゲン誘発性喘息／アトピー型喘息） 乳幼児喘息のうち、「乳幼児IgE関連喘息の診断に有用な所見（**表9-2**)」を満たす場合をIgE関連喘息という。 ② 非IgE関連喘息（ウイルス誘発性喘息など） 乳幼児喘息のうち、「乳幼児IgE関連喘息の診断に有用な所見（**表9-2**)」を満たさない場合を非IgE関連喘息といい、RADが占める割合が多い。	

第9章 乳幼児期の特殊性とその対応

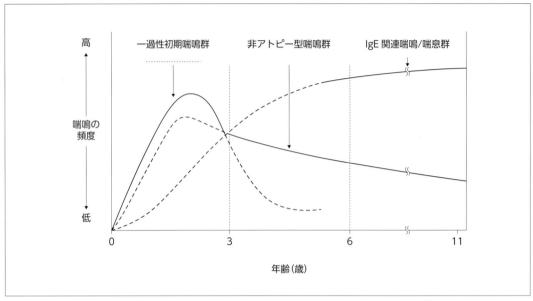

図 9-1　乳幼児の喘鳴性疾患の分類（Tucson Children's Respiratory Study）[16]

consensus report[20]から提言が発表された。前者が発表したリポートでは、未就学児の喘鳴が年長児の喘息と同等であるとのエビデンスは現時点では不十分とし、喘息（asthma）という単語を使わず、喘鳴（wheeze）を使用している。そして、喘鳴のタイプを時間的パターンから、multiple-trigger wheeze と episodic（viral）wheeze の 2 種類に分けている。一方、PRACTALL consensus report では、喘息の表現型として、virus-induced asthma、exercise-induced asthma、allergen-induced asthma、unresolved asthma の、4 種類の分類を採用している（表 9-1）。

4. 診断

　5 歳以下の反復性喘鳴のうち、24 時間以上続く明らかな呼気性喘鳴を 3 エピソード以上繰り返し[21]、β_2 刺激薬吸入後に呼気性喘鳴や努力性呼吸・SpO_2 の改善が認められる場合に「乳幼児喘息」と診断する。さらに、乳幼児は学童期以降と比較して解剖学的・生理学的に異なるため、β_2 刺激薬に反応が乏しいものの呼気性喘鳴を認める症例に対しては、「診断的治療」を用いて「乳幼児喘息」と診断できる〔図 9-2 (a)〕。なお、「診断的治療」とは、重症度に応じた長期管理薬を 1 か月間投与し、喘鳴がコントロールできた時点で投与を中止して経過観察し、増悪した場合には投与を再開して喘鳴コントロールの可否を判断することである〔図 9-2 (b)〕。治療を実施している間は症状がなく、中止している間に症状が再燃する場合を「乳幼児喘息」と判断する。長期管理薬の使用の有無にかかわらず症状に変化がない場合は、喘息はむしろ否定的と判断して再度鑑別診断を行う。

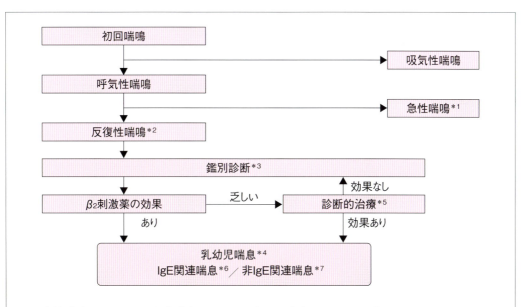

図9-2（a）　乳幼児喘息の診断のフローチャート

ただし、繰り返す呼気性喘鳴の3エピソードは、乳幼児喘息の治療開始に必須条件とはならない。初めての喘鳴エピソードでも重症であれば、喘息として治療することもある。また、エピソードとエピソードの間に無症状の期間が1週間程度以上あることも確認する。呼気性喘鳴は医師の診察によって判断することが望ましいが、保護者へどのような喘鳴が呼気性喘鳴であるかをよく説明した上で、保護者からの聴取により判断することも可能である。急性増悪（発作）時には、呼気性喘鳴とともに吸気性喘鳴を伴うこともあり、呼吸副雑音としてwheezesのみならずrhonchiを聴取することもある。

乳幼児喘息の病態の多様性を考慮し、IgE関連喘息（アレルゲン誘発性喘息／アトピー型喘息）と非IgE関連喘息（ウイルス誘発性喘息など）に分類する。**表9-2**に示す「乳幼児IgE関連喘息の診断に有用な所見」を満たす場合をIgE関連喘息とし、満たさない場合を非IgE関連喘息とする。非IgE関連喘息は、ウイルス感染、タバコ煙や冷気への曝露など

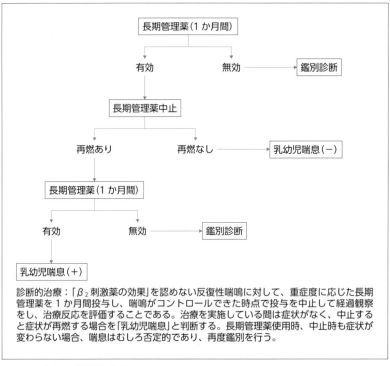

図 9-2 (b) 診断的治療

表 9-2 乳幼児 IgE 関連喘息の診断に有用な所見

- 両親の少なくともどちらかに医師に診断された喘息（既往を含む）がある。
- 患児に医師の診断によるアトピー性皮膚炎（既往を含む）がある。
- 患児に吸入アレルゲンに対する特異的 IgE 抗体が検出される。
- 家族や患児に高 IgE 血症が存在する（血清総 IgE 値は年齢を考慮した判定が必要である）。
- 喀痰中に好酸球やクレオラ体が存在する（鼻汁中好酸球、末梢血好酸球の増多は参考）。
- 気道感染がないと思われるときに呼気性喘鳴を来したことがある。

によって引き起こされる喘息を含み、特に RAD[22]の占める割合が高い[23]。

　乳幼児期に診断された呼気性喘鳴は年齢により推移する（図 9-3）。3 歳ころから就学前にかけて治癒する反復性喘鳴は、前述の transient early wheezer に相当する。さらに乳幼児喘息（IgE 関連喘息および非 IgE 関連喘息）のうち、寛解する群も存在する。しかし、乳幼児期の IgE 関連喘息の多くは、ダニやハウスダストなどの吸入アレルゲンに対する特異的 IgE 抗体が陽性のアトピー型喘息として学童期以降も継続して認められる。一方、乳幼児期の非 IgE 関連喘息の一部は、学童期までにアトピー型喘息あるいは非アトピー型喘息へ移行する。なお学童期では、アトピー型喘息が 80～90％ と多い。反復喘鳴児が学童期に喘息として診断されるかを予測する指標がいくつか報告されている[24]。

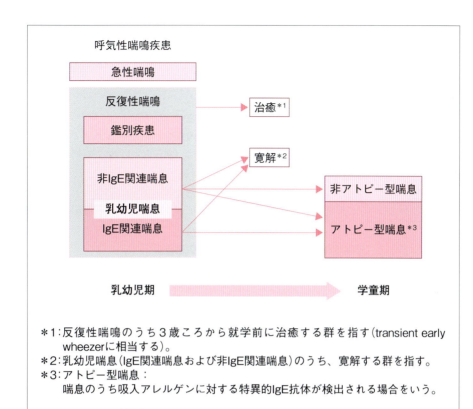

図 9-3　乳幼児呼気性喘鳴の年齢による推移

5. 鑑別診断

　乳幼児喘息では、鑑別すべき喘鳴を呈する疾患が学童期以降とは異なる。鑑別診断は**表9-3**のように、急性喘鳴（基本的には1回だけのエピソード）と反復性喘鳴（同一疾患の複数回のエピソード）の2群に大別して考える。

　初めて喘鳴を来した場合には、鑑別は急性喘鳴に分類された疾患を中心に行う〔**表9-4(a)**〕。急性細気管支炎は冬期に流行することが多く、その大半はRSウイルス感染によるが、その他にもパラインフルエンザウイルス、ヒトメタニューモウイルス、アデノウイルス感染などでも発症する[25,26)]。数日間の感冒様症状後に喘鳴や多呼吸が出現し、3か月未満の児では無呼吸発作を伴うこともある。また、6か月未満の児や基礎疾患を有する児（心疾患や早産児など）は重症化しやすい。RSウイルス感染症やヒトメタニューモウイルス感染症の有無は抗原迅速診断キットで確認できる。また、気管支炎や肺炎など下気道に分泌物が貯留する病態でも乳児では喘鳴を伴うが、このエピソードを繰り返す場合には反復性喘鳴として鑑別する。ピーナッツなどによる気道異物は、誤嚥から時間が経過している場合には保護者からそのエピソードの申告がない場合もあり、鑑別診断にあたっては十分な問診とともに、聴診での左右差が大切である。その他、鑑別にあたり食物アレルギーなどによるアナ

表 9-3　乳幼児喘息の鑑別疾患

呼気性喘鳴	
急性喘鳴	反復性喘鳴
〈頻度：高〉 急性鼻副鼻腔炎 気管支炎・肺炎 急性細気管支炎	〈頻度：高〉 慢性鼻副鼻腔炎 胃食道逆流症 慢性肺疾患（新生児期の呼吸障害後）
〈頻度：低〉 食物アレルギーなどによるアナフィラキシー 気道異物	〈頻度：低〉 気管・気管支軟化症 先天異常による気道狭窄（血管輪や腫瘤など）
〈頻度：稀〉 腫瘤による気道圧迫（縦隔腫瘍など）	〈頻度：稀〉 閉塞性細気管支炎 気管支拡張症 嚢胞性線維症 先天性免疫不全症（反復性呼吸器感染） 心不全

表 9-4（a）　乳幼児喘息と急性喘鳴疾患の鑑別

疾患	喘息との鑑別に有用な症状・特徴	診療所で可能な検査	2 次病院以降（大学・市中病院）で可能な検査
急性鼻副鼻腔炎	覚醒時・昼間の咳嗽	副鼻腔 Xp、SpO$_2$	副鼻腔 CT、MRI
気管支炎・肺炎	発熱、湿性咳嗽	胸部 Xp、SpO$_2$、 血液抗体価検査、 鼻咽頭病原体抗原迅速検査	胸部 CT
急性細気管支炎	発熱、鼻閉、鼻汁、哺乳力低下（1 歳未満に多い）	RS ウイルス迅速検査、 ヒトメタニューモウイルス迅速検査、胸部 Xp、SpO$_2$	胸部 CT
食物アレルギーなどによるアナフィラキシー	全身性に複数の臓器（皮膚、粘膜、呼吸器、消化器、循環器など）にアレルギー症状が出現	SpO$_2$	－
気道異物	突然の咳嗽、豆類などの摂取歴の問診と聴診（3 歳未満に多い）	吸気・呼気の胸部 Xp、SpO$_2$	胸部 CT、 気管支内視鏡
腫瘤による気道圧迫（縦隔腫瘍など）	胸痛、肩痛、時に嚥下障害、体位による症状の変化	胸部 Xp、SpO$_2$	胸部 CT、MRI、 気管支内視鏡

表 9-4（b）　乳幼児喘息と反復性喘鳴疾患の鑑別

疾患	喘息との鑑別に有用な症状・特徴	診療所で可能な検査	2次病院以降（大学・市中病院）で可能な検査
慢性鼻副鼻腔炎	慢性咳嗽、後鼻漏	副鼻腔 Xp、SpO_2	副鼻腔 CT、MRI
鼻・咽頭逆流症	哺乳／食事摂取後の咳嗽	胸部 Xp、SpO_2	嚥下造影
胃食道逆流症	昼間の活動中の乾性咳嗽、夜間や臥位での咳き込み	胸部 Xp、SpO_2	上部消化管造影、24 時間 pH モニタリング、上部消化管内視鏡検査
慢性肺疾患（新生児期の呼吸障害後）	問診による早産児、低出生体重児の既往、乳児期早期の喘鳴	胸部 Xp、SpO_2	胸部 CT
気管・気管支軟化症	乳児期早期の喘鳴、繰り返す肺炎、チアノーゼ／窒息発作	胸部 Xp、SpO_2	気管支内視鏡
先天異常による気道狭窄（血管輪など）	乳児期早期の喘鳴	胸部 Xp、SpO_2	胸部 CT、MRI、気管支内視鏡
閉塞性細気管支炎	膠原病、臓器移植、造血幹細胞移植の既往	胸部 Xp、SpO_2	胸部 CT
気管支拡張症	慢性咳嗽、喀痰、血痰、胸痛	胸部 Xp、SpO_2	胸部 CT
先天性免疫不全症（反復性呼吸器感染）	発熱、易感染	胸部 Xp、SpO_2	遺伝子検査
心不全	動悸、浮腫、尿量減少	胸部 Xp、SpO_2、ECG（心電図）	超音波検査

フィラキシーなども注意する。

　反復性喘鳴の鑑別〔**表 9-4（b）**〕は、新生児期における呼吸障害後の慢性肺疾患や先天性心疾患などの基礎疾患が明らかな児では比較的容易である。血管輪や腫瘍などによる気道狭窄や胃食道逆流症による喘鳴も念頭に置くようにする。さらに、慢性鼻副鼻腔炎は後鼻漏を伴う湿性咳嗽が続くため、反復性喘鳴の鑑別疾患となる[27]。また、鑑別すべき反復性喘鳴を来す疾患に喘息を合併する場合もあり、家族歴など乳幼児 IgE 関連喘息の診断に有用な所見を認める場合は慎重に経過を観察し、コントロール不良な場合は小児喘息の治療に精通した医師による診療が必要である。

　乳幼児喘息と急性ならびに反復性喘鳴疾患の鑑別について、喘息との鑑別に有用な症状・特徴のほか、診療所や大学・市中病院で実施可能な代表的な検査を**表 9-4** に記載した。

[参考文献]

1) Nagao M, Ikeda M, Fukuda N, et al. Early control treatment with montelukast in preschool children with asthma：a randmized controlled trial. Allergol Int. 2018；67：72-8.

2) Sagami S, Malmstrom K, Plkonen A, et al. Airway remodeling and inflammation in symptomatic infants with reversible airflow obstruction. Am J Respir Crit Care Med. 2005；171：722-7.

3) Yamada Y, Matsumoto K, Hashimoto N, et al. Effect of Thl/Th2 cytokine pretreatment on RSV-induced gene expression in airway epithelial cells. Int Arch Allergy Immunol. 2011；154：185-94.

4) Kabata H, Moro K, Koyasu S, et al. Group 2 innate lymphoid cells and asthma. Allergol Int. 2015；64：227-34.

5) Saglani S, Fleming L, Sonnappa S, et al. Advances in the aetiology, management, and prevention of acute asthma attacks in children. Lancet Child Adolesc Health. 2019；5：354-64.

6) Guiding T, Sainte-Pierre P, Prenne-Denis E, et al. Neutrophilic steroid-refractory recurrent wheeze and eosinophilic steroid-refractory asthma in children. J Allergy Clin Immunol Pract. 2017；5：1351-61.

7) Yoshihara S, Yamada Y, Abe T, et al. Association of epithelial damage and signs of neutrophil mobilization in the airways during acute exacerbations of paediatric asthma. Clin Exp Immunol. 2006；144：212-6.

8) Yamada Y, Yoshihara S, Arisaka O. Creola bodies in wheezing infants predict the development of asthma. Pediatr Allergy Immunol 2004；15：159-62.

9) Hershenson MB, Colin AA, Wohl ME, et al. Changes in the contribution of the rib cage to tidal breathing during infancy. Am Rev Respir Dis. 1990；141：922-5.

10) Yoshihara S, Munkhbayarlakh S , Makino S, et al. Prevalence of childhood asthma in Ulaanbaatar, Mongolia in 2009, Allergol Int. 2016；65：62-7.

11) Yamada Y, Yoshihara S. Creola bodies in infancy with respiratory syncytial virus bronchiolitis predict the development of asthma. Allergol Int. 2010；59：375-80.

12) Yoshihara S, Kusuda S, Mochizuki H, et al. Effect of palivisumab prophylaxis on subsequent recurrent wheezing in preterm infants. Pediatrics. 2013；132：811-8.

13) Jackson DJ, Gangnon RE, Evans MD, et al, Wheezing rhinovirus illnesses in early life predict asthma development in high-risk children. Am J Respir Crit Care Med. 2008；178：667-72.

14) 高橋　豊，大島淳二郎，岡田善郎，他．初めて呼気性喘鳴を呈した児のアレルギー学的検査所見の検討．アレルギー．2002；51：476-81.

15) Jackson DJ, Evans MD, Gangnon RE, et al. Evidence for a causal relationship between allergic sensitization and rhinovirus wheezing in early life. Am J Respir Crit Care Med. 2012；185：281-5.

16) Stein RT, Holberg CJ, Morgan WJ, et al. Peak flow variability, methacholine responsiveness and atopy as markers for detecting different wheezing phenotypes in childhood. Thorax. 1997；52：946-52.

17) Taussig LM, Wright AL, Holberg CJ, et al. Tucson Children's Respiratory Study：1980 to present. J Allergy Clin Immunol. 2003；111：661-75.

18) Yang L, Narita M, Yamamoto-Hanada K, et al. Phenotypes of childhood wheeze in Japanese children：A group-based trajectory analysis. Pediatr Allergy Immunol. 2018；29：606-11.

19) Brand PL, Baraldi E, Bisgaard H, et al. Definition, assessment and treatment of wheezing disorders in preschool children：an evidence-based approach. Eur Respir J. 2008；32：1096-110.

20) Bacharier LB, Boner A, Carlsen KH, et al. Diagnosis and treatment of asthma in childhood：a PRACTALL consensus report. Allergy. 2008；63：5-34.

21) Castro-Rodríguez JA, Holberg CJ, Wright AL, et al. A clinical index to define risk of asthma in young children with recurrent wheezing. Am J Respir Crit Care Med. 2000；162：1403-6.

22) Sigurs N. Clinical perspectives on the association between respiratory syncytial virus and reactive airway disease. Respir Res. 2002：3 Suppl 1：S8-14.

23) 吉原重美．乳幼児期の喘鳴症候群　Reactive airway disease（RAD）の臨床像．小児科．2009：50：

93-102.

24) Kothalawala DM, Kadalayil L, Weiss VBN, et al. Prediction models for childhood asthma：A systematic review. Pediatr Allergy Immunol. 2020；31：616-27.

25) Carballal G, Videla CM, Espinosa MA, et al. Multicentered study of viral acute lower respiratory infections in children from four cities of Argentina, 1993-1994. J Med Virol. 2001；64：167-74.

26) Jartti T, Lehtinen P, Vuorinen T, et al. Respiratory picornaviruses and respiratory syncytial virus as causative agents of acute expiratory wheezing in children. Emerg Infect Dis. 2004；10：1095-101.

27) 吉原重美，井上壽茂，望月博之，監修．小児の咳嗽診療ガイドライン2020．東京，診断と治療社；2020.

第10章

思春期・青年期喘息と
移行期医療

第**10**章

思春期・青年期喘息と移行期医療

要旨

■ 思春期から青年期は、身体的ならびに精神的な変化が大きく、不安定な時期であり、さまざまな要因が喘息のコントロール不良につながる。これらの増悪因子に対処するには、小児期から診療を継続してきた担当医の役割は大きい。

■ 小児期から継続して治療している患者が思春期後期（および青年期）になっても、一貫性のある治療を継続することが重要である。

■ 薬物療法は、JPGL が 15 歳まで、成人の喘息ガイドラインである JGL が 15 歳以上のプランを提示しているので、これらに基づいて行う。しかし、同程度の喘息症状に対する治療は JPGL と JGL で基本的に同等なので、コントロール良好であれば JPGL の治療を継続する。

■ コントロールが不良となった場合は JGL のステップアップ治療を行い、JGL 治療ステップ 3 の治療でもコントロール不良の場合は専門医に紹介する。

■ 長期的には内科への転科を視野に入れ、医療を受けるという観点からの成長と自立、すなわち「受動的受療行動」から「能動的受療行動」への変容を促す。この取り組みは思春期前から始めることが望ましい。

思春期・青春期の喘息管理について独立した章を設ける目的は、以下の 2 点である。その概念を図 10-1 に示す。

① JPGL から成人喘息のガイドラインである『喘息予防・管理ガイドライン』（JGL）[1] に続く一貫性のある管理・治療ができる。

②小児科的医療から内科的医療へのスムーズな移行ができる（移行期医療）。

1. 思春期・青年期までの喘息寛解率

小児期発症喘息で思春期・青年期までに寛解するのは約 30〜40％と考えられており[2,3]、必ずしも高くはない。重症喘息ではさらに寛解率は低下する。そして、近年では思春期頃の寛解率は、8 歳時点での呼吸機能、気道過敏性、血中好酸球数で予測できると報告されている[4]。したがって、思春期・青年期喘息は小児期の喘息の状態と密接に関連する。また、わが国の喘息重症度分布経年推移に関する多施設検討の 2018 年度の報告では、13 歳以上の治

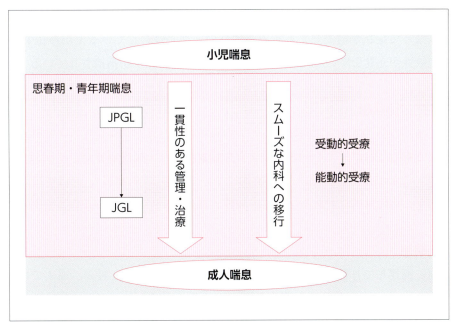

図 10-1　思春期・青年期喘息治療の概念図

療を加味した重症度の約半数が中等症持続型以上と報告されている[5]。

2. 思春期・青年期の喘息の特徴

　小児期発症の喘息が思春期・青年期までに寛解しない場合は、生涯にわたる疾患としてあらためて捉え直し、この時期に特有の問題、すなわち身体的変化とともに精神的変化も大きく不安定な時期であることを意識する必要がある。さまざまな要因が喘息のコントロール不良につながる可能性があり、個々の症例に対して適切に増悪因子を把握し、対処する必要がある。その点で小児の発達の特徴に精通し、患者個人をよく理解して小児期から診療を継続してきた担当医の役割が大きいと言える。

1）アレルギー素因
　血清総IgE値は重症度と相関し、思春期でもIgE値が高い児は入院率が高い[6]。

2）呼吸機能
　青年期以降に呼吸機能は生理的にも低下するが、喘息ではさらに低下が加速する例があることが報告されており、定期的に呼吸機能を測定することが重要となる[3,7]。また、末梢気道の閉塞が長期経過に影響する可能性も示されている[8]。

3）気道過敏性

思春期になって症状が消失しても気道過敏性の亢進が残存している児が存在する[9, 10]。また、気道過敏性が亢進している児では呼吸困難感の自覚の低下が指摘されている[11]。

4）肥満や内分泌疾患

近年、肥満児の割合は減少傾向にあるといわれるが[12]、思春期は食生活の乱れから肥満に注意が必要である。わが国の7〜15歳の学童を対象にした大規模調査で、肥満の女児に喘息が有意に多いことが報告されている[13]（肥満については第11章参照）。その他に、第二次性徴の早期発来、糖代謝異常があると喘息の頻度（罹患率）が増すという報告もある[14〜19]。

5）月経前喘息

月経周期に関連して月経3〜4日前に起こる症状を月経前喘息と呼ぶ。成人では、女性喘息症例の30〜40％で認められると報告されている[20]。小児においても6〜14歳の女児を対象とした気道過敏性試験から、気道過敏性の亢進と月経の関連が報告されている[21]。機序としては、月経前期における体液量の増加に伴う気管支粘膜の浮腫、性ホルモンとの関係、化学伝達物質との関係、月経前緊張症との関係などが考えられている。

6）生活習慣の変化・アドヒアランスに伴う問題

思春期の喘息患者の多くは適切なコントロールがなされていないと指摘されており[22, 23]、多忙などによる生活習慣の乱れ、喘息の病態や治療の知識不足、医療者とのコミュニケーション不足、喫煙や受動喫煙は喘息治療における自己管理に影響し、アドヒアランスの低下、通院の中断を来す可能性がある[24〜26]。

3. JPGLから『喘息予防・管理ガイドライン』（JGL）へ

小児期から継続して治療している患者が思春期後期になった時点でも薬物治療を必要としており、気道過敏性の亢進や呼吸機能の異常が認められる場合、治療中止によって症状が再燃する可能性がある[9, 10]。したがって、長期的に一貫性のある治療の継続が必要となる。ガイドラインとしてはJPGLからJGLへ移行していくことになる（JGLの対象年齢は15歳以上である）。

JPGLとJGLでは、重症度に対応した治療ステップは異なるように見えるが、治療前の重症度を実際の症状の頻度、程度に置き換えると、対応する治療ステップは基本的には同等である（**表10-1**）。コントロール状態についても、JGLでは呼吸機能やピークフロー（PEF）値の週（日）内変動が20％以上、予定外受診、救急受診、入院などの具体的な項目が含まれているが、コントロール状態が良好であることを目標に定期的に治療を調整することには

表 10-1　小児と成人における治療前の重症度と対応する治療ステップ：JPGL と JGL をつなぐ

	重症度	間欠型	軽症持続型	中等症持続型	重症持続型・最重症持続型
小児	頻度	数回/年	1 回/月以上	1 回/週以上	毎日
	程度	軽い症状。短時間作用性 β₂ 刺激薬頓用で短期間に改善する。	時に呼吸困難。日常生活が障害されることは少ない。	時に中・大発作となり日常生活が障害される。	週に 1〜2 回中・大発作となり日常生活が障害される。
	治療ステップ	ステップ 1	ステップ 2	ステップ 3	ステップ 4
	ICS 用量	−	低用量（100）	中用量（200）	高用量（400）

	重症度	軽症間欠型	軽症持続型	中等症持続型	重症持続型
成人	頻度	週 1 回未満	週 1 回以上だが毎日ではない。	毎日	毎日
	程度	軽度で短い。	月 1 回以上日常生活や睡眠が妨げられる。	週 1 回以上日常生活や睡眠が妨げられる。	日常生活に制限。
	治療ステップ	ステップ 1	ステップ 2	ステップ 3	ステップ 4
	ICS 用量	低用量（100〜200）	低〜中用量（200〜400）	中〜高用量（400〜800）	高用量（800）

ICS：吸入ステロイド薬　ICS 用量はフルチカゾンプロピオン酸エステル換算（µg/日）
□ □ ■ 小児と成人で同程度の重症度と考えられる部分を示す

違いはない（web 表 10-1）。15 歳以上でもコントロール良好であれば JPGL の治療を継続すればよいが、コントロール良好でなければ JGL に基づいた治療を行う。具体的には JPGL 治療ステップ 3 もしくは 4 の治療を行ってもなおコントロール不良の患者に対して、JGL 治療ステップ 2 もしくは 3 の治療を行う[1]。しかし、JGL の治療ステップ 3 の治療でコントロール不良の場合は、可能な限り患者が自立していることを確認して、成人の喘息治療に精通した医師への紹介を考慮する（**表 10-1、表 10-2、図 10-2**、web 表 10-2）。「患者の自立」については後述の「5. 思春期・青年期の患者指導」を参照されたい。

　遷延化・難治化している場合には、薬物治療の強化を考慮すると同時に、合併症、アドヒアランス、生活因子・環境因子、心理・社会的・経済的背景を検討する[27]（**図 10-2**）。喫煙については、受動喫煙だけでなく、必ず本人の喫煙の有無を確認する。一部の難治例では、注意・欠陥多動症の不注意優位型、限局性学習症などの小児期に見逃される可能性がある発達障がいも念頭に置く[28,29]。

表 10-2 小児期からフォローしている患者が思春期後期・青年期になってもコントロール不十分な場合の対応（治療ステップの考え方）

症状の頻度		<1 回/週		≧1 回/週	毎日
		治療ステップ1	治療ステップ2	治療ステップ3	治療ステップ4
6～15歳（JPGL）	基本治療	－	いずれかを使用 ・ICS（100） ・LTRA	いずれかを使用 ・ICS（200） ・ICS（100）/LABA	いずれかを使用 ・ICS（400） ・ICS（200）/LABA 上記に以下を併用 ・LTRA ・テオフィリン徐放製剤
	追加治療	LTRA	上記を併用	以下のいずれかを併用 ・LTRA ・テオフィリン徐放製剤 JPGL 治療ステップ3でコントロール不十分	以下を考慮 ・生物学的製剤 ・ICS（400～500）/LABA ・ICS 増量 ・経口ステロイド薬 JPGL 治療ステップ4でコントロール不十分

⇩ ⇩

		治療ステップ1	治療ステップ2	治療ステップ3	治療ステップ4
15歳～（JGL）	基本治療	ICS（100～200） あるいは ・LTRA ・テオフィリン徐放製剤	ICS（100～400） 以下のいずれかを併用 ・LABA（配合剤） ・LAMA ・LTRA ・テオフィリン徐放製剤	ICS（400～800） 以下の1剤あるいは複数を併用 ・LABA（配合剤） ・LAMA ・LTRA ・テオフィリン徐放製剤	ICS（800） 以下の複数を併用 ・LABA（配合剤） ・LAMA ・LTRA ・テオフィリン徐放製剤 ・生物学的製剤 ・経口ステロイド薬 ・気管支熱形成術
	追加治療	LTRA 以外の抗アレルギー薬			

(ICS は FP 換算、μg/日)

⇨：成人の喘息治療に精通した医師への紹介を考慮
JGL の特徴：ICS や合剤、生物学的製剤の選択肢が多い、1日1回の薬剤、LAMA
LTRA：ロイコトリエン受容体拮抗薬　ICS：吸入ステロイド薬　FP：フルチカゾンプロピオン酸エステル　LABA：長時間作用性吸入 β_2 刺激薬　ICS/LABA：吸入ステロイド薬/長時間作用性吸入β_2刺激薬配合剤　LAMA：長時間作用性抗コリン薬

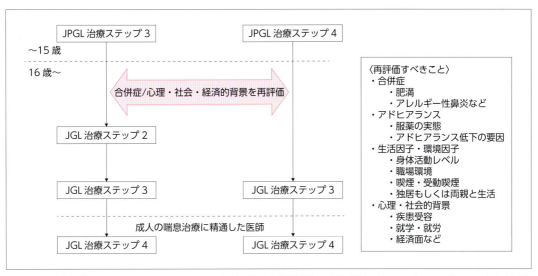

図 10-2　小児期からフォローしている患者が思春期後期・青年期になってもコントロール不十分な場合の対応（再評価すべきこと）

4. 移行期医療（内科的診療へ向けて）

　小児期から継続して治療している喘息患者が思春期になれば、小児科医は患者の自立を促すことを意識していく。具体的には患者自身が、保護者や小児科医のもとで行われる保護的な小児期医療から、自立的、自律的な医療である成人期医療を受け入れるように促すことである。医療においてはこのような成人における疾病との向き合いについての意識の準備を「移行」と呼ぶ。小児科医は「治す」ことを目標に喘息の治療を開始するが、思春期以降に薬物治療を継続する場合はその後も治療が長期間にわたることから「病気を受け入れ」、長きにわたり「付き合っていく」という意識が必要である。「付き合う」ためには患者自身が疾患に能動的に向き合う必要がある。このような変化を促すために、小児科医は意図的に患者−医師関係を変化させ、患者の自立を促す必要があるが、これらを包括した医療内容を「移行期医療」と呼ぶ。

　「移行期医療」では、この時期に生じ得る進路・進学・就職・友人関係・親子関係などさまざまな悩みにも対応する必要があるため、患者の自立を支援する医師は子どもの成長・発達を支える小児科医が望ましい。また思春期・青年期に移行期医療を完成させるためには、学童期（小学校高学年）から移行期医療を意識した長期管理・治療・患者指導も重要である。この点からも、学童期から思春期・青年期を経て患者が自立するまで小児科医が継続して診ることが望ましいと言える。年齢だけで診療科が決定されることは必ずしも適切ではない。

5. 思春期・青年期の患者指導 （表10-3）

　患者指導は、思春期以前から継続して行われるが、後述する移行期医療を完成させるという具体的な目標をもって行う。

1）学童期の患者指導

　患児の理解力に合わせた病態生理、検査結果、治療の必要性を説明し、喘息日記やPEFモニタリングを可能な範囲で本人に任せてセルフケア行動ができるように導く（第6章参照）。

2）思春期・青年期の患者指導

　本人が喘息の病態生理や自分の検査結果や治療の必要性をどこまで理解しているかを確認し、本人によるセルフモニタリング（喘息日記、PEFモニタリング、質問票による評価）を促すことが必要な時期である。そして、患者本人がすべきことを具体的に確認する（**表10-4**）。また、思春期・青年期の精神的な変化や生活習慣の変化に親子が適応するプロセスに医療者が支援的に関わり、「移行期医療」を念頭に置いて患者本人を中心とした家族との信頼関係やパートナーシップを再構築し、病状や治療を再検討する。

表10-3　思春期・青年期喘息の長期管理・治療・患者指導

学童期 （高学年）	目標	・喘息の病態と治療の必要性を理解する。 ・自己効力感に支えられたセルフケア行動ができる。
	治療	・喘息日記、ピークフローモニタリングを可能な範囲で本人に任せる。 ・呼吸機能、FeNO測定、気道過敏性検査を定期的に行い、治療の評価・調整・治療を繰り返す。
思春期 青年期	目標	・喘息の病態と治療の必要性を理解する（より高いレベルで）。 ・自分の喘息の状態を医師に説明できる。 ・成人医療への移行の概念・自律性を獲得する必要性を理解する。 ・保護的な医療から自律的な医療への変化を受け入れる。
	治療	・患者本人を中心とした家族との信頼関係やパートナーシップを再構築して、それに基づいて、本人と病状や治療内容について再検討する。 ・本人によるセルフモニタリング（喘息日記、ピークフローモニタリング、質問票による評価）を促す。 ・呼吸機能、FeNO測定、気道過敏性検査を定期的に行い、治療の評価・調整・治療を繰り返す。 ・症状が消失していても気道過敏性の亢進や気道閉塞が残存している場合は、再燃する可能性があることも念頭に入れて、治療方針を検討する。 ・治療において、15歳以上ではJGLも参考にする。

表 10-4　思春期までに患者本人が理解し説明できること（患者本人がすべきこと）[30]

①喘息の病態・治療・予後について	・気道の慢性炎症性疾患である ・治療を継続してコントロールが必要な疾患である ・発作強度の目安 ・予防薬の種類と使い方
②自分の喘息について	・喘息のコントロール状況 ・使用している薬剤の名前、効果、使い方 ・自分のアレルゲン・検査結果 ・日々の生活で注意しなければいけないこと ・喫煙してはいけない ・緊急受診のタイミング
③受診について	・自分で定期受診をすること ・緊急受診の方法や医療機関
④医師とのコミュニケーションについて	・現在の自分の症状 ・喘息により困っていること ・薬の残量 ・受診可能日の調整
⑤その他	・院外処方箋の期限 ・予約・変更の仕方 ・受診により学校や職場を欠席することへの理解を求めること ・救急車の依頼の仕方

6. 内科への転科について

　多くの喘息患者は、自立が確認できたらスムーズな内科への転科が可能と考えられる。転科は移行期医療に含まれるが必須ではない。転科の時期は患者本人に委ねられるが、転居などにより転科せざるを得ない状況となることも念頭に置く。ただし、知的能力障がい、自閉スペクトラム症、注意欠如・多動症、限局性学習症、心理的要因を抱える児、重症心身障がいを合併する喘息児には、内科への移行がスムーズにいかず、内科と小児科の併診や小児科での医療を継続せざるを得ない児もいる。このような児においての転科は今後の課題である。

7. 喘息と妊娠

　喘息は妊娠により影響を受け、喘息のある妊婦の約3分の1は喘息が悪化するといわれている。急性増悪（発作）により胎児は低酸素血症を来すので、喘息のコントロールは重要である。主な喘息治療薬は、ほとんど問題なく妊娠中も継続できるといわれているが、治療はJGL[1]を参考にして進める（JGL2018 第7章参照）。

[参考文献] --

1) 一般社団法人日本アレルギー学会喘息ガイドライン専門部会. 喘息予防・管理ガイドライン 2018. 協和企画. 東京. 2018.

2) Andersson M, Hedman L, Bjerg A, et al. Remission and persistence of asthma followed from 7 to 19 years of age. Pediatrics. 2013；132：435-42.

3) Tai A, Tran H, Roberts M, et al. Outcomes of childhood asthma to the age of 50 years. J Allergy Clin Immunol. 2014；133：1572-8.

4) Wang AL, Datta S, Weiss ST, et al. Remission of persistent childhood asthma：Early predictors of adult outcomes. J Allergy Clin Immunol. 2019；143：1752-9.

5) 日本小児アレルギー学会疫学委員会. 喘息重症度分布経年推移に関する多施設検討　2018 年度報告. 日小ア誌. 2020；34：166-71.

6) Sherenian MG, Wang Y, Fulkerson PC. Hospital admission associates with higher total IgE level in pediatric patients with asthma. J Allergy Clin Immunol Pract. 2015；3：602-3.e1.

7) McGeachie MJ, Yates KP, Zhou X, et al. Patterns of growth and decline in lung function in persistent childhood asthma. N Engl J Med. 2016；374：1842-52.

8) Siroux V, Boudier A, Dolgopoloff M, et al. Forced Midexpiratory flow between 25% and 75% of forced vital capacity is associated with long-term persistence of asthma and poor asthma outcomes. J Allergy Clin Immunol. 2016；137：1709-16.e6

9) Fuchs O, Bahmer T, Rabe KF, et al. Asthma transition from childhood into adulthood. Lancet Respir Med. 2017；5：224-34.

10) Scars MR, Greene JM, Willan AR, et al. A longitudinal population-based, cohort study of childhood asthma followed to adulthood. N Engl J Med. 2003；349：1414-22.

11) Motomura C, Odajima H, Tezuka J, et al. Perception of dyspnea during acetylcholine-induced bronchoconstriction in asthmatic children. Ann Allergy Asthma Immunol. 2009；102：121-4.

12) 内閣府. 子供・若者の健康と安心安全の確保. 子供・若者白書　第 2 章　第 2 節；平成 30 年版：49-54.

13) Kusunoki T, Morimoto T, Nishikomori R, et al. Obesity and the prevalence of allergic diseases in schoolchildren. Pediatr Allergy Immunol. 2008；19：527-34.

14) Perez MK, Piedimonte G. Metabolic asthma：is there a link between obesty, diabetes, and asthma?. Immunol Allergy Clin North Am. 2014；34：777-84.

15) Castro-Rodríguez JA, Holberg CJ, Morgan WJ, et al. Increased incidence of asthmalike symptoms in girls who become overweight or obese during the school years. Am J Respir Crit Care Med. 2001；163：1344-9.

16) Hancox RJ, Milne BJ, Poulton R, et al. Sex differences in the relation between body mass index and asthma and atopy in a birth cohort. Am J Respir Care Med. 2005；171：440-5.

17) Guerra S, Wright AL, Morgan WJ, et al. Persistence of asthma symptoms during adolescence：role of obesity and age at the onset of puberty. Am J Respir Crit Care Med. 2004；170：78-85.

18) Macsali F, Real FG, Plana E, et al. Early age at menarche, lung function, and adult asthma. Am J Respir Crit Care Med. 2011；183：8-14.

19) Cottrell L, Neal WA, Ice C, et al. Metabolic abnormalities in children with asthma. Am J Respir Crit Care Med. 2011；183：441-8.

20) Vrieze A, Postma DS, Kerstjens HA. Perimenstrual asthma：a syndrome without known cause or cure. J Allergy Clin Immunol. 2003；112：271-82.

21) Kim YH, Lee E, Cho HJ, et al. Association between menarche and increased bronchial hyper-responsiveness during puberty in female children and adolescents. Pediatr Pulmonol. 2016；51：1040-7.

22) Holley S, Knibb R, Latter S, et al. Development and validation of the adolescent asthma self-efficacy questionnaire (AASEQ). Eur Respir J. 2019；54：1801375.

23) Fleming L, Murray C, Bansal AT, et al. The burden of severe asthma in childhood and adolescence：Results from the paediatric U-BIOPRED cohorts. European Respiratory Journal. 2015；46：1322-33.

24) Thomas M. Why aren't we doing better in asthma：time for personalized medicine? NPJ Primary Care Respiratory Medicine. 2015；25：15004.

25) Holley S, Morris R, Knibb R, et al. Barriers and facilitators to asthma self-management in adolescents：a systematic review of qualitative and quantitative studies. Pediatric Pulmonology. 2017；52：430-42.

26) 望月博之. アレルギー疾患のトランジションを考える〜成人期を迎える患者にどう対応するか・小児喘息の理想的な対応を中心に〜. 日小臨ア誌. 2018；16：2-6.

27) Bracken M, Fleming L, Hall P, et al. The importance of nurse-led home visits in the assessment of children with problematic asthma. Ach Dis Child. 2009；94：780-4.

28) 花村香菜，大和謙二，末廣　豊．他．広汎性発達障害児の喘息治療への心理的側面と、そのサポート. 日小難喘ア誌. 2014；12：15-9.

29) 吉田之範，錦戸知喜，亀田　誠，他. 医療と教育の連携により注意欠陥/多動性障害不注意優勢型と診断された難治性喘息の1例. 日児誌. 2010；114：716-20.

30) 石崎優子. 成人移行期小児慢性疾患患者の自立支援のための移行支援について　平成26年度厚生労働科学研究補助金（成育疾患克服等次世代育成基盤研究事業）慢性疾患に罹患している児の社会生活支援ならびに療育生活支援に関する実態調査およびそれら施設の充実に関する研究.
www.jpeds.or.jp/uploads/files 2016_ikotyosa_hokoku.pdf

第11章 合併症とその対策

第11章 合併症とその対策

要 旨

■ 小児喘息患者は他のアレルギー疾患を併発していることが多く、それぞれの症状に対して適切な対策を講じ、アレルギー疾患として包括的に対応する。

■ 慢性期では難治化要因として他の疾患が関与していないか詳細な評価を行い、関与している場合にはそれぞれの合併症にも適切に対応する。ここではアレルギー性鼻炎、鼻副鼻腔炎、胃食道逆流症（GERD）、肥満、心的要因・発達障がいについて述べる。

■ 急性増悪（発作）期には皮下気腫、縦隔気腫、気胸などの air leak（空気漏出）症候群や無気肺などの発生に常に留意する。

小児期の喘息はほとんどの例でアレルギー素因を有するので、しばしば他のアレルギー疾患を合併する（第3章参照）。アレルギーマーチを念頭に他のアレルギー疾患に対しても適切な診断、治療、患者教育を行う[1]。この章では難治化要因となり得る慢性期の合併症と急性増悪（発作）期の呼吸器合併症を取り上げる。合併症を考慮した喘息診療のフローを図11-1 に示す。

1. 慢性期の合併症

初診時は喘息の診断と同時に合併症の評価を行い、管理を始める（図11-1）。続いて、薬物療法を十分に行っているにもかかわらずコントロール不良な症例では、合併症が難治化要因として関与していないか詳細な評価を行うことが重要である（第7章参照）。ここでは難治化要因となり得る慢性期の合併症について解説する。

1）アレルギー性鼻炎

小児喘息では高率にアレルギー性鼻炎を合併する[2~4]。また、アレルギー性鼻炎発症の低年齢化が指摘されている[2,5]。アレルギー性鼻炎合併例は非合併例に比べ喘息の重症度が高く、コントロールが不良である[6]。鼻粘膜あるいは気管支粘膜の一方がアレルゲンに曝露されると他方の炎症や過敏性を惹起するなど、喘息とアレルギー性鼻炎は相互に影響し合っており[7]、アレルギー性鼻炎を適切に管理することによって喘息症状や気道過敏性亢進が改善

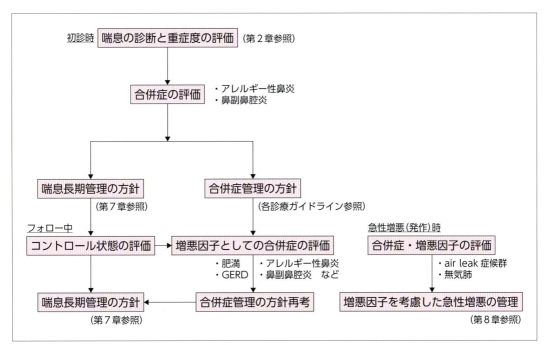

図11-1 合併症を考慮した喘息診療[12, 18]

する[8, 9]。このような観点から両者を"one airway, one disease"として総合的に捉え[10]、アレルギー性鼻炎に対して積極的に介入することが喘息の良好なコントロール達成には不可欠である[11]。

喘息児の日常診療においては、アレルギー性鼻炎の3主徴であるくしゃみ、水様性鼻漏、鼻閉に注目し、鼻汁中好酸球やアレルギー素因を参考に診断する。環境整備とともに第2世代ヒスタミンH_1受容体拮抗薬やLTRA、鼻噴霧用ステロイド薬などを病状に応じて併用し、特異的免疫療法も考慮する。アレルギー性鼻炎の概念、診断、治療については『鼻アレルギー診療ガイドライン』[12]にまとめられている。表11-1にアレルギー性鼻炎診療の要点を示す。

2）鼻副鼻腔炎

アレルギー性・非アレルギー性にかかわらず、鼻副鼻腔炎は小児において頻度の高い疾患で喘息類似症状を呈するため、日常診療においては喘息との鑑別が重要である。一方で喘息患者では高率に鼻副鼻腔炎が合併することが報告されており、喘息増悪の因子として重要である[13〜15]。また、鼻副鼻腔炎は喘息の寛解を妨げる因子でもある[16]。

症状は鼻閉、鼻漏などにとどまらず、顔面圧痛、嗅覚障害、頭痛、咳嗽などを伴うことがある。7〜10日以上続く鼻閉、鼻漏などの鼻症状がある場合には、鼻副鼻腔炎を疑い通常のかぜ症候群などと鑑別する。罹患期間が30日未満を急性鼻副鼻腔炎、90日以上を慢性鼻副

表 11-1　アレルギー性鼻炎診療の要点[12]

小児では症状の自覚や訴えに乏しいが、多くの喘息児はアレルギー性鼻炎を合併しており、喘息診療においてアレルギー性鼻炎の診断と治療は重要である。

診断	問診 ・アレルギー性鼻炎の 3 主徴：くしゃみ、水様性鼻漏、鼻閉 ・症状の重症度： 　『鼻アレルギー診療ガイドライン』の重症度分類 　日本アレルギー性鼻炎標準 QOL 調査票（JRQLQ No.1） 鼻腔内所見 ・鼻粘膜や鼻汁など 検査 ・皮膚テスト ・アレルゲン特異的 IgE 抗体検査[*1] ・鼻汁好酸球検査
治療	①抗原の除去・回避[*1] ②薬物療法 　　第 2 世代ヒスタミン H_1 受容体拮抗薬、ロイコトリエン受容体 　拮抗薬[*1]、鼻噴霧用ステロイド薬など ③アレルゲン免疫療法（皮下・舌下）[*2] ④重症例に対して ・耳鼻咽喉科へ紹介
評価	「鼻アレルギー日記」、「アレルギー性鼻炎の問診票」、JRQLQ など

＊1：喘息診療と共通事項。
＊2：喘息に対するダニアレルゲン免疫療法に関しては CQ7 を参照。ただし重症喘息患者に対しては適応がない。

鼻腔炎とする[17, 18]。

　鼻副鼻腔炎と喘息との関連についてのメカニズムは後鼻漏や鼻腔機能低下に伴う外界からの下気道への直接的刺激のほかにも、局所的あるいは全身性の炎症の相互波及などのさまざまな仮説が挙げられているが、結論には至っていない[19]。コントロール不良の喘息児で慢性鼻副鼻腔炎を治療すると、79％が気管支拡張薬を中止でき、67％で呼吸機能が正常化したとの報告がある[20]。

　簡便な検査として単純 X 線撮影（Waters 法、Caldwell 法）が行われるが適切な評価が困難なことが多い。CT や MRI は副鼻腔の構造、軟部組織の変化を評価できるが、放射線被曝や鎮静のリスクに配慮して適応を検討する[21]。

　急性鼻副鼻腔炎では鼻腔細菌培養結果を参考に抗菌薬治療を行うのが一般的である[22, 23]が、その効果は限定的で耐性菌の出現を含めた副作用を考慮して決定する[24]。慢性鼻副鼻腔炎に対しては局所の分泌物吸引・洗浄や鼻ネブライザーによる薬剤（抗菌薬やステロイド薬）の噴霧なども重要であり、必要に応じて耳鼻咽喉科と連携して診療を行う。わが国ではマクロライド系抗菌薬の少量長期投与が広く行われているが十分な根拠はなく、使用指針も示されていない。

3）胃食道逆流症（GERD）

　胃食道逆流（GER）の存在が呼吸器症状を誘発する機序として、食道下部の迷走神経受容体に酸刺激が加わって反射性に下気道を刺激すること（reflex theory）や、逆流内容が咽頭・喉頭に到達し誤嚥すること（microaspiration theory）[25]が考えられている。また、喘息患者では腹圧の上昇や横隔膜の位置変化により GER が起きやすい。したがって、GERD は喘息と鑑別すべき疾患であるが、合併することで増悪因子となり得る。

　小児喘息患者では 22.0％に GERD が認められ、対照群での 4.8％より有意に高かったとの報告があり[26]、一部の喘息患者では GER が急性増悪（発作）の引き金となっている可能性がある[27]。一方で、GERD を自覚してない喘息患者に対するプロトンポンプ阻害薬（PPI）の投与に有用性は確認できなかったとの研究もある[28,29]。

　GERD は軽症例では日常の生活指導や、乳児では治療用ミルク（増粘ミルクや牛乳アレルギーを疑う場合にはアレルギー用ミルク）への変更のみで改善するものもあるが、胸やけなどの症状を有した場合には薬物治療を検討する。薬物治療としてはヒスタミン H_2 受容体拮抗薬や PPI が用いられるが、後者のほうが有効性が高いとされている[30]。小児で GERD に対する適用を有する PPI は現時点でエソメプラゾールのみである。通常の喘息治療を行ってもコントロール不良の場合や、哺乳後や運動後に喘鳴が認められる場合には食道内 pH モニタリングや、制酸薬、PPI による診断的治療を 3 か月程度試みて効果により継続の可否を判断する。

4）肥満

　肥満と喘息の強い関連性を示すデータは多く[31~33]、肥満人口の増加が喘息有病率の上昇や喘息の重症化に深く関わっていると考えられている[34]。したがって、喘息の長期管理において肥満をコントロールすることで喘息症状の改善が期待できる[35]。

　肥満児における喘息の病態として、アレルギー素因以外にもさまざまな原因が示唆されている。BMI が高くなるにつれて、肺実質と気道径の成長に不均衡（ディスアナプシス：dysanapsis）が生じ FEV_1/FVC が相対的に低値となる。そのため、気道閉塞状態と判断されるだけでなく、喘息の重症・難治化要因ともなり、β_2 刺激薬や ICS による治療に対する反応性も乏しくなる[36]。また、肥満による脂肪組織の増加に伴う呼吸生理学的コンプライアンスの低下[37]、Th1 優位の全身性炎症やアディポカインの影響による気道の非好酸球性炎症[38,39]、食事や栄養[40]、代謝障害に伴う影響、腸内細菌叢の関与[41~43]などが示唆されているが、今後のさらなる検討が必要である。

　一方、喘息児では運動誘発喘息（EIA）の合併頻度が高く、運動を制限されるため体重増加を来しやすい[44]。また、肥満による運動能の低下に伴う運動時の呼吸困難が EIA と間違えられる場合や[35]、睡眠時無呼吸症候群に伴う夜間睡眠の障害が喘息症状と誤認される場合がある[45,46]。さらに、肥満患者では喘息重症化のリスク因子である社会経済的ステータス

が低いことや受動喫煙率が高いことも多いので注意する[47]。

成人の肥満例では外科手術などで体重を減量させると喘息コントロールが改善するとの報告があるが[48~50]、小児においては体重減量介入が喘息コントロールに及ぼす影響についての検討は未だ十分とはいえない[51~55]。過度な食事制限は小児の成長に好ましくないが、カロリーのみならず食事内容にも注目して適切な食事指導を行うことは生活習慣病予防を含め重要である[56]。

5）心的要因・発達障がい

不安や抑うつなどの心理的ストレスが喘息の増悪と関連することは紀元前3～4世紀頃からすでによく知られている[57~59]。実際に functional MRI を用いた検討では感情のトリガーにより気道閉塞が誘発されることが示されている[60,61]。

重症喘息児では中等症以下の喘息児に比べ有意に不安・抑うつ傾向が強く、重症喘息児の保護者は不安・抑うつなどのリスクが高いことも報告されている[62~64]。このことにより患児の治療アドヒアランスは低下し、保護者からの適切な支援が制限されることで喘息コントロールのさらなる悪化を来す可能性が高まる[65,66]。

患児が発達障がいを合併している場合には患児の特性に応じて介入するが（第6章参照）、発達障がいの合併を見逃されているために適切な介入が行われていない場合がある[67,68]。

パニック発作や過換気症候群は喘息と類似の症状を呈するために鑑別が必要であるが、合併することで病態が複雑化して難治化要因となっている場合がある[69]。

このような喘息児では、個々の生活状況での問題点を十分に把握して適切な患者教育を行い、時には行政や教育機関、専門医療施設と連携した取り組みを行う。

6）食物アレルギー

致死的な食物によるアナフィラキシー反応は喘息合併例に多く[70]、同様に食物アレルギー合併例の喘息急性増悪（発作）も重症化しやすい[71]。

2. 急性増悪（発作）期の呼吸器合併症

喘息の急性増悪（発作）期には上気道や下気道の種々の感染症に注意を払うとともに、以下に解説する喘息に特有な病態に関連して起こる合併症について注意する。

1）air leak（空気漏出）症候群[72~74]

急性増悪（発作）期には気道の不完全な閉塞、咳嗽、努力呼吸によって気道内圧が部分的に高まって、気道内の空気が間質や胸腔へ漏れ出すことがある。肺胞から間質に空気が漏れ

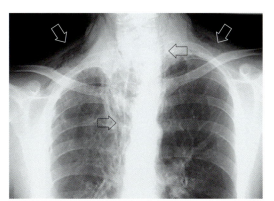

図11-2 急性増悪（発作）時の縦隔気腫、皮下気腫

縦隔内の臓器に沿って多くの線状のガス像が認められる。鎖骨窩の皮下軟部組織、頸部の皮下と血管などに沿った軟部組織にガス像（矢印）が認められる。

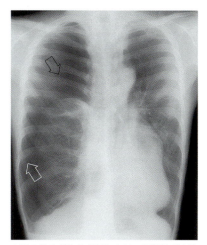

図11-3 急性増悪（発作）に伴った気胸

右肺の肺尖部から外側にかけて透過性が亢進した無血管領域（矢印）が認められる。また、収縮した肺の辺縁として臓側胸膜が認められる。

て気管支、血管に沿って肺門から縦隔へ至ると縦隔気腫、さらに頸部、胸部、顔面へ広がると皮下気腫となる。臓側胸膜を破って胸腔に空気が漏れると気胸となるが喘息発作では稀である。必ずしも強度の強い発作に伴って発生するわけではない。

症状としては、縦隔気腫あるいは皮下気腫では胸痛、咳嗽、空気の貯留した部分の痛み（頸部皮下気腫では上気道炎による咽頭痛と誤解されやすい）や腫脹など、気胸では呼吸困難の増悪、体動や深呼吸に伴う胸痛、背部への放散痛、咳嗽などがある。

理学所見としては、Hamman's sign（縦隔気腫で心収縮期に軋音を聴取）、皮下気腫では圧迫により握雪感の触知、気胸では呼吸音の減弱や打診で鼓音を呈する、などがある。

これらの疑いがあるときはX線撮影を行って確認する（図11-2、図11-3）。高度の気胸に対しては胸腔穿刺による脱気や持続吸引を行うが、通常は特別な処置を必要としない。急性増悪（発作）の治療を積極的に行い、肺胞内圧や気道内圧を早期に低下させる。緊張性気胸は急激な換気の悪化をもたらす危険があるため、人工呼吸管理中はair leak症候群の合併に常に注意する。

2）無気肺と肺虚脱

無気肺とは気管支の狭窄、粘膜腫脹、分泌物貯留などによる気管支内腔の閉塞によって肺の一部の含気が減少、消失した状態で、肺虚脱となる。無症状のこともあるが、程度により呼吸困難、胸痛、咳嗽、発作強度に相当する以上の低酸素血症、チアノーゼなどを呈する[75]。

診断は胸部のX線撮影やCT撮影による。気管支の立体的走行の特性から右肺中葉に起こることが多い（図11-4）。乳幼児では気道異物との鑑別も行う。

A 正面像

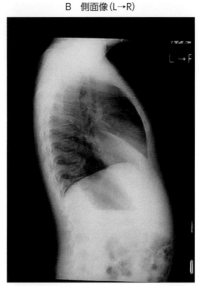
B 側面像(L→R)

心陰影右第2弓に接してシルエットサインが認められる。

濃度の増強、容積の減少した楔状の中葉を認める。

C 叉腔位

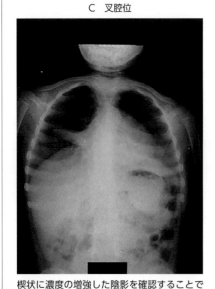

楔状に濃度の増強した陰影を確認することで右中葉無気肺を胸部X線1枚で証明できる。

図11-4 右中葉無気肺

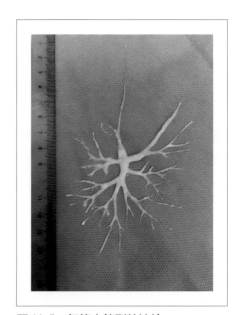

図11-5 気管支鋳型粘液栓

　治療は急性増悪（発作）の改善を図ることが最優先であるが、積極的な排痰のための体位ドレナージなどの理学療法も考慮する。広範囲に及ぶ無気肺や鋳型気管支炎（plastic bronchitis）（図11-5）で著明な換気障害の原因になっている場合は、内視鏡的に気道閉塞物を除去することも検討する[76,77]。

[参考文献] --

1) 馬場　実. アレルギーの基礎　アレルギーマーチ. 小児科診療. 1998；61：481-5.

2) 西間三馨. 西日本小児アレルギー研究会・有症率調査研究班. 西日本小学児童におけるアレルギー疾患有症率調査— 1992，2002，2012 年の比較—. 日小ア誌. 2013；27：149-69.

3) Masuda S, Fujisawa T, Katsumata H, et al. High prevalence and young onset of allergic rhinitis in children with bronchial asthma. Pediatr Allergy Immunol. 2008；19：517-22.

4) Jacob L, Keil T, Kostev K. Comorbid disorders associated with asthma in children in Germany - National analysis of pediatric primary care data. Pediatr Allergy Immunol. 2016；27：861-6.

5) 松原　篤，坂下雅文，後藤　穣，他. 鼻アレルギーの全国疫学調査 2019（1998 年，2008 年との比較）：速報—耳鼻咽喉科医およびその家族を対象として. 日本耳鼻咽喉科学会会報. 2020；123：485-90.

6) Thomas M, Kocevar VS, Zhang Q, et al. Asthma-related health care resource use among asthmatic children with and without concomitant allergic rhinitis. Pediatrics. 2005；115：129-34.

7) Simons FER. What's in a name? The allergic rhinitis-asthma connection. Clin Exp Allergy Rev. 2003；3：9-17.

8) Greisner WA 3rd, Settipane RJ, Settipane GA. The course of asthma parallels that of allergic rhinitis：a 23-year follow-up study of college students. Allergy Asthma Proc. 2000；21：371-5.

9) Crystal-Peters J, Neslusan C, Crown WH, et al. Treating allergic rhinitis in patients with comorbid asthma：the risk of asthma-related hospitalizations and emergency department visits. J Allergy Clin Immunol. 2002；109：57-62.

10) Grossman J. One airway, one disease. Chest. 1997；111(2 Suppl)：11S-16S.

11) Brożek J, Bousquet J, Agache I, et al. Allergic Rhinitis and its Impact on Asthma (ARIA) guidelines-2016 revision. J Allergy Clin Immunol. 2017；140：950-8.

12) 鼻アレルギー診療ガイドライン作成委員会. 鼻アレルギー診療ガイドライン—通年性鼻炎と花粉症— 2016 年版（改訂第 8 版）. 東京，ライフサイエンス，2015.

13) Bresciani M, Paradis L, Des Roches A, et al. Rhinosinusitis in severe asthma. J Allergy Clin Immunol. 2001；107：73-80.

14) Peroni DG, Piacentini GL, Ceravolo R, et al. Difficult asthma：possible association with rhinosinusitis. Pediatr Allergy Immunol. 2007；18 Suppl 18：25-7.

15) Pawankar R, Zernotti ME. Rhinosinusitis in children and asthma severity. Curr Opin Allergy Clin Immunol. 2009；9：151-3.

16) Guerra S, Wright AL, Morgan WJ, et al. Persistence of asthma symptoms during adolescence：role of obesity and age at the onset of puberty. Am J Respir Crit Care Med. 2004；170：78-85.

17) Wald ER, Applegate KE, Bordley C, et al. Clinical practice guideline for the diagnosis and management of acute bacterial sinusitis in children aged 1 to 18 years. Pediatrics. 2013；132：e262-80.

18) 日本小児呼吸器学会. 小児の咳嗽診療ガイドライン 2020. 診断と治療社，東京，2020.

19) Poddighe D, Brambilla I, Licari A, et al. Pediatric rhinosinusitis and asthma. Respir Med. 2018；141：94-9.

20) Rachelefsky GS, Katz RM, Siegel SC. Chronic sinus disease with associated reactive airway disease in children. Pediatrics. 1984；73：526-9.

21) Coley BD. Caffey's Pediatric Diagnostic Imaging. 12th ed. Philadelphia, PA：Mosby Elsevier；2013：Chapter 8, 69-86. e2.

22) Wald ER, Nash D, Eickhoff J. Effectiveness of amoxicillin/clavulanate potassium in the treatment of acute bacterial sinusitis in children. Pediatrics. 2009；124：9-15.

23) 日本鼻科学会. 急性鼻副鼻腔炎診療ガイドライン　追補版. 日鼻誌. 2014；53：103-60.

24) Ahovuo-Saloranta A, Borisenko OV, Kovanen N, et al. Antibiotics for acute maxillary sinusitis. Cochrane Database Syst Rev. 2008；(2)：CD000243.

25) Ing AJ. Cough and gastro-oesophageal reflux disease. Pulm Pharmacol Ther. 2004；17：403-13.

26) Thakkar K, Boatright RO, Gilger MA, et al. Gastroesophageal reflux and asthma in children：a sys-

tematic review. Pediatrics. 2010；125：e925-30.

27) Harding SM, Schan CA, Guzzo MR, et al. Gastroesophageal reflux-induced bronchoconstriction. Is microaspiration a factor? Chest. 1995；108：1220-7.

28) American Lung Association Asthma Clinical Research Centers, Mastronarde JG, Anthonisen NR, Castro M, et al. Efficacy of esomeprazole for treatment of poorly controlled asthma. N Engl J Med. 2009；360：1487-99.

29) Writing Committee for the American Lung Association Asthma Clinical Research Centers, Holbrook JT, Wise RA, Gold BD, et al. Lansoprazole for children with poorly controlled asthma：a randomized controlled trial. JAMA. 2012；307：373-81.

30) 小児胃食道逆流症診断治療指針作成ワーキンググループ. 小児胃食道逆流症診断治療指針. 日児誌. 2006；110：86-94.

31) Schaub B, von Mutius E. Obesity and asthma, what are the links? Curr Opin Allergy Clin Immunol. 2005；5：185-93.

32) Castro-Rodriguez JA, Holberg CJ, Morgan WJ, et al. Increased incidence of asthmalike symptoms in girls who become overweight or obese during the school years. Am J Respir Crit Care Med. 2001；163：1344-9.

33) Scholtens S, Wijga AH, Seidell JC, et al. Overweight and changes in weight status during childhood in relation to asthma symptoms at 8 years of age. J Allergy Clin Immunol. 2009；123：1312-8.

34) Bush A, Fleming L, Saglani S. Severe asthma in children. Respirology. 2017；22：886-97.

35) 足立雄一. 肥満と小児喘息. アレルギー. 2017；66：977-83.

36) Forno E, Weiner DJ, Mullen J, et al. Obesity and Airway dysanapsis in children with and without asthma. Am J Respir Crit Care Med. 2017；195：314-23.

37) Vijayakanthi N, Greally JM, Rastogi D. Pediatric obesity-related asthma：The role of metabolic dysregulation. Pediatrics. 2016；137：e20150812.

38) Peters MC, McGrath KW, Hawkins GA, et al. Plasma interleukin-6 concentractions, metabolic dysfunction, and asthma severity：a cross-sectional analysis of two cohorts. Lancet Respir Med. 2016；4：574-84.

39) Umetsu DT. Mechanisms by which obesity impacts upon asthma. Thorax. 2017；72：174-7.

40) Gupta S, Lodha R, Kabra SK. Asthma, GERD and obesity：Triangle of inflammation. Indian J Pediatr. 2018；85：887-92.

41) Herbst T, Sichelstiel A, Schär C, et al. Dysregulation of allergic airway inflammation in the absence of microbial colonization. Am J Respir Crit Care Med. 2011；184：198-205.

42) Hilty M, Burke C, Pedro H, et al. Disordered microbial communities in asthmatic airways. PLoS One. 2010；5：e8578.

43) Bisgaard H, Li N, Bonnelykke K, et al. Reduced diversity of the intestinal microbiota during infancy is associated with increased risk of allergic disease at school age. J Allergy Clin Immunol. 2011；128：646-52.

44) Milgrom H, Taussig LM. Keeping children with exercise-induced asthma active. Pediatrics. 1999；104：e38.

45) Sánchez T, Castro-Rodríguez JA, Brockmann PE. Sleep-disordered breathing in children with asthma：a systematic review on the impact of treatment. J Asthma Allergy. 2016；9：83-91.

46) Kumar S, Kelly AS. Review of childhood obesity：from epidemiology, etiology, and comorbidities to clinical assessment and treatment. Mayo Clin Proc. 2017；92：251-65.

47) Carroll CL, Stoltz P, Raykov N, et al. Childhood overweight increases hospital admission rates for asthma. Pediatrics. 2007；120：734-40.

48) van Huisstede A, Rudolphus A, Castro Cabezas M, et al. Effect of bariatric surgery on asthma control, lung function and bronchial and systemic inflammation in morbidly obese subjects with asthma. Thorax. 2015；70：659-67.

49) Boulet LP, Turcotte H, Martin J, et al. Effect of bariatric surgery on airway response and lung function in obese subjects with asthma. Respir Med. 2012；106：651-60.

50) Dixon AE, Pratley RE, Forgione PM, et al. Effects of obesity and bariatric surgery on airway hyper-responsiveness, asthma control, and inflammation. J Allergy Clin Immunol. 2011；128：508-15.e1-2.

51) 増本夏子, 小田嶋博, 嶋田清隆, 他. 喘息児における肥満改善に伴う呼吸機能への影響. アレルギー. 2011；60：983-92.

52) Jensen ME, Gibson PG, Collins CE, et al. Diet-induced weight loss in obese children with asthma：a randomized controlled trial. Clin Exp Allergy. 2013；43：775-84.

53) van Leeuwen JC, Hoogstrate M, Duiverman EJ, et al. Effects of dietary induced weight loss on exercise-induced bronchoconstriction in overweight and obese children. Pediatr Pulmonol. 2014；49：1155-61.

54) Story RE. Asthma and obesity in children. Curr Opin Pediatr. 2007；19：680-4.

55) Jay M, Wijetunga NA, Stepney C, et al. The relationship between asthma and obesity in urban early adolescents. Pediatr Allergy Immunol Pulmonol. 2012；25：159-67.

56) Reilly JJ, Methven E, McDowell ZC, et al. Health consequences of obesity. Arch Dis Child. 2003；88：748-52.

57) Sandberg S, Paton JY, Ahola S, et al. The role of acute and chronic stress in asthma attacks in children. Lancet. 2000；356：982-7.

58) Lietzén R, Virtanen P, Kivimäki M, et al. Stressful life events and the onset of asthma. Eur Respir J. 2011；37：1360-5.

59) Douwes J, Brooks C, Pearce N. Stress and asthma：Hippocrates revisited. J Epidemiol Community Health. 2010；64：561-2.

60) Rosenkranz MA, Busse WW, Sheridan JF, et al. Are there neurophenotypes for asthma? Functional brain imaging of the interaction between emotion and inflammation in asthma. PLoS One. 2012；7：e40921.

61) Barnes PJ. Neuroeffector mechanisms：the interface between inflammation and neuronal responses. J Allergy Clin Immunol. 1996；98：S73-81.

62) Bender BG, Annett RD, Iklé D, et al. Relationship between disease and psychological adaptation in children in the Childhood Asthma Management Program and their families. CAMP Research Group. Arch Pediatr Adolesc Med. 2000；154：706-13.

63) Feldman JM, Steinberg D, Kutner H, et al. Perception of pulmonary function and asthma control：the differential role of child versus caregiver anxiety and depression. J Pediatr Psychol. 2013；38：1091-100.

64) Easter G, Sharpe L, Hunt CJ. Systematic review and meta-analysis of anxious and depressive symptoms in caregivers of children with asthma. J Pediatr Psychol. 2015；40：623-32.

65) Booster GD, Oland AA, Bender BG. Psychosocial Factors in Severe Pediatric Asthma. Immunol Allergy Clin North Am. 2016；36：449-60.

66) Lim J, Wood BL, Miller BD. Maternal depression and parenting in relation to child internalizing symptoms and asthma disease activity. J Fam Psychol. 2008；22：264-73.

67) Blackman JA, Gurka MJ. Developmental and behavioral comorbidities of asthma in children. J Dev Behav Pediatr. 2007；28：92-9.

68) Nanda MK, LeMasters GK, Levin L, et al. Allergic diseases and internalizing behaviors in early childhood. Pediatrics. 2016；137：e20151922.

69) Lee YC, Lee CT, Lai YR, et al. Association of asthma and anxiety：a nationwide population-based study in Taiwan. J Affect Disord. 2016；189：98-105.

70) Bock SA, Muñoz-Furlong A, Sampson HA. Fatalities due to anaphylactic reactions to foods. J Allergy Clin Immunol. 2001；107：191-3.

71) Roberts G, Patel N, Levi-Schaffer F, et al. Food allergy as a risk factor for life-threatening asthma in

childhood : a case-controlled study. J Allergy Clin Immunol. 2003 ; 112 : 168-74.

72) Chalumeau M, Le Clainche L, Sayeg N, et al. Spontaneous pneumomediastinum in children. Pediatr Pulmonol. 2001 ; 31 : 67-75.

73) Damore DT, Dayan PS. Medical causes of pneumomediastinum in children. Clin Pediatr (Phila). 2001 ; 40 : 87-91.

74) Stack AM, Caputo GL. Pneumomediastinum in childhood asthma. Pediatr Emerg Care. 1996 ; 12 : 98-101.

75) Tsai SL, Crain EF, Silver EJ, et al. What can we learn from chest radiographs in hypoxemic asthmatics? Pediatr Radiol. 2002 ; 32 : 498-504.

76) Brogan TV, Finn LS, Pyskaty DJ Jr, et al. Plastic bronchitis in children : a case series and review of the medical literature. Pediatr Pulmonol. 2002 ; 34 : 482-7.

77) Bowen A, Oudjhane K, Odagiri K, et al. Plastic bronchitis : large, branching, mucoid bronchial casts in children. AJR Am J Roentgenol. 1985 ; 144 : 371-5.

第12章

日常管理

第12章 日常管理

要 旨

■ 喘息児に対して学校や保育所内あるいは校外活動に配慮が必要な場合は、「学校生活管理指導表」、「保育所におけるアレルギー疾患生活管理指導表」を活用して、保護者や学校関係者と連携し、適切な対応を促す。

■ 運動により咳嗽、呼気性喘鳴、呼吸困難を伴う一過性の気管支収縮が起きる現象を運動誘発喘息（EIA）、もしくは運動誘発気管支収縮（EIB）と呼ぶ。運動は子どもの成長・発達にとってさまざまな利点をもたらすので、EIA を起こさずに生活できるように喘息児や保護者だけでなく関係者が EIA について正しい認識を持ち、互いに連携して対処することが必要である。

■ 予防接種は、喘息児でも十分な注意と配慮のもとに健常児と同様に接種可能である。

■ 喘息児の全身麻酔や手術に際してはできるだけ良好なコントロール状態を維持し、必要に応じて治療のステップアップや全身性ステロイド薬投与を考慮する。

■ 災害時などの予期せぬ状況に備えて、対応できるように指導しておく。非常時に活用できるパンフレットが準備されている。

EIA と EIB の定義

■ 喘息患者において運動により一時的に咳嗽、呼気性喘鳴、呼吸困難が起きることが知られており、運動誘発喘息（EIA）と呼ぶ。一方、臨床的に喘息と診断されていない者にも同様の現象が起こるため、これらと EIA を包括する概念として、運動誘発気管支収縮（EIB）と呼ばれる[1,2]。喘息の児を対象とする JPGL2020 では、EIA を用いる。

1. 社会生活（学校保健など）

　学校や保育所などでの生活は教育ばかりではなく、社会に適応できるようになるための準備の場としても小児の人間形成に重要な役割を果たしている。喘息に限らずアレルギー疾患を有する者は多く[3]、学校や保育所などの職員がアレルギー疾患に対する知識を持つことは重要であり、医師や保護者とのコミュニケーションツールとして生活管理指導表が用いられ

る（**表12-1**、**表12-2**）。生活管理指導表は、すべての喘息児において提出を求めるものではなく、保護者が学校や保育所などでの取り組みを希望する場合に、主治医が記載したものを提出することにより学校や保育所などで、安全で快適な生活が過ごせるように活用される。なお、生活管理指導表の具体的な記載方法については『学校のアレルギー疾患に対する取り組みガイドライン《令和元年度改訂》』（公益財団法人日本学校保健会、監修：文部科学省スポーツ・青少年局学校健康教育課、https://www.gakkohoken.jp/books/archives/226）、および『保育所におけるアレルギー対応ガイドライン（2019年改訂版）』（厚生労働省子ども家庭局保育課、https://www.mhlw.go.jp/content/000511242.pdf）を参照されたい。

1）通学、通園への配慮

　喘息児は急性増悪（発作）時の治療ばかりでなく、定期的な外来受診などによって欠席や遅刻、早退の回数が増加するため、できるだけ学習あるいは保育の機会を減らさないような配慮が医療者側と学校や保育所側に求められる。

2）急性増悪（発作）時の対応

　登校（登園）前の症状出現は、自宅での気管支拡張薬の内服や吸入、あるいは医療機関での治療によって軽快し、登校が可能となることも多い。登校の可否については、喘息の重症度、その時点における症状の強さや持続期間などを参考に判断できるように指導しておく。また、授業中に症状が悪化した場合、学校は生活管理指導表に従って、吸入や内服などの急性増悪（発作）時の治療薬を使用しやすい環境を提供する。必要に応じて家族と連絡を取り、早退や医療機関の受診などの判断が必要となるので、保護者と医療者には学校や保育所などの関係者への情報提供が不可欠である。

3）体育と運動誘発喘息（EIA）

　喘息児が安全に運動に参加できるためには、喘息児および保護者、主治医、校医、養護教諭、担任教師、体育専任教師など関係者が、EIAについて正しい知識を持ち、互いに連携して対処することが必要である（詳細は「2．運動への対応」参照）。

4）行事への参加

　修学旅行、お泊まり保育、遠足などの校外学習やクラブ活動などへの参加が喘息のために制限されることがないように配慮する。あらかじめ下記の内容などについて検討し、できる限り参加できるように支援する。

(1) 行事参加における諸注意と予防法、対応の指導

　喘息児および保護者に対して、例えば煙の多いキャンプファイヤーや花火を行う際は、マスクを着用したり煙を吸い込まないような場所に位置したりするように指導する。

表 12-1 アレルギー疾患用の学校生活管理指導表

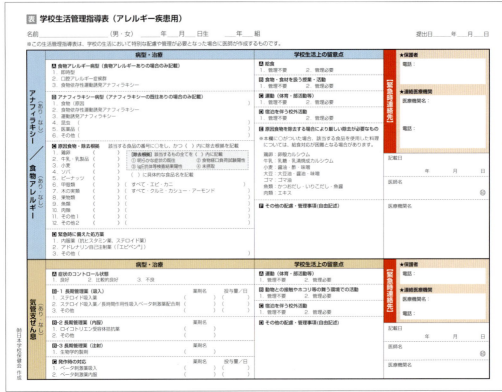

（公益財団法人日本学校保健会「学校のアレルギー疾患に対する取り組みガイドライン」より転載）
https://www.gakkohoken.jp/book/ebook/ebook_R010100/R010100.pdf

表 12-2　保育所におけるアレルギー疾患生活管理指導表

（参考様式）※「保育所におけるアレルギー対応ガイドライン」（2019年改訂版）

保育所におけるアレルギー疾患生活管理指導表　（食物アレルギー・アナフィラキシー・気管支ぜん息）

名前＿＿＿＿＿＿　男・女　＿＿＿年＿＿月＿＿日生（＿＿歳＿＿ヶ月）＿＿＿＿＿組　　提出日　　年　　月　　日

※ この生活管理指導表は、保育所の生活において特別な配慮や管理が必要となった子どもに限って、医師が作成するものです。

	病型・治療	保育所での生活上の留意点	
食物アレルギー・アナフィラキシー（あり・なし）	**A. 食物アレルギー病型** 1. 食物アレルギーの関与する乳児アトピー性皮膚炎 2. 即時型 3. その他（新生児・乳児消化管アレルギー・口腔アレルギー症候群・ 　　食物依存性運動誘発アナフィラキシー・その他：　　　　） **B. アナフィラキシー病型** 1. 食物（原因：　　　　　　　　　） 2. その他（医薬品・食物依存性運動誘発アナフィラキシー・ラテックスアレルギー・ 　　昆虫・動物のフケや毛） **C. 原因食品・除去根拠**　該当する食品の番号に○をし、かつ（　）内に除去根拠を記載 1. 鶏卵　　　　　　　　（　） 2. 牛乳・乳製品　　　　（　）　[除去根拠] 3. 小麦　　　　　　　　（　）　該当するものの全てを（　）内に番号を記載 4. ソバ　　　　　　　　（　）　①明らかな症状の既往 5. ピーナッツ　　　　　（　）　②食物経口負荷試験陽性 6. 大豆　　　　　　　　（　）　③IgE抗体等検査結果陽性 7. ゴマ　　　　　　　　（　）　④未摂取 8. ナッツ類＊　　　　　（　）（すべて・クルミ・カシューナッツ・アーモンド・　） 9. 甲殻類＊　　　　　　（　）（すべて・エビ・カニ・　　　） 10. 軟体類・貝類＊　　　（　）（すべて・イカ・タコ・ホタテ・アサリ・　） 11. 魚卵類＊　　　　　　（　）（すべて・イクラ・タラコ・　　　） 12. 魚類＊　　　　　　　（　）（すべて・サバ・サケ・　　　） 13. 肉類＊　　　　　　　（　）（鶏肉・牛肉・豚肉・　　　） 14. 果物類＊　　　　　　（　）（キウイ・バナナ・　　　） 15. その他　　　　　　　（　） 「＊は（　）の中の該当する項目に○をするか具体的に記載すること」 **D. 緊急時に備えた処方薬** 1. 内服薬（抗ヒスタミン薬、ステロイド薬） 2. アドレナリン自己注射薬「エピペン®」 3. その他（　　　　　）	**A. 給食・離乳食** 1. 管理不要 2. 管理必要（管理内容については、病型・治療のC. 欄及び下記C. E欄を参照） **B. アレルギー用調整粉乳** 1. 不要 2. 必要　下記該当ミルクに○、又は（　）内に記入 　　ミルフィーHP ・ ニューMA-1 ・ MA-mi ・ ペプディエット ・ エレメンタルフォーミュラ 　　その他（　　　　　　　） **C. 除去食品においてより厳しい除去が必要なもの** 病型・治療のC. 欄で除去の際に、より厳しい除去が必要となるもののみに○をける **本欄に○がついた場合、該当する食品を使用した料理については、給食対応が困難となる場合があります。** 1. 鶏卵：　卵殻カルシウム 2. 牛乳・乳製品：　乳糖 3. 小麦：　醤油・酢・麦茶 6. 大豆：　大豆油・醤油・味噌 7. ゴマ：　ゴマ油 12. 魚類：　かつおだし・いりこだし 13. 肉類：　エキス **D. 食物・食材を扱う活動** 1. 管理不要 2. 原因食材を教材とする活動の制限（　　　） 3. 調理活動時の制限（　　　） 4. その他（　　　　　）	**E. 特記事項** （その他に特別な配慮や管理が必要な事項がある場合には、医師が保護者と相談のうえ記載。対応内容は保育所が保護者と相談のうえ決定）	記載日　　年　　月　　日 医師名 医療機関名 電話
気管支ぜん息（あり・なし）	**A. 症状のコントロール状態** 1. 良好 2. 比較的良好 3. 不良 **B. 長期管理薬（短期追加治療薬を含む）** 1. ステロイド吸入薬 　剤形： 　投与量（日）： 2. ロイコトリエン受容体拮抗薬 3. DSCG吸入薬 4. ベータ刺激薬（内服・貼付薬） 5. その他（　　　　　） **C. 急性増悪（発作）治療薬** 1. ベータ刺激薬吸入 2. ベータ刺激薬内服 3. その他（　　　　　） **D. 急性増悪（発作）時の対応** （自由記載）	**A. 寝具に関して** 1. 管理不要 2. 防ダニシーツ等の使用 3. その他の管理が必要（　　） **B. 動物との接触** 1. 管理不要 2. 動物への反応が強いため不可 　動物名（　　　） 3. 飼育活動等の制限（　　）	**C. 外遊び、運動に対する配慮** 1. 管理不要 2. 管理必要 　（管理内容：　　　） **D. 特記事項** （その他に特別な配慮や管理が必要な事項がある場合には、医師が保護者と相談のうえ記載。対応内容は保育所が保護者と相談のうえ決定）	記載日　　年　　月　　日 医師名 医療機関名 電話

緊急連絡先
★保護者　電話：
★連絡医療機関　医療機関名：　　　電話：

● 保育所における日常の取り組み及び緊急時の対応に活用するため、本表に記載された内容を保育所の職員及び消防機関・医療機関等と共有することに同意しますか。
・ 同意する
・ 同意しない　　　保護者氏名＿＿＿＿＿＿＿＿＿＿＿

（参考様式）※「保育所におけるアレルギー対応ガイドライン」（2019年改訂版）

保育所におけるアレルギー疾患生活管理指導表　（アトピー性皮膚炎・アレルギー性結膜炎・アレルギー性鼻炎）

名前＿＿＿＿＿＿　男・女　＿＿＿年＿＿月＿＿日生（＿＿歳＿＿ヶ月）＿＿＿＿＿組　　提出日　　年　　月　　日

※ この生活管理指導表は、保育所の生活において特別な配慮や管理が必要となった子どもに限って、医師が作成するものです。

	病型・治療	保育所での生活上の留意点	
アトピー性皮膚炎（あり・なし）	**A. 重症度のめやす（厚生労働科学研究班）** 1. 軽症：面積に関わらず、軽度の皮疹のみられる。 2. 中等症：強い炎症を伴う皮疹が体表面積の10%未満にみられる。 3. 重症：強い炎症を伴う皮疹が体表面積の10%以上、30%未満にみられる。 4. 最重症：強い炎症を伴う皮疹が体表面積の30%以上にみられる。 ※軽度の皮疹：軽度の紅斑、乾燥、落屑主体の病変 ※強い炎症を伴う皮疹：紅斑、丘疹、びらん、浸潤、苔癬化などを伴う病変 **B-1. 常用する外用薬** 1. ステロイド軟膏 2. タクロリムス軟膏（「プロトピック®」） 3. 保湿剤 4. その他（　　） **B-2. 常用する内服薬** 1. 抗ヒスタミン薬 2. その他（　） **C. 食物アレルギーの合併** 1. あり 2. なし	**A. プール・水遊び及び長時間の紫外線下での活動** 1. 管理不要 2. 管理必要（　　） **B. 動物との接触** 1. 管理不要 2. 動物への反応が強いため不可 　動物名（　） 3. 飼育活動等の制限（　） 4. その他（　） **C. 発汗後** 1. 管理不要 2. 管理必要（管理内容：　） 3. 夏季シャワー浴（施設で可能な場合）| **D. 特記事項** （その他に特別な配慮や管理が必要な事項がある場合には、医師が保護者と相談のうえ記載。対応内容は保育所が保護者と相談のうえ決定）	記載日　　年　　月　　日 医師名 医療機関名 電話
アレルギー性結膜炎（あり・なし）	**A. 病型** 1. 通年性アレルギー性結膜炎 2. 季節性アレルギー性結膜炎（花粉症） 3. 春季カタル 4. アトピー性角結膜炎 5. その他（　） **B. 治療** 1. 抗アレルギー点眼薬 2. ステロイド点眼薬 3. 免疫抑制点眼薬 4. その他（　）| **A. プール指導** 1. 管理不要 2. 管理必要（管理内容：　） 3. プールへの入水不可 **B. 屋外活動** 1. 管理不要 2. 管理必要（管理内容：　）| **C. 特記事項** （その他に特別な配慮や管理が必要な事項がある場合には、医師が保護者と相談のうえ記載。対応内容は保育所が保護者と相談のうえ決定）	記載日　　年　　月　　日 医師名 医療機関名 電話
アレルギー性鼻炎（あり・なし）	**A. 病型** 1. 通年性アレルギー性鼻炎 2. 季節性アレルギー性鼻炎（花粉症）　主な症状の時期：春 夏 秋 冬 **B. 治療** 1. 抗ヒスタミン薬・抗アレルギー薬（内服） 2. 鼻噴霧用ステロイド薬 3. 舌下免疫療法 4. その他（　）| **A. 屋外活動** 1. 管理不要 2. 管理必要（管理内容：　） **B. 特記事項** （その他に特別な配慮や管理が必要な事項がある場合には、医師が保護者と相談のうえ記載。対応内容は保育所が保護者と相談のうえ決定）|	記載日　　年　　月　　日 医師名 医療機関名 電話

● 保育所における日常の取り組み及び緊急時の対応に活用するため、本表に記載された内容を保育所の職員及び消防機関・医療機関等と共有することに同意しますか。
・ 同意する
・ 同意しない　　　保護者氏名＿＿＿＿＿＿＿＿＿＿＿

（厚生労働省子ども家庭局保育課『保育所におけるアレルギー対応ガイドライン』より転載）
https://www.mhlw.go.jp/content/000512752.pdf

（2）行事参加中の薬物療法の見直し

　行事参加の期間中には、日頃の症状出現状況や薬剤の使用状況に応じて長期管理薬のステップアップや追加治療を検討する。行事参加中に急性増悪（発作）が起きた場合には、普段の環境とは異なった状況にあるため、軽微な症状でも早めに気管支拡張薬を頓用させる。

（3）学校や保育所への協力依頼

　旅行先で症状が出現したときに医療機関で適切な処置を受けられるように、主治医の病状記録を持たせることを考慮する。また、同室者が布団の上で暴れたり、枕投げをしないように事前に指導し、部屋割りなどの際にも協力してもらえる友人との組み合わせを考慮する。

5）その他

　必要に応じて以下を考慮する。

①学校で飼育されている小鳥、ハムスター、ウサギなどの動物にアレルギーがある場合は動物の飼育係からは外してもらい、教室内での動物の飼育も止めるように依頼する。学校での掃除当番などでは、アレルゲンを吸わないようにマスク着用の許可や他の仕事を割り当てるような配慮を依頼する。

②同級生が誤解しないよう、あらかじめ「運動の際には喘息による咳嗽などの症状がひどくならないように早めに休むことがある」などを話してもらうように依頼する。

2. 運動への対応

　EIA は水泳や歩行に比較して、ランニングで誘発されやすい[4]。乾燥した環境で高強度の運動を続けた場合に起こりやすく、長距離ランナーでも冬や花粉症の季節に EIA を認めやすい[5]。また、スキューバダイビングでは、タンク内の乾燥冷気や海水由来の高張食塩水を吸引することで気管支収縮が起こりやすく症状誘発が生命の危険性につながる恐れがある[6]。

　かねてより EIA が起こりにくい運動として水泳が推奨されてきたが、水泳に限らず児が楽しく参加できる運動を継続することに意義がある。日常的に運動をする機会が多い小児では、EIA に気づかずに運動を忌避してしまうことがある。EIA が起こることなく運動や日常生活を送れるように、EIA の機序や特徴を理解し、適切な指導や対応を行うことが求められる（web 表 12-1）。

1）EIA の病態・機序

　EIA の発生機序はいまだ不明な点も少なくないが、その成因は運動時の換気増大や口呼吸による気道の冷却（heat loss）と水分喪失（water loss）に伴う気道上皮の浸透圧の上昇が刺激となり、化学伝達物質や炎症性メディエーターが遊離され気道平滑筋収縮が生じると考えられている[7,8]。FeNO が上昇していると EIA を起こしやすいと報告[9,10]されることか

ら、気道の慢性炎症が関与していることが考えられる。また、気道過敏性が亢進していると EIA が起こりやすいが、トップアスリートのように過度の運動を継続することが気道過敏性を亢進させる可能性もある[11]。

2）EIA の診断

運動に伴って咳、喘鳴、呼吸困難が出現する場合には EIA を疑う。患者の症状、日常生活状況を把握する方法として C-ACT[12] や JPAC[13]、Best ACT-P[14] を活用し（web 表7-2）、走りまわったり階段を駆け上がったりしたときに咳き込んだり息苦しくなることがないかを具体的に質問すると有用である。運動負荷試験などで FEV_1 や PEF の最大低下率（Max ％ fall）が一定基準値以上を示せば診断は確定できる[1]（第5章参照）。なお、鑑別疾患として、VCD や過換気症候群などが挙げられる[1]（第2章参照）。

3）EIA の臨床的意義

EIA の有無を把握することは喘息のコントロール状態を評価する上で重要であり、治療の効果判定や見直しの指標として活用できる。適切な治療により EIA がコントロールされると、運動嫌いと考えられていた児が活発に運動に参加するようになり、周囲の評価が一変することもある[15]。

4）EIA の予防（表 12-3）

喘息児において、EIA の予防には**表 12-3**[2,16~21]に示すような対応が有用であり、患者ごとに最適な対策を試みる。特に日常の運動で EIA を繰り返す症例では、まず長期管理薬についてアドヒアランスを含めて再評価する。

5）アスリートと喘息

(1) アスリート喘息

過酷な環境下で過度の換気を必要とする運動競技者（アスリート）では、気道上皮傷害を反復することで気道過敏性の亢進や気道リモデリングを生じ、気管支収縮によって喘息症状を呈することがある[11]。気道過敏性亢進のリスクとなる競技として、競泳や冬季スポーツ（クロスカントリーなど）が知られている[11]。競泳については、世界選手権やオリンピック競技大会に参加する選手の約 20％に喘息もしくは気道過敏性亢進を認め、他の水中競技と比較してその頻度が高いことが報告されている[22]。塩素による気道上皮傷害とともに、競泳における持続的運動という側面が関与していると考えられる。アスリート喘息に対する管理においてもウォーミングアップや運動前薬物投与が有用であるが、ICS などの長期管理薬による気道炎症の安定化を図る[2,23~25]。

表 12-3　EIA の予防に効果的な対応

1. ウォーミングアップ[*1]
2. 薬剤による予防
   1) 長期管理薬の再評価[*2]
   2) 短時間作用性吸入 β_2 刺激薬（SABA）[*3]
   3) ロイコトリエン受容体拮抗薬（LTRA）[*4]
   4) クロモグリク酸ナトリウム（DSCG）[*5]
3. そのほかの予防法
   1) マスクの使用[*6]
   2) 普段からのトレーニング[*7]

[*1]：EIA には不応期の存在が知られ、10〜20 分程度のウォーミングアップを行うと、目的とする運動の際に EIA が軽くなる[16]。
[*2]：EIA の発現は喘息のコントロール不良を示すものであり、長期管理薬が適切に使用されていない可能性が示唆されるため、治療内容の再検討を行うことが望ましい[17]。
[*3]：運動負荷の 15 分前に SABA の吸入を行うと、EIA が抑制される[18]。長時間にわたり運動を継続あるいは反復する場合は、LABA（ICS/LABA として）の吸入も可能である[18]。
　　運動負荷 60 分前の経口 β_2 刺激薬によっても、EIA が抑制される[18]。
　　SABA の連用は気道過敏性を亢進させるとの報告もあることから、その使用は長期管理薬導入時のできるだけ短期間にして、トレーニング効果をもたらすことにより自然な形で運動に親しめるように指導する。
[*4]：LTRA は EIA の予防効果を示す[19]。
[*5]：DSCG を運動の 15 分前に吸入すると、運動負荷後の FEV_1 や PEF の最大低下率が抑制される[20]。
[*6]：マスクの着用は、空気の入口部の湿度と温度を保持することによって気道からの水分喪失を防止し EIA を予防する。吸気に困難さを訴える場合があるので、個々の症例により検討すべきである[21]。
[*7]：適切な運動を継続することにより FEV_1 や FVC に差は認められないものの、最大酸素摂取量、最大心拍数や患者 QOL が向上する[16]。

(2) アンチ・ドーピング機構における禁止薬と除外措置について

　喘息治療薬には世界アンチ・ドーピング機構（WADA）により使用禁止となっている薬剤や、禁止表に含まれる薬剤であっても治療目的や投与経路に除外規定が設けられている薬剤がある。国民体育大会などでは、治療目的使用に係わる除外措置（TUE）を申請する必要があり、緊急時など以外は治療開始前の事前申請が必要であり、スパイロメトリーや気道可逆性試験などの客観的な診断が義務付けられている。web 表 12-2 に世界アンチ・ドーピング機構における薬剤の取り決めをまとめた。2015 年の規程改定により、競技者、サポートスタッフ、協会に対して、より厳格な責任が課せられるようになっており、最新の情報は JADA web サイト（http://www.playtruejapan.org/）で確認できる。プロカテロール吸入や β_2 刺激薬の内服・貼付は原則使用が認められていない点、漢方薬は禁止物質を含有することがあるが TUE は申請できない点に注意する。

3. 予防接種

1) 予防接種ガイドラインにおける日本小児アレルギー学会の見解

　日本小児アレルギー学会はアレルギーを有する児に対する予防接種について、「気管支喘息、アトピー性皮膚炎、アレルギー性鼻炎、じんましん、アレルギー体質などだけでは、接

種不適当者にはならない。接種液の成分に対してアレルギーを呈するおそれのある者が接種要注意者である」との見解を示しており、予防接種ガイドライン（2019 年 3 月改訂）にも引用されている[26]。また、米国小児科学会では「喘息など慢性疾患を有する小児は、感染症罹患で重篤な症状や合併症を来す可能性が高い。特段の禁忌事項に該当しなければ、健常児に勧められているワクチンは接種されるべきである」[27]としている。

2）喘息児への接種時の注意点

注意事項として、ステロイド薬による治療を受けている児が挙げられる[28]。

・ICS の吸入は、通常、生ワクチン接種の禁忌となるほどの免疫抑制状態にはならない。

・連日あるいは隔日の少量あるいは中等量の全身性ステロイド薬投与（プレドニゾロン換算で 2 mg/kg/日未満）の場合は、治療中であっても生ワクチンの接種は可能であり、周囲の流行状況などを参考に接種を考慮する。

・連日あるいは隔日の大量の全身性ステロイド薬投与（プレドニゾロン換算で 2 mg/kg/日以上）の場合は、14 日以上服薬中の者には生ワクチン接種は禁忌となるが、投与開始から 14 日未満であれば、投与終了後に生ワクチン接種が可能であり（あるいは終了後 2 週間経過するまで接種を延期）、周囲の流行状況などを参考に接種を考慮する。

また、米国小児科学会は、「鶏卵アレルギーがあっても通常通りインフルエンザワクチン接種が可能であり、ワクチン接種前に鶏卵アレルギーの有無を確認する必要はない」としている[29]。

4. 手術時の対応

喘息の管理・治療がこの 20 年間で大きく改善したことで周術期の気管支攣縮の頻度は減少し、最近では 2.2〜5.7％に認められたにすぎない[30]とする報告がある一方で、一旦術中に気管支攣縮が発症すると生命を脅かす可能性があるため[31]、詳細かつ慎重な注意が周術期全体を通じて必要となる。

周術期の呼吸器系有害事象の誘因として、外科的侵襲自体、麻酔処置に伴う気道の直接操作、迷走神経刺激、脊椎麻酔など交感神経遮断状態をもたらす状況、麻酔薬のヒスタミン遊離作用などがある[32]。実際に、全身麻酔以外の脊椎麻酔、扁桃腺やアデノイド周囲への浸潤麻酔でも術中・術後の呼吸器系有害事象を生じる。さらに、術前に症状が出現することもあり、手術を迎える児や家族の心理的な負担にも配慮する。全身麻酔を受けた小児を対象とした検討では、①呼吸器疾患の既往歴（運動中の咳嗽や喘鳴、過去 12 か月に 3 回を超える喘鳴、夜間の乾性咳嗽、湿疹）、②現在または最近（2 週間以内）の上気道感染、③家族の 2 人以上に喘息、アトピー性皮膚炎、喫煙の既往歴が、周術期の気管支攣縮を含む呼吸器系有害事象の危険因子であったことが報告されている[33]。小児の外科手術に際し、喘息やアレル

ギーの危険因子を見出すためのチェックリストの一例を web 表 12-3 に掲載した。

1）術前の評価

(1) 問診

　術前の問診を詳細に行うことはコントロール不良の患者を同定するのに必須である[34]。喘息コントロール状況に加えて、2週間以内の急性上気道炎の症状[33]、周術期における気管支攣縮の既往や全身麻酔時の呼吸器合併症の既往、家族の喫煙による副流煙曝露の有無[35,36]などについて聴取する。

(2) アレルギーの評価

　麻酔や検査に関連する薬物によるアレルギー[37]、ラテックス[38]などの手術用品によるアレルギーにも注意する。特にラテックスが使用される頻度は減少傾向にあるものの[39]、引き続き注意する。

(3) 喘息の重症度

　術中・術後の呼吸器系有害事象誘発には気道過敏性が関係し、喘息の重症度が高いほど症状出現率が高いと推測される。ただし、成人の報告ではあるが、術前の喘息の重症度と術中・術後の呼吸器系有害事象に関連は認めなかったとの報告[40]もあり、軽症でも十分に注意する。呼吸機能検査は周術期の呼吸器合併症リスクを評価できるものではなく[41]、特に若年患者では異常がなくても気道過敏性が亢進している場合があり、過小評価の可能性があることに注意する。

(4) 手術時期（表 12-4）

　症状出現例のすべてで術前8週間以内に急性増悪（発作）が認められた[42]、あるいは症状出現例の88%が術前90日以内に中発作あるいは大発作が起きていた[43]ことより、過去数か月間のコントロール状態を経口ステロイド薬やSABAの使用状況、救急外来受診、臨時受診などで評価し、待機手術であれば喘息治療を見直し、十分にコントロールできたと判断された後に手術のスケジュールを立て直すことが推奨されていた[44]。そのため、JPGL2012までは術前の推奨無発作期間は2〜3か月以上としていたが[45]、積極的にICSが導入されている今日において具体的な無発作期間を推奨するための明確な根拠は乏しく、JPGL2017より「目安として1か月程度の無発作期間をおくことが望ましい」としている。また、2週間以内の発熱、湿性咳嗽、膿性鼻汁など上気道炎症状は麻酔時の気管支攣縮などの発生率が高いため、症状が改善してから2〜3週間以降に手術を延期することが勧められている[33]。いずれにせよ、手術時期の決定は患児の現存症状と手術の緊急性におけるリスクとベネフィットを考慮して症例ごとに検討する。

2）術前のコントロール（表 12-4）

　手術では強い症状誘発刺激が加わることを想定して、無発作期間を作り出すように長期管

表 12-4　喘息児における周術期の対応

1. 手術時期*
   1) 無発作期間（1 か月程度の無発作期間をおくことが望ましい）
   2) 気道感染症（上気道感染 2 週間以内は避ける）
2. 術前のコントロール
   1) 長期管理薬の再評価と術前後の継続
   2) 手術約 30 分前の SABA 吸入の要否検討
   3) 全身性ステロイド薬の使用歴確認（必要に応じてステロイド薬を使用する）
3. 術後の管理
   術後も一貫して急性増悪（発作）を予防

＊：その他、手術の緊急性などを考慮し決定する。

理薬を再評価し、また、可能な限り手術当日の朝や術後も長期管理薬を使用する。手術約 30 分前の SABA 吸入は挿管時の気管支収縮予防効果[46,47]があるため、推奨されている。また、過去 6 か月以内に 2 週間以上の全身性ステロイド薬の使用があるか、長期間高用量の ICS を使用している場合は、術前から全身性ステロイド薬を投与（例えば、ヒドロコルチゾン 2〜3 mg/kg・最大 100 mg/回を 8 時間ごとに静注、もしくは術前にプレドニゾロン 2 mg/kg・最大 60 mg/回を術中に 1 mg/kg 静注）し、術後は 24 時間以内に速やかに減量、中止する[48]。

3）麻酔科医への十分な申し送り（web 表 12-3）

　麻酔科医に、コントロール状況〔重症度、最終の急性増悪（発作）〕、使用薬剤（全身性ステロイド薬、LTRA、β_2 刺激薬、ICS）、その使用量と時期、アレルギー（薬物、ラテックスなど）について申し送る。

4）麻酔における注意

　麻酔科医に委ねる部分ではあるが、小児科医も麻酔に伴う症状誘発因子について理解しておくことは重要である。

(1) **吸入麻酔薬**：気管支拡張作用が強く、気道刺激性の弱いセボフルランが推奨される[49]。

(2) **静脈麻酔薬**：チオペンタールナトリウムはヒスタミン遊離作用や交感神経抑制作用があり、喘息には適当でない。気管支拡張作用のあるケタミン塩酸塩が適している。プロポフォールは大豆由来の脂肪や卵黄レシチンを含有しているが、米国アレルギー・喘息・免疫学会では大豆・鶏卵アレルギーの患者であっても通常通り投与可能としている[50]。なお、プロポフォールに関しては「集中治療における人工呼吸の鎮静においては、小児等には投与しないこと」と添付文書に記載がなされている。

(3) **麻薬**：モルヒネ塩酸塩はヒスタミン遊離作用があるため使用しない。レミフェンタニル塩酸塩は添付文書では喘息患者に対して慎重投与と記載されており、禁忌ではない。

(4) 気道確保：小児の全身麻酔において、気管挿管に比べてラリンジアルマスクは咳嗽の発生率が有意に低いが、経皮酸素飽和度低下や喉頭痙攣の頻度に差は認められなかったと報告されている[51]。術中発作への対処を考えると、確実に気道を確保できる気管挿管による気道確保は重要である。

5）術後管理

　小児にとって術後疼痛管理は重要であり、特に喘息児で疼痛管理が不十分であることはストレス状態から抜管時に症状を誘発することがある[52]。また、麻酔薬で症状が抑制されていた患児が覚醒過程で症状が惹起される可能性もある。術後は気道分泌物の増加が認められ、帰室後に症状を生じることも少なくない。帰室してから一晩は急性増悪（発作）が起きやすい時期であることを認識して、適切なモニタリングを行う。症状が認められた場合には、急性増悪（発作）としての治療を速やかに行う。

5. 災害時に備えて

　災害が発生した場合は、多くの人々が避難所で一時的に過ごすことを余儀なくされるが、特にアレルギー疾患を持つ子どもにとって環境の異なる避難所、災害後の粉塵、ライフラインが復旧しない状況などにより症状が悪化しやすいことが予想される[53,54]。加えて、避難所において行政や周囲の理解や適切な対応が受けられなかった事例が報告されている[55]。また、治療薬、飲料・食料、以下に示すパンフレットなどを含めた災害用備蓄が十分でない場合も想定され[56,57]、患者指導の一環として災害時について日頃から話し合い、災害に備える（表12-5）。日本小児アレルギー学会作成の『災害時のこどものアレルギー疾患対応パンフレット』および『災害派遣医療スタッフ向けのアレルギー児対応マニュアル』、日本小児臨床アレルギー学会作成の『アレルギー疾患のこどものための「災害の備え」パンフレット』が、それぞれの学会のホームページとアレルギーポータルからダウンロード可能である（https://allergyportal.jp）。

1）『災害時のこどものアレルギー疾患対応パンフレット』 （https://www.jspaci.jp/gcontents/pamphlet/）

　日本小児アレルギー学会災害対応ワーキンググループが2011年5月に作成[58]、2017年11月に改訂した。このパンフレットは、ライフラインがまだ完全に復旧していない場所などに避難している患者や保護者のために、喘息、アトピー性皮膚炎、食物アレルギーの3疾患ごとにまとめられている。また、行政担当者用、備蓄のための「非常時に備えて」、避難所に掲示できる分かりやすい啓発ポスターも用意されている。さらに大災害は国外でも発災し得ることでもあり、世界中のアレルギー疾患の小児に対して活用できるように英語版のマニュ

表 12-5 災害への日頃からの備え（喘息用）

- ●災害前の準備
  - ―アクションプランの作成
  - ―予備薬剤の確保（1週間分以上）
    - ・急性増悪（発作）時の薬剤
    - ・長期管理薬
  - ―処方内容の記録（お薬手帳など）
  - ―防塵マスク
  - ―吸入器具
    - ・ネブライザー：電源の確保について
    - ・希望者には、加圧噴霧式定量吸入器 (pMDI) やドライパウダー定量吸入器 (DPI) の使い方を指導
- ●被災後
  - ―環境の変化への対応（ホコリ、煙、ペットなど）
  - ―長期管理薬を忘れないようにする
  - ―どの程度の発作強度になったら医療機関を受診すべきかの確認

アルが作成され、オンラインで入手可能である[59]。

2）『災害派遣医療スタッフ向けのアレルギー児対応マニュアル』
(https://www.jspaci.jp/assets/documents/staff-manual.pdf)

　日本小児アレルギー学会災害対応ワーキンググループは、次の大災害に備えてどのような支援が必要かについて検討を重ね、発災後早期に派遣される DMAT（災害派遣医療チーム）などの医療スタッフがアレルギー児の応急対応を行う際に迅速で適切な処置や指導ができることを目的として、『災害派遣医療スタッフ向けのアレルギー児対応マニュアル』を作成した。災害派遣医療スタッフのみならず、災害拠点病院や救急指定病院の医療スタッフに配布するなどの活用法が勧められる。

3）『アレルギー疾患のこどものための「災害の備え」パンフレット』
(http://jspca.kenkyuukai.jp/special/index.asp?id=28829)

　日本小児臨床アレルギー学会災害対策委員会は、2018年7月に「災害の備え」のために、何をどれくらい準備しておくとよいかをまとめたパンフレットを作成している。災害被害の報告から分かってきた必要な物資や工夫が記載されており、患者や保護者と日頃からの備えについて話し合っておくとよい。

[参考文献]

1) Parsons JP, Hallstrand TS, Mastronarde JG, et al. An official American Thoracic Society clinical practice guideline：exercise-induced bronchoconstriction. Am J Respir Crit Care Med. 2013；187：1016-27.

2) Weiler JM, Brannan JD, Randolph CC, et al. Exercise-induced bronchoconstriction update-2016. J Allergy Clin Immunol. 2016；138：1292-5.e36.

3) 公益財団法人日本学校保健会．平成25年度学校生活における健康管理に関する調査事業報告書．72-140.

4) Godfrey S, Silverman M, Anderson SD. Problems of interpreting exercise-induced asthma. J Allergy Clin Immunol. 1973；52：199-209.

5) Helenius IJ, Tikkanen HO, Haahtela T. Occurrence of exercise induced bronchospasm in elite runners：dependence on atopy and exposure to cold air and pollen. Br J Sports Med. 1998；32：125-9.

6) Adir Y, Bove AA. Can asthmatic subjects dive? Eur Respir Rev. 2016；25：214-20.

7) Anderson SD, Kippelen P. Airway injury as a mechanism for exercise-induced bronchoconstriction in elite athletes. J Allergy Clin Immunol. 2008；122：225-35；quiz 36-7.

8) Hallstrand TS. New insights into pathogenesis of exercise-induced bronchoconstriction. Curr Opin Allergy Clin Immunol. 2012；12：42-8.

9) Nishio K, Odajima H, Motomura C, et al. Exhaled nitric oxide and exercise-induced bronchospasm assessed by FEV_1, $FEF_{25-75\%}$ in childhood asthma. J Asthma. 2007；44：475-8.

10) Scollo M, Zanconato S, Ongaro R, et al. Exhaled nitric oxide and exercise-induced bronchoconstriction in asthmatic children. Am J Respir Crit Care Med. 2000；161 (3 Pt 1)：1047-50.

11) Boulet LP, O'Byrne PM. Asthma and exercise-induced bronchoconstriction in athletes. N Engl J Med. 2015；372：641-8.

12) Liu AH, Zeiger R, Sorkness C, et al. Development and cross-sectional validation of the Childhood Asthma Control Test. J Allergy Clin Immunol. 2007；119：817-25.

13) 西牟田敏之，渡邊博子，佐藤一樹，他．Japanese Pediatric Asthma Control Program（JPAC）の有用性に関する検討．日小ア誌．2008；22：135-45.

14) Sato K, Sato Y, Nagao M, et al. Development and validation of asthma questionnaire for assessing and achieving best control in preschool-age children. Pediatr Allergy Immunol. 2016；27：307-12.

15) 藤澤隆夫．呼吸器疾患の新治療アドエア小児用　小児におけるSFCの使い方．呼吸．2010；29：813-8.

16) Carson KV, Chandratilleke MG, Picot J, et al. Physical training for asthma. Cochrane Database Syst Rev. 2013：CD001116.

17) Koh MS, Tee A, Lasserson TJ, et al. Inhaled corticosteroids compared to placebo for prevention of exercise induced bronchoconstriction. Cochrane Database Syst Rev. 2007：CD002739.

18) Bonini M, Di Mambro C, Calderon MA, et al. Beta$_2$-agonists for exercise-induced asthma. Cochrane Database Syst Rev. 2013：CD003564.

19) 西間三馨，古庄巻史，森川昭廣，他．ロイコトリエン受容体拮抗薬（プランルカスト）のExercise-Induced Bronchospasm（EIB）に対する抑制効果の多施設二重盲検交叉比較試験による検討．日小ア誌．2003；17：210-6.

20) Spooner CH, Spooner GR, Rowe BH. Mast-cell stabilising agents to prevent exercise-induced bronchoconstriction. Cochrane Database Syst Rev. 2003：CD002307.

21) Millqvist E, Bengtsson U, Lowhagen O. Combining a beta$_2$-agonist with a face mask to prevent exercise-induced bronchoconstriction. Allergy. 2000；55：672-5.

22) Mountjoy M, Fitch K, Boulet LP, et al. Prevalence and characteristics of asthma in the aquatic disciplines. J Allergy Clin Immunol. 2015；136：588-94.

23) Schwartz LB, Delgado L, Craig T, et al. Exercise-induced hypersensitivity syndromes in recreational and competitive athletes：a PRACTALL consensus report (what the general practitioner should know about sports and allergy). Allergy. 2008；63：953-61.

24） Carlsen KH, Anderson SD, Bjermer L, et al. Exercise-induced asthma, respiratory and allergic disorders in elite athletes：epidemiology, mechanisms and diagnosis：part I of the report from the Joint Task Force of the European Respiratory Society (ERS) and the European Academy of Allergy and Clinical Immunology (EAACI) in cooperation with GA2LEN. Allergy. 2008；63：387-403.

25） Helenius IJ, Tikkanen HO, Sarna S, et al. Asthma and increased bronchial responsiveness in elite athletes：atopy and sport event as risk factors. J Allergy Clin Immunol. 1998；101：646-52.

26） 予防接種ガイドライン（予防接種リサーチセンター）．予防接種ガイドライン等検討委員会：予防接種要注意者の考え方．2019, p111.

27） American Academy of Pediatrics：Report of the committee on infectious disease,. Red Book 2009 28th ed. 2009：86-7.

28） American Academy of Pediatrics：Report of the committee on infectious disease, Red Book 2009 28th ed. 2009：81-2.

29） Committee On Infectious D. Recommendations for prevention and control of influenza in children, 2019-2020. Pediatrics. 2019；144.

30） Regli A, von Ungern-Sternberg BS. Anesthesia and ventilation strategies in children with asthma：part I - preoperative assessment. Curr Opin Anaesthesiol. 2014；27：288-94.

31） Woods BD, Sladen RN. Perioperative considerations for the patient with asthma and bronchospasm. Br J Anaesth. 2009；103 Suppl 1：i57-65.

32） National Asthma E, Prevention P. Expert panel report 3 (EPR-3)：Guidelines for the diagnosis and management of asthma-summary report 2007. J Allergy Clin Immunol. 2007；120 (5 Suppl)：S94-138.

33） von Ungern-Sternberg BS, Boda K, Chambers NA, et al. Risk assessment for respiratory complications in paediatric anaesthesia：a prospective cohort study. Lancet. 2010；376：773-83.

34） Liccardi G, Salzillo A, Piccolo A, et al. The risk of bronchospasm in asthmatics undergoing general anaesthesia and/or intravascular administration of radiographic contrast media. physiopatology and clinical/functional evaluation. Eur Ann Allergy Clin Immunol. 2010；42：167-73.

35） Skolnick ET, Vomvolakis MA, Buck KA, et al. Exposure to environmental tobacco smoke and the risk of adverse respiratory events in children receiving general anesthesia. Anesthesiology. 1998；88：1144-53.

36） Seyidov TH, Elemen L, Solak M, et al. Passive smoke exposure is associated with perioperative adverse effects in children. J Clin Anesth. 2011；23：47-52.

37） Mertes PM, Laxenaire MC, Lienhart A, et al. Reducing the risk of anaphylaxis during anaesthesia：guidelines for clinical practice. J Investig Allergol Clin Immunol. 2005；15：91-101.

38） Sampathi V, Lerman J. Case scenario：perioperative latex allergy in children. Anesthesiology. 2011；114：673-80.

39） Garvey LH, Ebo DG, Mertes PM, et al. An EAACI position paper on the investigation of perioperative immediate hypersensitivity reactions. Allergy. 2019；74：1872-84

40） 家　研也，吉澤篤人，平野　聡，他．気管支喘息合併全身麻酔症例の周術期発作に関する検討．アレルギー．2010；59：831-8.

41） von Ungern-Sternberg BS, Habre W. Pediatric anesthesia--potential risks and their assessment：part II. Paediatr Anaesth. 2007；17：311-20.

42） 柳川　進．気管支喘息児の全身麻酔　発作予防と術前処置についての検討．日児誌．1995；99：947-53.

43） 松井猛彦，市川邦男，馬場　実．気管支喘息児の術中・術後発作と合併症．日本医事新報．1985：24-9.

44） Burburan SM, Xisto DG, Rocco PR. Anaesthetic management in asthma. Minerva Anestesiol. 2007；73：357-65.

45） 日本小児アレルギー学会．小児気管支喘息治療・管理ガイドライン2012．協和企画，東京．230-40.

46） Scalfaro P, Sly PD, Sims C, et al. Salbutamol prevents the increase of respiratory resistance caused by tracheal intubation during sevoflurane anesthesia in asthmatic children. Anesth Analg. 2001；93：898-902.

47) von Ungern-Sternberg BS, Habre W, Erb TO, et al. Salbutamol premedication in children with a recent respiratory tract infection. Paediatr Anaesth. 2009 ; 19 : 1064-9.

48) Wakim JH, Sledge KC. Anesthetic implications for patients receiving exogenous corticosteroids. AANA J. 2006 ; 74 : 133-9.

49) Regli A, von Ungern-Sternberg BS. Anesthesia and ventilation strategies in children with asthma : part II - intraoperative management. Curr Opin Anaesthesiol. 2014 ; 27 : 295-302.

50) American Academy of Allergy AaI. Soy-allergic and egg-allergic patients can safely receive anesthesia.
https://www.aaaai.org/conditions-and-treatments/library/allergy-library/soy-egg-anesthesia

51) Xu R, Lian Y, Li WX. Airway complications during and after general anesthesia : A comparison, systematic review and meta-analysis of using flexible laryngeal mask airways and endotracheal tubes. PLoS One. 2016 ; 11 : e0158137.

52) Lonnqvist PA, Morton NS. Postoperative analgesia in infants and children. Br J Anaesth. 2005 ; 95 : 59-68.

53) 山岡明子, 阿部　弘, 渡邊庸平, 他. 東日本大震災におけるアレルギー児の保護者へのアンケート調査. 日小ア誌. 2011 ; 25 : 801-9.

54) 山岡明子, 林　千代, 渡邊庸平, 他. 東日本大震災におけるアレルギー児の保護者へのアンケート調査（第3報）　沿岸部の調査（避難所に避難したアレルギー児の検討）. 日小ア誌. 2014 ; 28 : 211-5.

55) 三浦克志, 渡邊庸平, 山岡明子.【東日本大震災とアレルギー疾患】現地活動報告　小児科から　大災害時での小児アレルギーの患者の状況と支援活動. アレルギー・免疫. 2012 ; 19 : 518-25.

56) 福家辰樹, 河原秀俊, 澤柳京子, 他. 小児アレルギー患者をもつ家族への震災時対策に関する意識調査. 小児科臨床. 2014 ; 67 : 66-74.

57) 加藤由希子, 夏目　統, 久保田綾乃, 他. 小児食物アレルギー患者をもつ家族の震災時対策に関する実態調査. 日小臨ア誌. 2019 ; 17 : 11-8.

58) 足立雄一, 藤澤隆夫.【災害時における喘息・アレルギー患児への対応と問題点―東日本大震災での報告と今後への提言―】対応パンフレット　喘息. 日小ア誌. 2011 ; 25 : 742-5.

59) Katsunuma T, Adachi Y, Miura K, et al. Care of children with allergic diseases following major disasters. Pediatr Allergy Immunol. 2016 ; 27 : 425.

第13章

JPGL の今後の課題

第13章 JPGL の今後の課題

要旨

よりよいガイドラインのために検討すべき課題

- 小児気管支喘息の診断・治療に関する質の高い「日本発」のエビデンス
- 乳幼児期の喘鳴疾患と喘息のフェノタイプ解明と診断・治療法の確立
- 思春期・青年期喘息の病態解明と新たな治療指針の確立
- 生物学的製剤の選択基準と適正使用のあり方
- アレルゲン免疫療法の喘息治療における位置づけ
- 気道炎症・呼吸機能の経年変化を評価する客観指標の確立
- 併存アレルギー疾患（アレルギー性鼻炎など）との総合的な診療
- 感染症と喘息の関連の解明と新たな予防・治療法の確立
- アレルギー疾患対策基本法に基づくガイドラインの普及、診療の均てん化と研究推進

JPGL は、わが国における小児気管支喘息（小児喘息）の標準的な管理に治療を提示することにより、喘息死の激減や喘息による入院の減少など、診療レベルの向上と喘息患児のQOL 向上に大きく貢献してきた。

2000 年の初版以来、数年毎の改訂を重ねたが、2017 年版の改訂からは、重要度が高い診療項目について、エビデンスのシステマティックレビュー（SR）とその総体評価、益と害のバランス、わが国特有の医療事情などを考慮した上で推奨を提示する evidence-based medicine（EBM）に基づくガイドラインとして生まれ変わった。公益財団法人日本医療機能評価機構による正式な評価を受けて、Minds ガイドラインライブラリ（https://minds.jc-qhc.or.jp）にも、その要約が掲載されている。

今回の改訂においても、この方針を引き継ぎ、より臨床現場に有用な EBM に基づくガイドラインを目指した。しかしながら、小児喘息の病態の全容とそれに基づく理想的な治療はまだ十分に明らかにされていない。

本章では、残された課題を整理することによって、よりよいガイドラインとしての次期改訂に備えることとする。

1. エビデンスに基づくガイドライン

2017年版では8つのClinical Question（CQ）を挙げて、SRに基づいた推奨を行った。2020年改訂版では、この中から特に重要な6つのCQを引き継ぎ、1つは修正して2つのCQとして明確化し、さらに4つのCQを追加して、12のCQにまとめ、臨床現場の要望に応えることとした。

しかしながら、エビデンスの多くは海外での研究報告によるもので、遺伝因子、環境因子、医療供給体制などが異なるわが国の小児喘息患者にそのまま当てはめることは必ずしも適切でない。最近、日本発のエビデンスが着実に増えてはいるものの、いまだ十分とはいえない。また、診療現場で迷いながら行われている診断や治療選択の多くについても、エビデンスとなる報告が少ないのが現状である。

結果として、今回のガイドラインもエキスパートによるコンセンサスの部分が少なくないが、今後、わが国の小児を対象とした質の高い臨床研究がさらに行われ、より多くのエビデンスを集積していくことが望まれる。

2. 乳幼児喘息

乳幼児期は、小児の喘息が（おそらく複雑なプロセスで）発症する時期であるが、一方、生理学的・解剖学的な特徴によって喘息以外の疾患を背景とした喘鳴を反復しやすい時期でもあることから、診断が容易でないことが長らく問題となってきた。世界的にも明確な診断基準は確立されておらず、反復喘鳴のさまざまなフェノタイプ（phenotype）が提唱されているのみである。

その中で、JPGLは、2017年版より「明らかな24時間以上続く呼気性喘鳴を3エピソード以上繰り返し、β_2刺激薬吸入後に呼気性喘鳴や努力性呼吸・酸素飽和度（SpO_2）の改善が認められる」という比較的明確な基準を示すとともに、「診断的治療」を取り入れて、undertreatmentとovertreatmentのいずれも減らすことを試みることで、一定の成果を上げてきたと考える。また、この時期は病態のheterogeneityが大きいこともわかってきたが、JPGL2017からは「IgE関連喘息」および「非IgE関連喘息」と、あえて単純化した分類を示して多様性を包括するとともに、この二つの概念の下で、新たな病態解明のための研究を進めていく出発点を定めたといえる。

今後は、より客観的な指標に基づいた診断基準が確立されるとともに、病態の解明をさらに進めて、病態に基づいた（endotype-based）治療指針が確立されることが必要である。喘息が発症する時期における適切な治療介入を行うことができれば、喘息の自然歴を修飾して、長期予後の改善も期待できるであろう。

3. 思春期・青年期喘息

　最近、長期コホート研究によって喘息の自然歴についての新しい知見が報告されている。例えば、小児期の呼吸機能低下が成人期、さらに、高齢期まで影響を及ぼしている可能性などが挙げられるが、これらの報告が示しているのは小児期発症の喘息を生涯にわたる疾患として、長期的な視点をもって管理すべきことである。ガイドラインにおいては、JPGL が小児喘息を、日本アレルギー学会による『喘息予防・管理ガイドライン』（JGL）が成人喘息を扱うことになっているが、自然歴を考えれば明らかなように、一人の患者の喘息が 2 期（15 歳まで、15 歳以上など）に分かれるものではなく、治療と管理は連続的に行われなければならない。そこで、今回の改訂では、思春期・青年期喘息の章において、この連続性についてより踏み込んだ記載を行った。すなわち、「小児期から継続して治療している患者が思春期後期（および青年期）になっても、一貫性のある治療を継続することが重要である」とした。

　実際の薬物療法では、JPGL が 15 歳まで、JGL が 15 歳以上の薬物療法プランを提示しているため双方を参照するが、基本的には同程度の症状・頻度に対しての推奨される治療内容は同等なので、ある年齢に達して全く異なる治療に移行するのではないこと、すなわち連続性は保たれていることも強調した。しかしながら、実際には二つのガイドラインを参照するという煩雑さがあり、いまだあるべき「連続的な治療指針」になっていないのが事実である。JGL における成人喘息に対する薬物療法のエビデンスは、中年以上の患者を対象とした臨床研究の結果に基づくものが多く、思春期・青年期のデータは乏しい。一方、JPGL の薬物療法プランも 6～15 歳の年代を一つにまとめているが、学童と思春期後半では異なる可能性がある。そして、思春期・青年期には喘息の自然寛解と重症化という相反現象が共存し、呼吸機能はこの年齢でピークに達した後に加齢とともに低下が始まるなど、特有の病態が想定される。

　また、GINA の 2019 年における改訂では、思春期・青年期以降の喘息管理として SABA 単独の治療を明確に否定して、軽症喘息に対する発作時のみの頓用でも ICS/ホルモテロール配合剤の使用（あるいは SABA 吸入時に ICS 吸入併用）を推奨した[1]。わが国では、これまで JPGL、JGL はともに、より軽症から ICS を中心とした長期管理投与を推奨しており、今回の GINA の考え方を先取りしてきた。しかし、ICS/ホルモテロール配合剤についてはわが国で市販されている 2 製剤ともに頓用だけでの使用には保険適用がなく、ガイドラインでも記載していない。わが国での適応とガイドラインでの記載については今後の検討となろう。

　思春期・青年期のエビデンスに基づいた治療指針の確立のために、さらなる研究の発展が望まれる。

4. 生物学的製剤

喘息の病態解明が進み、Th2型炎症を形成する分子を標的とした生物学的製剤が利用可能となり、高用量ICSでもコントロールが困難であった重症喘息に画期的な効果を得られるようになった。現在、小児に適応のあるヒト化抗IgEモノクローナル抗体（オマリズマブ；6歳以上）、ヒト化抗IL-5モノクローナル抗体（メポリズマブ；6歳以上）、ヒト型抗IL-4/IL-13受容体モノクローナル抗体（デュピルマブ；12歳以上）、ヒト化抗IL-5受容体αモノクローナル抗体（ベンラリズマブ；15歳以上）の他にも、さまざまな分子を標的とした薬剤の開発が進んでいる。重症喘息患者にはまさに朗報といえる。本ガイドラインでは「治療ステップ4の基本治療を行ってもコントロールが得られない場合」には、あらためて鑑別診断を行い、他の疾患が鑑別できれば「難治性喘息」として、薬物療法以外の介入を十分に行い、それでもコントロール困難な場合に「真の重症喘息」として生物学的製剤を含む薬物療法の強化を考慮する。

しかし、どのような患者にどのような薬剤を選択するかについては、参考とすべきバイオマーカーがいまだ十分に明らかにされていない。現在の薬剤はいずれもTh2型炎症の経路を抑制するものであるが、その中でも多様性があるはずであるが個別の病態と薬剤適応のエビデンスは不足している。また、効果が得られた場合の中止基準と中止時期も明らかではない。これらの薬剤は病態メカニズムの上流に作用することから、重症化のリスクが高い症例への進展予防として投与することの妥当性も知りたいところであるが、非常に高価な薬剤であるため適正使用には一層の留意が求められる。

これらの課題解決のためには、今後の研究の進歩に期待するだけでなく、臨床現場での注意深い使用経験の積み重ねも重要である。本改訂では、生物学的製剤使用に際して、評価すべき項目とそのチェックリストを提示した。生物学的製剤を使用するすべての医師がデータを着実に集積していくことが次の進歩につながるはずである。

5. アレルゲン免疫療法の可能性

アレルゲン免疫療法は病因アレルゲンに対する免疫応答を修飾することにより、症状の緩和だけでなく、アレルギー疾患の自然経過を変え得る可能性があるため、その臨床的な意義はICSを中心とした薬物療法とは異なる。アレルゲン免疫療法により、アレルゲン特異的Th2型免疫応答の緩和、Th1型免疫応答の誘導、制御性T細胞の誘導、アレルゲン特異的IgG_4抗体の産生などが期待できることが明らかになっている。

わが国の小児喘息の多くはダニが主要アレルゲンであり、ダニアレルゲン皮下免疫療法は保険適用があって、臨床効果のエビデンスも高い。しかし、わが国におけるアレルゲン皮下免疫療法の歴史は長いものの、当初は標準化されていない低濃度のアレルゲンが用いられて

いたことや効果発現が緩徐であること、より効果の高い ICS が普及したことで、ほとんど行われなくなり、ダニの標準化アレルゲンが使用可能となった現在も普及していないのが現実である。

最近は、より安全性の高い舌下免疫療法（ダニアレルゲン、スギアレルゲン）がアレルギー性鼻炎に対する治療として普及してきているが、わが国では喘息に対しては保険適用がない。海外のエビデンスはダニアレルゲンを用いた舌下免疫療法が小児喘息に有効であることを示しているので、わが国でも十分なエビデンスを積み重ねて、保険適用されることが望まれる。

アレルゲン免疫療法の課題は、1）ダニアレルゲン舌下免疫療法の喘息への適応、2）その他の治療用標準化アレルゲンの開発、3）アレルゲン免疫療法の小児喘息の長期予後への効果の解明、などである。

6. バイオマーカー

現在、喘息の治療の選択は、臨床症状から重症度とコントロール状態を評価することで行われるが、気道炎症の病態を反映するバイオマーカーを参考にすることによって、より精度の高い治療が可能となるはずである。本ガイドラインでは、第 5 章で現在利用可能なバイオマーカー〔好酸球数、呼気中一酸化窒素濃度（FeNO）や呼吸機能など〕について、その臨床応用のエビデンスを解説したが、実際には 2017 年版以来、この分野については大きな進展がない。

生物学的製剤の適応に関連して、末梢血好酸球数が注目されているが、小児において明確な基準はまだ確立されていない。FeNO は比較的容易に測定できるが、喘息の診断や治療経過のモニタリングにおける有用性のエビデンスは十分とはいえない。強制オシレーション法についても、判定基準は確立しておらず、引き続き検討が必要である。ペリオスチンなどの新しいバイオマーカーの研究も必要である。

スパイロメトリーは喘息の評価のゴールドスタンダードというべきものであり、最近、長期にわたる呼吸機能の変化に関する報告が増えている。そこで、今後はこれらのエビデンスをよく理解して、小児の喘息であっても、成人期以降を見通した評価を考えていかなければならない。呼吸機能の長期経過やフェノタイプ分類、それを早期に予測できるバイオマーカーの確立、どのような児に対して、いつから、どのような薬剤を使用することにより予後の改善が期待できるのかなど課題は多い。そのためには、真の病態であるエンドタイプが解明されなければならない。これまで病態に関わる多くの分子が明らかにされてきたが、これらを個々ではなく、ネットワークとして包括的に解析する手法、すなわちシステムバイオロジーによるアプローチがブレイクスルーにつながるだろう。

7. トータルケアとしての喘息診療

本学会初代理事長であり、最初のJPGL作成に関わった馬場実は小児アレルギー疾患を「アレルギーマーチ」として総合的にとらえ、併存するアレルギー疾患のトータルケアを世界で初めて提唱した。これまでJPGLは喘息の治療・管理に特化して、合併疾患は記載するのみとしてきたが、本改訂では馬場の本旨に立ち返り、多くの喘息児に合併しコントロール悪化にもつながるアレルギー性鼻炎については、喘息と並行して診療するように、一歩踏み込んだ記載とした。すなわち、喘息の初診時からアレルギー性鼻炎に関する問診や検査を行うこと、治療も『鼻アレルギー診療ガイドライン』に準拠して並行して行うことである。当然ながら、必要な場合には耳鼻咽喉科医と連携し、特に重症例は紹介すべきであるが、小児アレルギー疾患のトータルケアとしての考え方は重要である。

しかしながら、この分野についても二つのガイドラインを参照する必要があり、喘息とアレルギー性鼻炎の治療の相互関係（効果と副作用など）については、いまだ不明の点が多い。"One airway, one disease" という考え方もあるが、一つの疾患としての治療効果のエビデンスは十分でなく、今後の検討が必要である。

8. 感染症と喘息

ヒトライノウイルスなどのウイルス呼吸器感染が喘息の増悪を引き起こすことはよく知られているが、一般的に感冒のウイルスとして扱われ、特別な感染対策が行われることはなかった。しかし、これらの呼吸器感染症は時にパンデミックを起こし、喘息発作の増加や重症化につながる。2009年のインフルエンザH1N1pdmウイルスのパンデミックでは、喘息はインフルエンザの重症化リスクが高い基礎疾患の一つとして注目された[2]。感染の影響による著しい喘息増悪も経験された。全身性ステロイド薬の効果があったこと、抗インフルエンザ薬が治療薬として存在していたことから入院患者は増加したものの死亡例の増加が顕著でなかったことは幸運であった。2015年の秋にはエンテロウイルスD68の流行に伴って小児の喘息発作入院が全国的に急増した。日本小児アレルギー学会の緊急調査でその疫学的関連性が証明されたが[3]、今後も感染症流行に伴う喘息発作のアウトブレイクは起こり得る。このような状況に際して迅速な対応を可能とするためには、感染症サーベイランスに連動した喘息発作サーベイランスシステムの構築が必要である。

このガイドラインが発刊される2020年には世界中に大きな混乱を招いた新型コロナウイルス感染症（COVID-19）のパンデミックが起きた。基礎疾患としての喘息の重症化リスクが懸念されたが、世界からの8報告のまとめで、COVID-19患者（年齢中央値46〜63歳）の喘息合併率はその地域の喘息有病率より少なく、重症化とも相関がなかったと報告された[4]。しかし、18〜49歳の年齢層では喘息の基礎疾患が多かったという別の報告がある[5]。

小児についてはデータがないため、今後の検討が必要である。過剰な警戒は不要としても、日常の喘息のコントロールレベルを良好に保つことの重要性は変わらない。

一方、COVID-19は確立された治療法がなく、無症候性患者からの感染伝播の可能性もあることから、喘息診療でも院内感染リスクを下げるための対策が求められた。日本小児アレルギー学会は、「COVID-19流行期における喘息発作に対するネブライザー使用時の注意喚起」を発出し、エアロゾルを介した感染のリスクを考慮して、喘息発作治療にはネブライザーではなく、pMDI（＋スペーサー）を用いることが望ましいと提言した[6]。日本呼吸器学会は、「新型コロナウイルス感染症流行期における呼吸機能検査の実施について」として、エアロゾル発生のリスクについて注意喚起して、COVID-19の疑われる臨床症状があれば検査を中止して、集団検診など不急の場合には実施の可否について慎重に対応することを提案した[7]。しかし、いまだ「エアロゾル発生のリスク」についてのエビデンスはなく、今後明らかにしていかなければならない。COVID-19流行という新たな問題は、感染症流行時の喘息診療体制のあり方について、喘息の増悪予防だけでなく、院内感染予防という面からも再検討を迫ったといえよう。

9. アレルギー疾患対策基本法に基づく診療の均てん化と研究推進

アレルギー疾患対策基本法は2014年6月に公布、2015年12月に施行され、国としてのアレルギー疾患対策が進んでいる。その第1条には基本となる考え方が以下のように述べられている。「この法律は、（中略）アレルギー疾患が国民生活に多大な影響を及ぼしている現状（中略）に鑑み、アレルギー疾患対策の一層の充実を図るため、アレルギー疾患対策に関し、基本理念を定め、国、地方公共団体、医療保険者、国民、医師その他の医療関係者及び学校等の設置者又は管理者の責務を明らかにし、（中略）アレルギー疾患対策を総合的に推進することを目的とする」

このように、アレルギー疾患対策をすべての関係者の責務と位置づけて、法律に基づいて進めると謳ったことは画期的であり、世界でも類をみない。そして、同法に基づいて、「アレルギー疾患対策の推進に関する基本的な指針」、「免疫アレルギー疾患研究10か年戦略」も示され、医療と研究の両面での施策が進んでいるところである。

本ガイドラインはまさに基本法に沿って作成しているが、法の趣旨という面から、今後、解決すべき課題も少なくない。第一はガイドラインのさらなる普及と喘息診療の均てん化である。薬物療法の進歩により、多くの小児喘息がコントロール可能になった。しかしながら、進歩の恩恵を享受できていない喘息児も少なくない。例えば、軽度の喘息症状が毎日あっても入院に至るほど重症でないために「いつものこと」として、患者だけでなく、医師も積極的に介入していない例がある。また、学校での体育などでEIAを頻繁に起こすが、これも「いつものこと」と軽視したり、「運動しなければ大丈夫」などといって、適切な治

療がされていない例がある。これらは、ガイドラインのメッセージが、患者ならびに医師ともに届いていないことを意味する。医療界だけでなく、学校や社会にさまざまな啓発活動を行って、ガイドラインの普及を図らなければならない。

2020年はCOVID-19流行に際してオンライン診療が時限的な措置として認められたが、この新しい診療スタイルも均てん化推進やアドヒアランスの向上に役立つ可能性を有しており、積極的に検討を進めるとよいであろう。

第二は研究の推進である。前述のように、ガイドラインの基礎となるエビデンスは海外のものが多いので、日本の喘息児を対象とした良質な臨床研究が必要である。また、個別の治療だけでなく、社会的な施策として進めるためには、良質な疫学研究も欠かせない。これら日本のエビデンスを得るためには、研究予算をはじめとした研究基盤の整備とともに臨床研究・疫学研究に関わる人材の育成も必要である。

ガイドラインは、良質なエビデンスをまとめて治療推奨を行うが、当然ながら完全ではない。ガイドラインで示す「現在の到達点」がこれからの研究の「出発点」になることを願う。

10. よりよい治療を目指して

これまで述べてきたように、小児喘息の診断と治療には多くの未解決課題がある。研究すべきテーマとしては数多くあるが、臨床の現場から研究機関まで、自由な発想の下に広く取り組まれることを望む。表13-1にいくつか例示するが、これらが読者のヒントとなれば幸いである。

表13-1 これからの研究課題の例

早期介入と乳幼児喘息の診断・治療
・乳児期早期からの介入による喘息発症とアレルギーマーチの予防
・反復喘鳴を呈する乳幼児の中から喘息として治療すべき患児を同定する新しいバイオマーカー・診断基準の確立
・低年齢から測定可能な呼吸機能検査の開発
・ウイルス感染で増悪した乳幼児喘息に対する β_2 刺激薬の有効性の検証

長期管理
・長期管理のステップダウンに関するエビデンスの創出
・生物学的製剤選択に有用な新しいバイオマーカーの探索
・Web・デジタル技術を用いたアドヒアランス・治療管理ツールの開発
・非Th2型気道炎症のメカニズム解明と新規バイオマーカーの同定
・喘息コントロールレベルの国際比較：諸外国と異なるJPGL治療基準の妥当性の検証

長期予後
・小児喘息の長期予後：出生から老年期に至るまでの長期コホート研究
・青年期に1秒量が正常域に達しない「肺の発育不良」のメカニズムとリスク因子の解明
・難治性喘息のレジストリー構築、疫学的実態解明と重症化予測因子の解明

[参考文献] --

1）Global Strategy for Asthma Management and Prevention (2019 update). Global Initiative for Asthma. 2019.

2）Obuchi M, Adachi Y, Takizawa T, et al. Influenza A (H1N1) pdm09 virus and asthma. Front Microbiol. 2013；4：307.

3）Korematsu S, Nagashima K, Sato Y, et al. "Spike" in acute asthma exacerbations during enterovirus D68 epidemic in Japan：A nation-wide survey. Allergol Int. 2018；67：55-60.

4）Matsumoto K, Saito H. Does asthma affect morbidity or severity of Covid-19? J Allergy Clin Immunol. 2020；146：55-7.

5）Garg S, Kim L, Whitaker M, et al. Hospitalization Rates and Characteristics of Patients Hospitalized with Laboratory-Confirmed Coronavirus Disease 2019 - COVID - NET, 14 States, March 1-30, 2020. MMWR Morb Mortal Wkly Rep. 2020；69：458-64.

6）日本小児アレルギー学会．COVID-19流行期における喘息発作に対するネブライザー使用時の注意喚起．https://www.jspaci.jp/uploads/2020/03/CoVID-19_nebulizer_jspaci_20200330.pdf.

7）日本呼吸器学会．新型コロナウイルス感染症流行期における呼吸機能検査の実施について．https://www.jrs.or.jp/uploads/uploads/files/information/20200327_statement.pdf.

第14章

主な抗喘息薬一覧表

第14章 主な抗喘息薬一覧表

薬剤一般名・商品名	剤形・用法	禁忌・副作用など
吸入ステロイド薬 シクレソニド ciclesonide ●オルベスコ (HFA-CIC) Alvesco（帝人ファーマ）	オルベスコ 50 μg インヘラー 112 吸入用オルベスコ 100 μg インヘラー 56 吸入用 オルベスコ 100 μg インヘラー 112 吸入用 オルベスコ 200 μg インヘラー 56 吸入用 通常、小児にはシクレソニドとして 100〜200 μg を 1 日 1 回吸入投与する。なお、良好に症状がコントロールされている場合は 50 μg 1 日 1 回まで減量できる 詳細は第 7 章参照	**禁忌**：有効な抗菌剤の存在しない感染症、深在性真菌症の患者、本剤の成分に対して過敏症の既往歴のある患者 **原則禁忌**：結核性疾患の患者 **副作用**：呼吸困難、嗄声、発疹、尿中タンパク、気管支痙攣、肝機能検査値異常〔AST（GOT）・ALT（GPT）の上昇〕
ベクロメタゾンプロピオン酸エステル beclometasone dipropionate ●キュバール (HFA-BDP) Qvar（大日本住友製薬）	吸入用エアゾール：1 回噴霧が 50 μg、100 μg の 2 剤形 【小児】1 回 50 μg、1 日 2 回吸入、最大 200 μg/日 【成人】1 回 100 μg、1 日 2 回吸入、最大 800 μg/日 詳細は第 7 章参照	**禁忌**：有効な抗菌薬の存在しない感染症、全身真菌症、本剤過敏症 **原則禁忌**：結核性疾患の患者 **副作用**：咳、尿糖、悪心、γ-GTP 上昇、嗄声、AST（GOT）・ALT（GPT）上昇、鼻出血、コルチゾール減少
ブデソニド budesonide ●パルミコート吸入液 Pulmicort Respules （アストラゼネカ） (後)ブデソニド	吸入液：通常、成人にはブデソニドとして 0.5 mg を 1 日 2 回または 1 mg を 1 日 1 回、ネブライザーを用いて吸入投与する。なお、症状により適宜増減するが、1 日の最高量は 2 mg までとする。通常、小児にはブデソニドとして 0.25 mg を 1 日 2 回または 0.5 mg を 1 日 1 回、ネブライザーを用いて吸入投与する。なお、症状により適宜増減するが、1 日の最高量は 1 mg までとする 詳細は第 7 章参照	**禁忌**：有効な抗菌剤の存在しない感染症、深在性真菌症の患者、本剤の成分に対して過敏症（接触性皮膚炎を含む）の既往歴のある患者 **原則禁忌**：結核性疾患の患者 **副作用**：口腔咽頭症状（不快感、疼痛）、カンジダ症、精神運動亢進、口腔カンジダ症、咽喉頭疼痛、口唇炎、口内炎、皮膚炎、接触性皮膚炎、気管支炎、喘息、上気道の炎症

●吸入ステロイド薬／β刺激薬配合剤

	薬剤一般名・商品名	剤形・用法	禁忌・副作用など
吸入ステロイド薬	ブデソニド budesonide ●パルミコートタービュヘイラー **Pulmicort Turbhalr** （アストラゼネカ）	タービュヘイラー（100 μg、200 μg の2剤形）：通常、成人には、ブデソニドとして1回100〜400 μg を1日2回吸入投与する。なお、症状に応じて増減するが、1日の最高量は1,600 μg までとする。 通常、小児には、ブデソニドとして1回100〜200 μg を1日2回吸入投与する。なお、症状に応じて増減するが、1日の最高量は800 μg までとする。また、良好に症状がコントロールされている場合は100 μg 1日1回まで減量できる 詳細は第7章参照	**禁忌**：有効な抗菌剤の存在しない感染症、深在性真菌症の患者、本剤の成分に対して過敏症（接触性皮膚炎を含む）の既往歴のある患者 **原則禁忌**：結核性疾患の患者 **副作用**：嗄声、咽喉頭症状（刺激感、疼痛）、咳嗽、口腔カンジダ症、悪心など
	フルチカゾンプロピオン酸エステル fluticasone propionate ●フルタイド **Flutide** （グラクソ・スミスクライン）	ロタディスク：50 μg、100 μg、200 μg ディスカス：50 μg、100 μg、200 μg エアゾール：50 μg、100 μg 用量：小児1回50 μg、1日2回吸入（最大200 μg/日）。成人1回100 μg、1日2回吸入（最大800 μg/日） 詳細は第7章参照	**禁忌**：有効な抗菌薬の存在しない感染症、深在性真菌症、本剤過敏症 **原則禁忌**：結核性疾患の患者 **副作用**：（重大）アナフィラキシー、（その他）口腔および咽喉頭症状（不快感、むせ、疼痛、刺激感、異和感）、口腔内カンジダ症、嗄声、口内乾燥、悪心、胸痛、血中コルチゾール減少、副鼻腔炎
吸入ステロイド薬・β刺激薬配合剤	サルメテロールキシナホ酸塩・フルチカゾンプロピオン酸エステル配合剤 Salmeterol xinafoate/fluticasone propionate ●アドエア **Adoair** （グラクソ・スミスクライン）	100ディスカス：（サルメテロール）50 μg/（フルチカゾン）100 μg 50エアゾール：（サルメテロール）25 μg/（フルチカゾン）50 μg 小児には、症状に応じて以下のいずれかの用法・用量に従い投与する。 ・50エアゾール1吸入（サルメテロールとして25 μgおよびフルチカゾンプロピオン酸エステルとして50 μg）を1日2回吸入投与 ・50エアゾール2吸入または100ディスカス1吸入（サルメテロールとして50 μおよびフルチカゾンとして100 μg）を1日2回吸入投与 詳細は第7章（表7-8、表7-9）参照	**禁忌**：有効な抗菌薬の存在しない感染症、深在性真菌症の患者、本剤の成分に対して過敏症（接触性皮膚炎を含む）の既往歴のある患者 **原則禁忌**：結核性疾患の患者 **副作用**：（重大）ショック、アナフィラキシー、血清カリウム値低下、肺炎、（その他）嗄声、口腔カンジダ症、頭痛、口腔咽頭カンジダ症、口腔および咽頭刺激感（異和感、疼痛、不快感など）、振戦、肝機能検査異常、鼻炎、感染症

第14章　主な抗喘息薬一覧表

233

●吸入ステロイド薬／β刺激薬配合剤／ロイコトリエン受容体拮抗薬

	薬剤一般名・商品名	剤形・用法	禁忌・副作用など
吸入ステロイド薬・β刺激薬配合剤	ホルモテロールフマル酸塩水和物・フルチカゾンプロピオン酸エステル配合剤 Formoterol fumarate hydrate/fluticasone propionate ●フルティフォーム Flutiform(杏林)	50 エアゾール：ホルモテロール5 μg/フルチカゾン50 μg 通常、小児には、フルティフォーム50 エアゾール（ホルモテロールとして5 μgおよびフルチカゾンとして50 μg）を1回2吸入、1日2回投与する。 症状の緩解がみられた場合は、治療上必要最小限の用量を投与し、必要に応じて吸入ステロイド薬への切り替えも考慮すること 詳細は第7章参照	禁忌：有効な抗菌剤の存在しない感染症、深在性真菌症、本剤過敏症、デスモプレシン酢酸塩水和物を投与中 副作用：（重大）ショック、アナフィラキシー、血清カリウム値低下、肺炎、（その他）嗄声、口腔・呼吸器感染症、口腔・咽喉頭症状（疼痛、不快感）、喘息、口内炎、不整脈、動悸、CK増加、口腔内乾燥、心電図異常、高血圧、γ-GTP増加、ALT増加、血中ビリルビン増加、振戦、めまい、発疹・蕁麻疹、血中コルチゾール減少、白血球数増加、倦怠感、筋痙縮、胸部不快感、咳嗽、味覚異常
ロイコトリエン受容体拮抗薬	プランルカスト水和物 pranlukast hydrate ●オノン Onon(小野薬品工業) (後)プランルカスト	カプセル(112.5 mg)、ドライシロップ(10 %)：1日7 mg/kg(1日450 mgを超えないこと)、2回(朝夕食後)に分服 詳細は第7章参照	禁忌：本剤過敏症 副作用：（重大）ショック、アナフィラキシー、間質性肺炎、好酸球性肺炎、横紋筋融解症、白血球減少、血小板減少、肝機能障害、（その他）嘔気、発疹・瘙痒など、肝機能異常〔AST(GOT)・ALT(GPT)の上昇など〕、腹痛・胃部不快感、下痢、蕁麻疹、頭痛、眠気、嘔吐、ビリルビン上昇
	モンテルカストナトリウム montelukast sodium ●シングレア Singulair(MSD) ●キプレス Kipres(杏林製薬) (後)モンテルカスト	錠(10 mg)：成人に1日1回就寝前 チュアブル錠(5 mg)：6歳〜15歳の小児に1日1回就寝前 細粒(4 mg)：1歳〜5歳の小児に1日1回就寝前 詳細は第7章参照	禁忌：本剤過敏症 副作用：（重大）アナフィラキシー、血管浮腫、劇症肝炎、中毒性表皮壊死融解症、血小板減少、（その他）蕁麻疹様皮疹、浮動性めまい、悪心、嘔吐、頭痛、チック、湿疹、多形紅斑、蕁麻疹、潮紅、尿中タンパク陽性、月経障害、感情不安定、白血球数増加あるいは減少、総タンパク増加、血中ビリルビン増加、血中CK(CPK)増加、血中尿素増加、尿中ウロビリン陽性、消化不良、鼓腸、総ビリルビン上昇、下痢、腹痛、嘔気、胸やけ、肝機能異常〔AST(GOT)・ALT(GPT)、Al-P、γ-GTP上昇〕、皮疹、瘙痒、傾眠、胃不快感、口渇、尿潜血、動悸、胃腸炎、尿タンパク、咽頭乾燥、口腔咽頭不快感、紫斑、運動過多、成長障害、便習慣変化、異夢、睡眠障害、LDH増加、発疹、皮膚乾燥

●化学伝達物質遊離抑制薬／ヒスタミンH₁受容体拮抗薬

	薬剤一般名・商品名	剤形・用法	禁忌・副作用など
化学伝達物質遊離抑制薬	クロモグリク酸ナトリウム sodium cromoglicate ●インタール Intal（サノフィ）(後)クロモグリク酸Na、ステリ・ネブクロモリン、リノジェット	吸入液（1％2mL）：1回1A、1日3〜4回、電動式ネブライザーを用い吸入 エアロゾル（2％10mL。1噴霧中1mg、吸入用噴霧容器有）：1回2噴霧、1日4回吸入いずれも、その後、数値を観察しながら、1日2〜3回に減量すること 詳細は第7章（表7-8）参照	禁忌：本剤過敏症 副作用：（重大）PIE症候群、気管支痙攣、アナフィラキシー様症状、（その他）嘔気、咽頭刺激感、咳、咽喉頭痛、悪心
	トラニラスト Tranilast ●リザベン Rizaben（キッセイ薬品工業）(後)トラニラスト	ドライシロップ（5％）、細粒（10％）、カプセル（100mg）：1日5mg/kg、3回分服、なおドライシロップ（5％）については用時懸濁して経口投与（本剤2倍量の水を加えて振り混ぜるとき、均一に懸濁する）	禁忌：本剤過敏症、妊婦（特に3か月以内）または妊娠している可能性のある婦人 副作用：（重大）膀胱炎様症状、肝機能異常、黄疸、腎機能障害、白血球減少、血小板減少、（その他）嘔気、腹痛、胃部不快感、食欲不振、下痢、肝機能異常〔ALT（GPT）・AST（GOT）の上昇、Al-P上昇〕、発疹、頻尿、食欲不振
	ペミロラストカリウム pemirolast potassium ●アレギサール Alegysal（田辺三菱製薬）●ペミラストン Pemilaston（アルフレッサ ファーマ）(後)ペミロラストK	錠（5mg、10mg）：5〜11歳 未満1回5mg、1日2回。11歳以上1回10mg、1日2回 ドライシロップ（0.5％）1回0.2mg/kg、1日2回	禁忌：1）妊婦または妊娠している可能性のある婦人、2）本剤の成分に対し過敏症の既往歴のある患者 副作用：腹痛、ALT上昇、AST上昇、眠気、嘔気、下痢 低出生体重児、新生児および乳児に対する安全性は確立していない。
ヒスタミンH₁受容体拮抗薬	オキサトミド Oxatomide ●オキサトミド（後）（Oxatomide）	ドライシロップ（2％、20mg/g）：オキサトミドとして1回0.5mg/kg（ドライシロップとして25mg/kg）、用時、水で懸濁し1日2回、1回最高用量0.75mg/kg（ドライシロップとして37.5mg/kg）	禁忌：1）本剤過敏症、2）妊婦または妊娠している可能性のある婦人 副作用：（重大）肝炎、肝障害、黄疸、ショック、アナフィラキシー、中毒性表皮壊死融解症、血小板減少、（その他）眠気、下痢、ALT（GPT）・AST（GOT）上昇、嘔気、倦怠感、口渇、発疹
	メキタジン Mequitazine ●ゼスラン Zesulan（旭化成ファーマ）●ニポラジン Nipolazine（アルフレッサファーマ）(後)メキタジン	小児用細粒0.6％、小児用シロップ0.03％：1回0.12mg/kg、1日2回 錠：成人1回2錠（メキタジンとして6mg）、1日2回	禁忌：1）本剤の成分、フェノチアジン系化合物およびその類似化合物に対し過敏症の既往歴のある患者、2）緑内障のある患者、3）下部尿路に閉塞性疾患のある患者（錠：前立腺肥大など下部尿路に閉塞性疾患のある患者） 副作用：（重大）ショック、アナフィラキシー、肝機能障害、黄疸、血小板減少、（その他）眠気、倦怠感、下痢、口渇、ふらふら感、胃部不快感 低出生体重児、新生児および乳児に対する安全性は確立していない。

第14章 主な抗喘息薬一覧表

●ヒスタミン H₁ 受容体拮抗薬／ Th2 サイトカイン阻害薬／キサンチン誘導体 (テオフィリン薬)

	薬剤一般名・商品名	剤形・用法	禁忌・副作用など
ヒスタミンH₁受容体拮抗薬	ケトチフェンフマル酸塩 ketotifen fumarate ●ザジテン Zaditen (サンファーマ、田辺三菱製薬) (後)ケトチフェン、マゴチフェン	ドライシロップ(0.1 %)、カプセル(1 mg)、シロップ(0.02 %)：1 日 0.06 mg/kg、2 回に分服	禁忌：本剤過敏症、てんかんおよび既往歴 副作用：(重大)痙攣、興奮、肝機能障害、黄疸、(その他)眠気、倦怠感、口渇、悪心
Th2サイトカイン阻害薬	スプラタストトシル酸塩 suplatast tosilate ●アイピーディ IPD(大鵬薬品工業) (後)スプラタストトシル酸塩	ドライシロップ(5%、50 mg/g)、カプセル(50 mg、100 mg)：1 回 3 mg/kg を 1 日 2 回朝食後および夕食後に 2 回投与。1 日最高用量 300 mg	禁忌：本剤過敏症 副作用：(重大)肝機能障害、ネフローゼ症候群、(その他)胃部不快感、嘔気、ALT(GPT)・AST(GOT)上昇、眠気、好酸球増多、嘔吐、胃痛、下痢、発疹、γ-GTP 上昇、生理不順、倦怠感・脱力感 低出生体重児、新生児および乳児に対する安全性は確立していない。
キサンチン誘導体(テオフィリン薬)	アミノフィリン水和物 aminophylline hydrate ●ネオフィリン Neophyllin(エーザイ) (先)アミノフィリン、キョーフィリン	原末、錠(100 mg)：1 回 2〜4 mg/kg、3〜4 回分服 注(250 mg/10 mL)：1 回 3〜4 mg/kg 静注(投与間隔は 8 時間以上。最高用量は 1 日 12 mg/kg を限度) 点滴静注(250 mg/250 mL)1 回 3〜4 mg/kg 点滴静注 注：5〜10 分かけて緩徐に静注または点滴静注 詳細は第 8 章参照	禁忌：本剤または他のキサンチン系薬剤に対し重篤な副作用の既往歴のある患者 副作用：(重大)ショック、アナフィラキシーショック、痙攣、意識障害、急性脳症、横紋筋融解症、消化管出血、赤芽球癆、肝機能障害、黄疸、頻呼吸、高血糖症、(その他)過敏症、不眠、興奮、不安、動悸、頻脈、悪心・嘔吐、タンパク尿、尿酸値上昇、肝機能異常、貧血、むくみなど
	テオフィリン徐放製剤 Theophylline ●テオフィリン(後) Theophylline (先)テオロング、スロービッド、ユニフィルLA、ユニコン、(後)チルミン、テオフィリン	G 顆粒(20%)、顆粒(50%)、ドライシロップ(20%、200 mg/g)、錠(50 mg、100 mg、200 mg)、カプセル(100 mg、200 mg) 用法：1 回 4〜8 mg/kg、1 日 2 回(朝、就寝前)に分服 詳細は第 8 章参照	禁忌：本剤または他のキサンチン系薬剤に対し重篤な副作用の既往歴のある患者 副作用：(重大)痙攣、意識障害、急性脳症、横紋筋融解症、消化管出血、頻呼吸、高血糖症、アナフィラキシーショック、赤芽球癆、肝機能障害、(その他)悪心・嘔気、嘔吐、食欲不振、神経過敏(興奮、不機嫌、いらいら感)、不眠、下痢、発汗、頭痛、動悸、血清尿酸値上昇、腹痛、めまい、振戦、不整脈(心室性期外収縮など)、腹部膨満感、消化不良(胸やけなど)、蛋タンパク、CK(CPK)上昇、ALT(GPT)・Al-P・LDH の上昇、貧血

●吸入 β 刺激薬／吸入選択的 β₂ 刺激薬／経口選択的 β₂ 刺激薬

	薬剤一般名・商品名	剤形・用法	禁忌・副作用など
吸入 β 刺激薬	イソプレナリン塩酸塩 dl-isoprenaline hydrochloride ●アスプール Asthpul （アルフレッサ ファーマ）	吸入液（0.5％ 50 mL、dl 体）：成人 1 回 3 mg ずつ 3〜10 分で吸入（ネブライザー使用） 詳細は第 8 章参照	禁忌：特発性肥大性大動脈弁下狭窄症、ジギタリス中毒、カテコラミン投与中、頻脈性不整脈、本剤過敏症など 副作用：（重大）血清カリウム値の低下、（その他）心悸亢進、頻脈、頭痛、振戦、血圧変動、めまい、悪心、気道刺激症状
吸入選択的 β₂ 刺激薬	プロカテロール塩酸塩水和物 procaterol hydrochloride ●メプチン Meptin（大塚製薬）	エアー 10 μg（1 吸入 10 μg）小児 1 回 10 μg（1 吸入） キッドエアー 5 μg（1 吸入 5 μg）小児 1 回 10 μg（2 吸入） スイングヘラー 10 μg（1 吸入 10 μg） 吸入液・吸入液ユニット（0.01 ％）：10〜30 μg、吸入液（0.1 mg/mL）小児 1 回 10〜30 μg（0.1〜0.3 mL）小児 1 日 4 回（合計 40 μg まで） 詳細は第 8 章参照	禁忌：本剤過敏症 副作用：（重大）ショック、アナフィラキシー、重篤な血清カリウム値の低下、（その他）動悸、頻脈、振戦、頭痛、頭重感、嘔気・嘔吐など
	サルブタモール硫酸塩 salbutamol sulfate ●ベネトリン Venetlin （グラクソ・スミスクライン） ●サルタノール Sultanol （グラクソ・スミスクライン）	ベネトリン吸入液（0.5％）：（小児）1 回 0.1 mL〜0.3 mL（サルブタモールとして 0.5 mg〜1.5 mg） 吸入（成人）1 回 0.3 mL〜0.5 mL（サルブタモールとして 1.5 mg〜2.5 mg）吸入 サルタノールインヘラー（0.12 ％ 13.5 mL）：【小児】1 回 1 吸入（100 μg）、【成人】1 回 2 吸入（200 μg）1 日 4 回（小児 4 吸入、成人 8 吸入）、通常 3 時間以上効果が持続、その間は次の吸入は行わない。 詳細は第 8 章参照	禁忌：本剤過敏症 副作用：（重大）重篤な血清カリウムの低下、（その他）心悸亢進、頭痛、振戦、気管支刺激症状、悪心、脈拍増加
	サルメテロールキシナホ酸塩 salmeterol xinafoate ●セレベント Serevent （グラクソ・スミスクライン）	小児：1 回 25 μg を 1 日 2 回吸入（症状に応じて 1 回 50 μg を 1 日 2 回まで増量可） 成人：1 回 50 μg を 1 日 2 回吸入 長時間作動型吸入気管支拡張薬、本剤の気管拡張作用は通常 12 時間持続するので、その間は次のβ刺激薬の投与は行わないこと。 詳細は第 7 章参照	禁忌：本剤過敏症 副作用：（重大）重篤な血清カリウムの低下、ショック、アナフィラキシー、（その他）心悸亢進、振戦、口腔咽頭刺激感（咽頭違和感・咽頭痛）、頭痛、脈拍増加、血圧上昇、不整脈、悪心、咳、胸痛、筋痙攣、気管支痙攣 5 歳未満の小児などを対象とした臨床試験は実施していない。
経口選択的 β₂ 刺激薬	サルブタモール硫酸塩 salbutamol sulfate ●ベネトリン Venetlin （グラクソ・スミスクライン） （後）サルブタモール	錠（2 mg）、シロップ（0.04％）：1 日 0.3 mg/kg（サルブタモールとして）、3 回に分服 詳細は第 8 章参照	禁忌：本剤過敏症 副作用：（重大）血清カリウム値の低下、（その他）心悸亢進、頭痛、振戦、脈拍増加、睡眠障害、食欲不振、悪心・嘔吐、下痢、口渇、湿疹

第 14 章 主な抗喘息薬一覧表

●経口選択的 β_2 刺激薬

	薬剤一般名・商品名	剤形・用法	禁忌・副作用など
経口選択的 β_2 刺激薬	テルブタリン硫酸塩 terbutaline sulfate ●ブリカニール Bricanyl（アストラゼネカ）	錠（2 mg）：6 歳以上 1 回 2 mg、5 歳以下 1 回 1 mg、1 日 3 回 シロップ（0.05 %）：1 日 0.45 mL（0.225 mg）/kg、3 回に分服 詳細は第 8 章参照	禁忌：本剤過敏症 副作用：（重大）アナフィラキシー、血清カリウム値の低下、（その他）腹痛、動悸、振戦、頻脈、手指の振戦・こわばり・しびれ感、頭痛、悪心・嘔吐、食欲不振、顔面蒼白、ふらつき 低出生体重児、新生児に対する安全性は確立していない。
	ツロブテロール塩酸塩 tulobuterol hydrochloride ●ホクナリン Hokunalin （マイラン EPD 合同会社） ●ベラチン Berachin （ニプロ ES ファーマ） （後）ツロブテロール塩酸塩	ドライシロップ（0.1%）、錠（1 mg）：1 日 0.04 mg/kg、2 回分服 詳細は第 8 章参照	禁忌：本剤過敏症 副作用：（重大）重篤な血清カリウム値の低下、アナフィラキシー、（その他）振戦、心悸亢進、顔面紅潮、めまい、頭痛、嘔気・悪心、胃不快感、食欲不振、口渇
	プロカテロール塩酸塩水和物 procaterol hydrochloride ●メプチン Meptin（大塚製薬） （後）プロカテロール塩酸塩	顆粒（0.01%）、ドライシロップ（0.005%）：6 歳未満は 1 回 1.25 μg/kg 1 日 2～3 回、シロップ（5 μg/mL）：6 歳未満 1 回 1.25 μg/kg、1 日 2～3 回 メプチンミニ錠（25 μg）、錠（50 μg）：6 歳以上 1 回 25 μg、成人 1 回 50 μg 1 日 1～2 回 詳細は第 8 章参照	禁忌：本剤過敏症 副作用：（重大）重篤な血清カリウム値の低下、ショック、アナフィラキシー、（その他）動悸、頻脈、振戦、頭痛、頭重感、嘔気・嘔吐
	フェノテロール臭化水素酸塩 fenoterol hydrobromide ●フェノテロール臭化水素酸塩（後） Fenoterol Hydrobro-mide	ドライシロップ（0.5%）：1 日 0.375 mg/kg、3 回に分服 詳細は第 8 章参照	禁忌：カテコラミン投与中、本剤過敏症 副作用：（重大）血清カリウム値の低下、（その他）頭痛、動悸、振戦
	クレンブテロール塩酸塩 clenbuterol hydrochloride ●スピロペント Spiropent（帝人ファーマ） （後）トニール	錠（10 μg）：（5 歳以上の小児）1 日 0.6 μg/kg、1 日 2 回（朝、就寝前）に分服、1 回 0.3 μg/kg（頓用） 詳細は第 8 章参照	禁忌：下部尿路閉塞、本剤過敏症 副作用：（重大）血清カリウム値低下、（その他）動悸、振戦、腹痛、血圧上昇、肝機能障害〔AST（GOT）上昇〕、筋痙直、頭痛、嘔気 4 歳以下の乳幼児に対する安全性は確立していない。

●貼付選択的 β_2 刺激薬／注射選択的 β_2 刺激薬／注射 β 刺激薬／鎮咳・気道粘液溶解薬／気道粘液調整・粘膜正常化剤

	薬剤一般名・商品名	剤形・用法	禁忌・副作用など
貼付選択的 β_2 刺激薬	ツロブテロール Tulobuterol ●ホクナリン Hokunalin （マイラン EPD 合同会社、マルホ） (後)ツロブテロール	テープ(0.5 mg、1 mg、2 mg)：1日1回：0.5〜3歳 未満 0.5 mg、3〜9歳 未満 1 mg、9歳以上 2 mg 1日1回胸部、背部、または上腕部に貼付 詳細は第7章参照	禁忌：本剤過敏症 副作用：(重大)血清カリウム値低下、アナフィラキシー、(その他)心悸亢進、振戦、瘙痒症・適用部位瘙痒感、接触性皮膚炎、紅斑・適用部位紅斑、CK(CPK)上昇
注射選択的 β_2 刺激薬	テルブタリン硫酸塩 terbutaline sulfate ●ブリカニール Brican（アストラゼネカ） (後)テルブタリン硫酸塩	注(0.2 mg 1 mL)：6歳以上1回0.1 mg、5歳以下1回0.05 mg 皮下注	禁忌：本剤過敏症 副作用：(重大)アナフィラキシー、血清カリウム値の低下、(その他)動悸、手指の振戦、頻脈、顔面蒼白、頭痛、ふらつき、悪心・嘔吐 低出生体重児、新生児に対する安全性は確立していない。
注射 β 刺激薬	l-イソプレナリン塩酸塩 l-isoprenaline hydrochloride (l-isoproterenol hydrochloride) ●プロタノールL注 Proternol-L Inj （興和）	注(0.2 mg 1 mL、1.0 mg 5 mL)：【成人】 (点滴静注) 0.2〜1.0 mg を等張溶液 200〜500 mL に溶解し、心拍数または心電図をモニターしながら注入する。 (緊急時) 0.2 mg を等張溶液 20 mL に溶解し、その 2〜20 mL を静脈内、(徐々に)、筋肉内または皮下に注射する(イソプロテレノール持続吸入療法に使用されることがある。吸入療法に対しては保険適用外)。 詳細は第8章参照	禁忌：1)特発性肥大性大動脈弁下狭窄症の患者、2)ジギタリス中毒の患者、3)カテコラミン製剤(アドレナリンなど)などとの併用は避けること、4)本剤過敏症 副作用：(重大)心筋虚血、重篤な血清カリウム値の低下、(その他)心悸亢進、頻脈
鎮咳・気道粘液溶解薬	エプラジノン塩酸塩 eprazinone hydrochloride ●レスプレン Resplen（中外製薬）	1日3回分服、3歳以上6歳未満20〜30 mg 6歳以上10歳未満30〜45 mg 成人は1回1錠30 mgを1日3回経口投与	副作用：食欲不振・悪心、嘔気・嘔吐、胃部不快感、下痢(軟便を含む)、腹痛、頭痛
気道粘液調整・粘膜正常化剤	l-カルボシステイン l-carbocisteine ●ムコダイン Mucodyne（杏林製薬） (後)カルボシステイン	ドライシロップ(50%)、錠(250 mg)、錠(500 mg)、シロップ(5%) 小児：1日 30 mg/kg(カルボシステインとして)3回に分服 成人：1回 500 mg、1日3回経口投与	禁忌：本剤過敏症 副作用：(重大)皮膚粘膜眼症候群(Stevens-Johnson 症候群)、中毒性表皮壊死症(Lyell 症候群)、肝機能障害、黄疸、ショック、アナフィラキシー、(その他)食欲不振、下痢、腹痛、発疹、悪心、嘔吐、腹部膨満感、口渇、湿疹、紅斑、瘙痒感など

第14章　主な抗喘息薬一覧表

239

●気道潤滑去痰剤／生物学的製剤

	薬剤一般名・商品名	剤形・用法	禁忌・副作用など
気道潤滑去痰剤	アンブロキソール塩酸塩 ambroxol hydrochloride ●ムコソルバン Mucosolvan (帝人ファーマ) (後)アンブロキソール塩酸塩、ムコサール、ムコブリン	小児用ドライシロップ(1.5%)、小児用シロップ(0.3%)、錠(15 mg) 小児に1日0.9 mg/kg(アンブロキソール塩酸塩として)3回に分服 成人:1回15.0 mgを1日3回経口投与	禁忌:本剤過敏症 副作用:(重大)ショック、アナフィラキシー、皮膚粘膜眼症候群(Stevens-Johnson症候群)、(その他)胃不快感、胃痛、腹部膨満感、腹痛、下痢、嘔気、嘔吐、便秘、食思不振、消化不良、発疹、蕁麻疹、蕁麻疹様、紅斑、瘙痒など 低出生体重児、新生児に対する安全性は確立していない。
生物学的製剤	オマリズマブ omalizumab ●ゾレア Xolair (ノバルティス ファーマ) ヒト化抗ヒトIgE モノクローナル抗体製剤	ゾレア皮下注用75 mg ゾレア皮下注用150 mg ゾレア皮下注用75 mgシリンジ ゾレア皮下注用150 mgシリンジ 通常、オマリズマブ(遺伝子組換え)として1回75〜600 mgを2または4週間毎に皮下に注射する。1回あたりの投与量ならびに投与間隔は、初回投与前の血清中総IgE濃度および体重に基づき、投与量換算表により設定する。本剤の投与は、皮下投与のみとし、静脈内および筋肉内への投与は行わないこと。	禁忌:本剤過敏症 副作用:(重大)ショック、アナフィラキシー、(その他)注射部位反応(疼痛、紅斑、腫脹、瘙痒、熱感、硬結、出血)、蕁麻疹、倦怠感、頭痛、鼻咽頭炎、血小板減少、傾眠、めまい、潮紅、消化不良、悪心、瘙痒感、発疹、四肢痛、筋骨格痛、疲労、腕の腫脹、発熱
	メポリズマブ mepolizumab ●ヌーカラ Nucala (グラクソ・スミスクライン) ヒト化抗IL-5 モノクローナル抗体製剤	ヌーカラ皮下注用100 mgシリンジ、ペン 通常、メポリズマブ(遺伝子組換え)として、成人および12歳以上の小児には1回100 mgを、6歳以上12歳未満の小児には1回40 mgを4週間ごとに皮下に注射する。本剤の投与は、上腕部、大腿部または腹部への皮下投与のみとすること。	禁忌:本剤過敏症 副作用:過敏症反応(蕁麻疹、血管浮腫、発疹、気管支痙攣、低血圧)、注射部位反応(疼痛、紅斑、腫脹、瘙痒、灼熱感)、湿疹
	デュピルマブ dupilumab ●デュピクセント Dupixent(サノフィ) ヒト型抗ヒトIL-4/IL-13 受容体 モノクローナル抗体製剤	デュピクセント皮下注300 mgシリンジ 通常、成人および12歳以上の小児にはデュピルマブ(遺伝子組換え)として初回に600 mgを皮下投与し、その後は1回300 mgを2週間隔で皮下投与する。 自己注射可能	禁忌:本剤過敏症 副作用:(重大)アナフィラキシー、(その他)結膜炎、細菌性結膜炎、口腔ヘルペス、単純ヘルペス、アレルギー性結膜炎、眼瞼炎、眼乾燥、眼瘙痒症、好酸球増加症、注射部位反応(紅斑、瘙痒、浮腫)、頭痛、発熱、血清病、血清病様反応

後発品情報などは令和2年7月31日現在

索　引

数字

14員環マクロライド系薬　164
2型アレルギー反応　31
2型自然リンパ球　29, 30
2型ヘルパー T 細胞　29
2011年喘息患者実態電話調査（AIRJ）　45, 46
25％肺気量位　75
75％肺気量位　75

欧文

A

ACT　126, 129, 211
air leak（空気漏出）症候群　195, 198
Alternaria alternata　58
ATS-DLD　42, 43

B

B細胞　30, 31
Baker's asthma　57
BALF　31, 75, 170
Best ACT-P　126, 129, 211
BTS　63, 64

C

C-ACT　126, 129, 211
CAMP study　47
CASES　96
CENTRAL　10
Clinical Question（CQ）と推奨文、推奨度・エビ
　デンス一覧　13
Clinical Question における推奨基準　11
COAST study　59
Cochrane Database of Systematic Reviews　10
COI　8
COVID-19　227, 229

D

Der p 1　58
DMAT（災害派遣医療チーム）　217
dysanapsis　197

E

ECRHS　43
EIA と EIB の定義　206
EIA の予防に効果的な対応　212
Embase　10
ERS Task Force　171

ERS 3　63

F

FcεR I　31
FeNO　9, 31, 72, 97, 126, 188, 210, 226
FEV_1　17, 20, 73, 75, 78, 81, 83, 84, 125, 128, 138,
　197, 212
functional MRI　198
FVC　75, 125, 197, 212
FVC 手技　75

G

gene-environmental interaction　54
GINA　34, 63, 64, 126, 129, 137, 169, 224
GRADE システム　2, 11
GSDMB　59

H

Hamman's sign　199

I

IgE 関連喘息　168, 223
IL-13　30, 31, 86, 124, 133, 134, 170, 225
IL-25　30, 31, 170
IL-33　30, 31, 170
IL-4　30, 122, 133, 134, 225
IL-5　30, 123, 133, 134, 170, 225
ILC2　29, 30, 170
ISAAC　42, 43

J

JPAC　126, 129, 211
JPGL2017 からの主な変更点　11

M

MEDLINE　10
MEF_{25}　75
MEF_{50}　75
microaspiration theory　197
Minds　2, 8, 222
Minds 診療ガイドライン作成マニュアル 2017
　2, 8
MMF（最大中間呼気流量）　75
MS-IOS　80

N

NIOX VERO　85
NObreath　85
NSAIDs　37, 62, 64, 162

P

P-CASES　96
$PaCO_2$　149, 151, 155, 159
PaO_2（動脈血酸素分圧）　151, 156, 159

PC$_{20}$　81, 83
PEF　16, 73, 79, 80, 84, 97, 101, 125, 128, 149, 155, 161, 188, 211
PEF 基準値（予測値）　80
PM2.5　55, 60
pMDI　9, 103, 104, 107, 108, 110, 119, 150, 152, 160, 217
pMDI の不適切使用　48
pMDI＋スペーサー、ネブライザーを使用した吸入方法　109
PRACTALL consensus report　171

Q

QOL　2, 18, 45, 83, 96, 100, 117, 120, 123, 135, 147, 196, 212
QOL 調査票簡易改訂版 2008（Gifu）　102
QOL 調査票（Version3）　102
QOL 低下　19, 147
QOLCA-24　102

R

randomized controlled trial　10
RCT　10, 17, 136
reflex theory　197
Rogers の防護動機理論（protection motivation theory）　95
Rosenstock の健康信念モデル（health belief model）　95
RS ウイルス　59, 170, 175

S

SCIT　21, 128, 138
SLIT　21, 128, 137
SMAD3 遺伝子　56
SpO$_2$　136, 149, 151, 154, 155, 156, 158, 161, 172, 176, 177
SVC 手技　75

T

Th 細胞　30
Th1 優位　197
Th2 サイトカイン　30, 74
Th2 細胞　29, 30
Th2 型バイオマーカー　72, 74
Th2 サイトカイン阻害薬　122, 132, 133
TSLP　30, 31, 170

V

$\dot{V}_{25}$　75
$\dot{V}_{50}$　75

和文

あ

アーチファクト　77
アーミッシュ　61
アウトカム　11, 24, 80
アクションプラン　92, 96, 97, 217
アジア　45, 48, 60, 63
アストグラフ法　81
アスピリン　37, 62, 64, 162
アスピリン喘息（NSAIDs 過敏喘息）　37, 162
アスプール　158, 162
アズマチェック　80
アズマプランプラス　80
アスマワン　80
アスリート喘息　211
アセス　80
アセチルコリン　72, 73, 81
アディポカイン　197
アデノウイルス　175
アドヒアランス　85, 92, 93, 95, 99, 117, 121, 128, 131, 135, 137, 151, 184, 187, 198, 211
アトピー型　18, 29, 30, 32, 37, 59, 170, 171, 173
アトピー性皮膚炎　46, 54, 56, 86, 124, 174, 209, 212, 216
アナフィラキシー　46, 123, 135, 164, 176, 198, 208
アミノフィリン　146, 152, 154, 159, 163
アルコール　63, 119
アルテルナリア属　57, 58
アレルギー疾患対策基本法　228
アレルギー疾患対策の推進に関する基本的な指針　228
アレルギー疾患のこどものための「災害の備え」パンフレット　216
アレルギー疾患用の学校生活管理指導表　208
アレルギー性気管支肺アスペルギルス症　35
アレルギー性鼻炎　12, 18, 46, 63, 85, 123, 128, 135, 137, 187, 195, 196, 208, 212
アレルギー性鼻炎診療の要点　196
アレルギー素因　33, 55, 59, 74, 85, 183, 195, 197
アレルギー用ミルク　197
アレルゲン曝露　33, 58, 63, 64, 128
アンケート調査　42
安静換気　34, 80
安静呼吸　83, 110

い

硫黄酸化物　61
イオン空気清浄器　64
医学中央雑誌　10
鋳型気管支炎（plastic bronchitis）　200
易感染性　32
移行期医療　187

意識　147, 149, 151, 159
意識障害　34, 136, 154, 156
医事紛争　3
胃食道逆流症　35, 63, 128, 176, 177, 197
イソプロテレノール　146, 154, 157, 158, 160, 162
イソプロテレノール持続吸入療法実施の要点
　158
一次予防　54, 58
遺伝因子　28, 54, 59
遺伝子　32, 55, 56, 59, 177
遺伝素因　29
イヌ　56
医療機関での対応　146, 150, 153
医療スタッフ　95, 98, 216
医療訴訟　3
飲水　107, 108, 111, 118
インフルエンザウイルス　60, 175, 227
インフルエンザワクチン　64, 213

う

ウイルス感染　9, 31, 58, 121, 123, 169, 170, 173, 175,
　227
ウォーミングアップ　211
うがい　107, 108, 111, 118
ウサギ　210
うっ血性心不全　35
運動　32, 34, 36, 55, 61, 64, 86, 117, 127, 130, 197,
　207, 210
運動負荷試験　73, 83, 84, 211
運動前薬物投与　211
運動誘発過呼吸（EIH）　100

え

エアゾーン　80
エアトラッピング（auto-PEEP）　156
エアロゾル　81, 103, 228
エアロチャンバー・プラス　110
栄養　55, 62, 63, 197
疫学調査　42
疫学データベース　43
エソメプラゾール　197
エビデンスレベルと推奨グレードの設定方法　11
エピゲノムワイド関連解析（EWAS）　56
エビデンス総体　11
エビデンス総体の質（GRADE/Minds 2014）　3
エルゴメーター　83, 84
炎症性サイトカイン　56, 62
炎症マーカー　20
塩素　61, 211
遠足　207
エンテロウイルス D68（EV-D68）　59, 227
エンドトキシン　61

お

欧州呼吸器学会（ERS）　85
嘔吐　122, 154, 160
悪心　122
オッズ比　59
お泊まり保育　207
オプティチャンバーダイアモンド　110
オペラント条件づけ　99, 101
オマリズマブ　123, 134, 136, 225
オルベスコ　108, 109, 119
オンライン診療　229

か

加圧噴霧式定量吸入器（pMDI）　9, 103, 108, 150,
　217
加圧噴霧式定量吸入器（pMDI）からの直接吸入
　の方法　110
改善率　20, 78
改善量　78
咳嗽　28, 32, 34, 35, 36, 38, 77, 118, 130, 148, 155,
　161, 169, 176, 195, 198, 206, 210, 213, 214, 216
ガイドライン作成グループ　5
ガイドライン執筆協力者　7
ガイドライン統括委員会　5
解剖学的異常　35, 36
会話　34, 149, 151
化学伝達物質　31, 122, 170, 184, 210
化学物質　54
過換気　62, 81, 198, 211
下気道由来の喘鳴（wheezes, rhonchi）　35
可逆的な気流制限　33, 35
架橋形成　31
覚醒　127, 130, 176, 216
喀痰細胞診　86
喀痰中好酸球数　20, 73, 75, 83, 86
学童期　45, 56, 60, 74, 96, 102, 105, 121, 171, 174,
　187, 188
学童前期発症寛解型（school-age onset remitting
　wheeze）　45
過剰治療（over treatment）　126
家塵中ダニの除去のためのポイント　58
家族集積性　56
家族歴　35, 47, 55, 177
学校のアレルギー疾患に対する取り組みガイドラ
　イン《令和元年度改訂》　207
学校保健調査　42
葛藤　98
カットオフ　73, 75, 78, 85
合併症　3, 36, 63, 117, 122, 128, 135, 137, 147, 150,
　153, 155, 156, 159, 185, 187, 194, 213, 214
合併症を考慮した喘息診療　195
家庭での対応　146, 148, 150, 155, 161
カテコラミン　62

蚊取り線香　61
加熱式タバコ　60
過敏性肺炎　35
カモガヤ　57
顆粒タンパク質　31, 86
過労　63
寛解　28, 31, 39, 45, 47, 79, 81, 83, 117, 118, 171, 174,
　182, 195, 224
換気機能　72, 83
換気血流不均等　152
環境因子　28, 54, 55, 56, 128, 134, 135, 185, 187
環境再生保全機構　79
環境省　42
環境整備　2, 56, 74, 97, 98, 102, 117, 128, 131, 137,
　170, 195
環境調整　54
間欠吸入　9, 131
看護師　5
感作　21, 33, 47, 55, 64, 72, 74, 137, 171
感作閾値　58
患者団体　6
患者調査　42, 45
感染防御　75
鑑別診断　35, 36, 75, 135, 172, 175, 225
鑑別を要する疾患　35
感冒　34, 129, 175, 227
陥没呼吸　149, 151, 155, 160, 161
顔面圧痛　195
寒冷空気　61

き

既往歴　35, 153, 213
気温の急変　61
気管、気管支の圧迫（腫瘍など）　35
気管支炎　35, 168, 175, 176
気管支拡張症　35, 176, 177
気管支生検　32
気管支内異物　35
気管支平滑筋収縮　28, 32, 121, 170
気管支攣縮　160, 164, 213, 214
気管挿管による人工呼吸管理の適応基準　159
気管挿管による人工呼吸管理法の実際　160
気胸　156, 159, 199
起坐呼吸　149, 151
記述疫学調査　42
気象　55, 61, 128
気象の変化　61
季節性アレルギー性鼻炎　123, 208
帰宅可能とする判断要件と患者への指導内容
　155
基底膜肥厚　30
気道炎症　3, 28, 61, 72, 81, 85, 116, 125, 214
気道確保　216

気道過敏性　3, 28, 32, 55, 73, 81, 117, 184, 188, 194,
　211
気道狭窄　28, 33, 36, 79, 81, 125, 137, 156, 164, 170,
　176
気道上皮傷害　31, 61, 170, 211
気道粘膜の浮腫　29, 32
気道粘膜浮腫　28
気道の解剖学的異常　35
気道の冷却（heat loss）　210
気道分泌亢進　28, 32, 121
機能的治癒　39
揮発性有機化合物（VOCs）　61
基本病態　28, 116
嗅覚障害　195
吸気性の喘鳴（stridor）　36
救急外来受診　26, 121, 214
救急外来治療で把握すべきこと　151
救急受診　16, 95, 184
吸気流速　103, 105, 108
吸気ループ　36
急性細気管支炎　35, 175, 176
急性増悪（発作）に対する薬物療法プラン　154
急性増悪（発作）の医療機関での対応　153
牛乳アレルギー　162, 197
吸入機器　102, 104, 111
吸入指導の際に注意するポイント　107
吸入手技　95, 102, 103, 105, 108, 117, 128, 135, 137,
　160
吸入補助具　96, 104, 108, 118
吸入療法　102, 105, 131, 158, 160, 162
吸入療法導入時における指導　106
キュバール　108, 119
教育入院　98
強制オシレーション法（FOT）　72, 80, 226
強制呼出　34
きょうだい葛藤　99, 101
魚油　62
気流制限　28, 32, 55, 72, 116
気流速度（flow）　75
禁煙教育　60
緊急入院　22, 150

く

苦痛　34
クラドスポリウム属　58, 74
クラブ活動　207
クループ　35
クレオラ体　86, 170, 174
クレンブテロール　125
クロスカントリー　211
クロモグリク酸ナトリウム（DSCG）　122, 132,
　133, 150, 212

け

経口ステロイド薬　9, 24, 80, 121, 123, 132, 133, 135, 136, 150, 155, 162, 186, 214
軽症間欠型　28, 185
軽症持続型　4, 20, 28, 38, 45, 94, 121, 125, 126, 131, 169, 185
基底膜下網状層　30
鶏卵アレルギー　213, 215
痙攣　122, 154, 163, 216
痙攣重積　122
化粧品　61
ケタミン　215
血液ガス分析　151, 155, 156, 159
血管拡張　75, 122
血管透過性抑制作用　125
血管輪　36, 168, 176, 177
月経　55, 62, 184
月経発来年齢　62
血清 ECP 値　31, 73, 86
血中濃度　122, 125, 154, 155, 161, 163
血中半減期　125
ゲノムワイド関連解析（GWAS）　56
煙　32, 35, 55, 61, 207, 217
下痢　122
研究報告の一貫性　11
限局性学習症　98, 185, 189
検査手技　74, 77
検査所見　33, 35

こ

抗 RS ウイルスヒト化モノクローナル抗体パリビズマブ　59, 170
抗 IL-13 抗体（レブリキズマブ）　86
抗 IL-5 抗体（メポリズマブ）　122, 134, 135, 225
抗 IL-4／IL-13 受容体抗体（デュピルマブ）　122, 124, 134, 135, 225
抗 IgE 抗体（オマリズマブ）　74, 122, 134, 136, 225
校医　207
後遺症　122
抗炎症治療　3, 116, 120, 125, 137
高音性喘鳴　35
校外学習　207
抗菌薬　55, 62, 63, 164
口腔カンジダ症　109, 118
抗原提示細胞　30
黄砂　60
好酸球　31, 170, 174, 182, 195, 196, 226
好酸球浸潤　31, 75, 86, 122, 170
好酸球顆粒タンパク質　30, 86
好酸球性多発血管炎性肉芽腫症　123
香水　61
厚生労働省　45, 48, 207

喉頭、気管、気管支軟化症　35
行動医学的なアプローチ　92
喉頭浮腫　164
行動分析　99
行動療法　99
高濃度酸素投与　156
紅斑　124, 208
興奮　122, 136, 147, 149, 151
誤嚥　175, 197
呼気延長　34, 149, 151
呼気性喘鳴　28, 38, 168, 170, 172, 174, 175, 176, 206
呼気性の高音性喘鳴（wheezes）　34
呼気中一酸化窒素濃度（FeNO）　72, 75, 135, 226
ゴキブリ　57, 74
呼吸器感染症　34, 54, 58, 128, 227
呼吸機能　18, 39, 47, 56, 60, 72, 75, 78, 83, 102, 116, 118, 122, 128, 130, 182, 188, 196
呼吸機能検査　32, 35, 72, 86, 97, 126, 131, 169, 214, 228
呼吸困難　28, 34, 36, 38, 59, 84, 126, 136, 147, 169, 185, 197, 199, 206, 211
呼吸状態　28, 34, 159
呼吸数　149, 151, 155, 158, 161
呼吸抵抗　31, 72, 81, 83
呼吸不全　28, 149, 151, 156
コクランレビュー　10
個体因子　54, 128
コナヒョウヒダニ（D. farinae）　57, 74
コハク酸エステル　157, 162
コラーゲン　30
コントロール状態　3, 54, 93, 97, 105, 116, 125, 127, 129, 135, 195, 206, 208, 211, 214
コントロール状態に基づいた小児喘息の長期管理のサイクル　118
コンプライアンス　95, 197

さ

災害への日頃からの備え（喘息用）　217
災害時のこどものアレルギー疾患対応パンフレット　216
災害派遣医療スタッフ向けのアレルギー児対応マニュアル　216
細気管支炎　35, 59, 170, 175, 176, 177
細菌叢　54, 61, 197
細菌叢の変化（dysbiosis）　61
最大吸気位　75
最大呼気流量　75
最大努力呼気　75
在宅自己注射管理料　124
サイトカイン　31, 123, 138, 170
細胞外基質の沈着　30
杯細胞化生　30
サルコイドーシス　35
サルブタモール　84, 125, 152, 162

245

サルメテロール　119, 120, 133
三次予防　54, 58

し

ジェット式　102
シクレソニド　118, 119, 132, 133, 232
自己効力感（self-efficacy）　95, 97, 188
自己最良値　73, 80, 128, 130, 151, 155, 161
思春期　11, 32, 48, 55, 83, 93, 97, 98, 182, 183, 184, 187, 188, 189, 224
システマティックレビュー（SR）チーム　6, 7
システマティックレビュー（SR）の方法　9
施設入所　100
持続型喘鳴（persistent wheeze）　45
疾患感受性遺伝子　56
実地医家　5
室内環境整備のポイント　57
室内空気　55
室内塵ダニ　57
自転車エルゴメーター　83, 84
自動車の排気ガス　55, 61
児童相談所　100
自閉スペクトラム症　98, 189
死亡率　4
縦隔気腫　156, 199
修学旅行　207
臭気　55, 61
周術期の対応　215
重症化　2, 95, 151, 175, 197, 198, 224, 225, 227, 229
重症心身障がい児　36, 110
修正 pulmonary index スコア　151, 156
重大な有害事象の発生率　19
集中治療　24, 128, 156, 215
重篤　25, 38, 59, 119, 120, 122, 123, 146, 213, 236, 237, 238, 239
主治医　148, 207, 210
手術時の対応　213
腫脹　30, 123, 199, 240
術後管理　216
出生コホート研究　43, 47, 62
術前のコントロール　214, 215
術前の評価　214
受動喫煙　31, 47, 55, 56, 57, 60, 63, 64, 117, 128, 135, 136, 184, 185, 187, 198
腫瘍性疾患　36
上気道由来の喘鳴（stridor）　35
症候群　37
詳細な問診　36
称賛　96, 97, 106
症状スコア　18, 24, 26
静注用ステロイド薬　157
「小児アレルギーエデュケーター」（PAE）　98
小児呼吸機能検査ハンドブック　74
小児喘息の重症度分類　38

小児喘息の成因と病態　29
小児喘息の長期管理の要点　117
小児喘息の長期管理プラン（5 歳以下）　132
小児喘息の長期管理プラン（6〜15 歳）　133
小児喘息の治療目標　117
小児と成人における治療前の重症度と対応する治療ステップ　185
小児慢性特定疾病医療費助成　123
「小児慢性特定疾病医療費助成」における喘息の対象基準　136
小発作　148, 149, 151, 154
食生活　63, 184
食物アレルギー　46, 57, 175, 176, 198, 216
食欲不振　122, 235, 236, 238, 239
ショック　123, 235, 237, 238, 239, 240
処方裁量権　3
心因　55, 62, 128
心因性咳嗽　35, 99
心因性喘息　99
真菌　57, 73
神経学的素因　122
神経伝達　75
人工呼吸管理　128, 136, 154, 156, 158, 159, 160, 199
人口動態調査　42
診察所見　33
心身医学的診断と治療のフローチャート　100
心身医学的側面　92
診断的治療　12, 169, 172, 174, 197, 223
身長増加　22
心的要因・発達障がい　198
浸透圧変化　62
真の重症度　4, 38, 129, 136, 137
信頼関係　94, 188
心理学的アプローチ　99
心理療法　62, 99, 128

す

水泳　64, 210
推奨の強さ（GRADE システム/Minds 2014）　3
水分喪失　62, 210
睡眠時無呼吸症候群　197
スギ　57
スキューバダイビング　210
ステップアップ　9, 11, 13, 16, 105, 121, 127, 128, 130, 169
ステップダウン　120, 127, 128, 130, 136, 229
ストレスマネジメント　99, 101
スパイログラム（spirogram）　75
スパイロメータ（spirometer）　75
スパイロメトリー　36, 73, 75, 77, 81, 84, 86, 117, 135, 212, 226
スプラタスト　122, 236
スペーサー　9, 14, 23, 103, 104, 105, 107, 108, 109, 110, 111, 152, 161, 228

スムーズな内科への転科　189

せ

生花　61
生活管理指導表　206, 207, 208, 209
生活状態　28, 34
制御性 T 細胞（Treg）　61
生検　31, 32
成功体験　96
精神科　99
精神科リエゾン　100
精神状態　99
成人喘息　4, 5, 11, 28, 31, 47, 62, 137, 182, 183, 224
精神的ストレス　62
声帯機能不全（vocal cord dysfunction, VCD）　35, 36
成長抑制　9, 13, 15, 16, 118, 120, 125
生物学的製剤　11, 122, 133, 134, 135, 186, 225, 226, 229, 240
生物学的製剤の使用に際してのチェックリスト　135
生物学的製剤の使用に際しての評価項目　135
生物学的製剤の対象年齢、用量・用法　134
生理活性分子　75
世界アンチ・ドーピング機構（WADA）　212
セカンドオピニオン　94
咳喘息　36
舌下免疫療法　13, 21, 137, 139, 226
接着剤　61
セルフモニタリング　92, 96, 97, 188
線維化　28, 32
線維芽細胞　30, 32
前駆症状　22
線香　61
全身性炎症　197
全身性ステロイド薬　9, 14, 16, 18, 20, 21, 22, 24, 123, 131, 136, 138, 152, 156, 157, 160, 162, 163, 213, 215, 227
全身性ステロイド薬の投与方法　157
全身性ステロイド薬の併用を考慮すべき患者　154
喘息／喘息以外を疑う症状　34
喘息コントロールテスト　92
喘息死　2, 48, 94, 95, 118, 121, 160, 222
喘息死亡数　48, 49
喘息死亡率　48, 49
喘息死レポート　48
喘息診断のフローチャート　33
喘息スコア　19
喘息治療管理料 2　110
喘息点数　125
喘息の危険因子　55, 59
喘息の急性増悪（発作）（acute exacerbation）　34, 58, 60, 155, 198

喘息の急性増悪（発作）時のアミノフィリン投与量の目安　155
喘息の診断・モニタリングのための検査と主な判定基準　73
喘息の長期管理の評価ステップ　127
喘息の病態　3, 29, 30, 61, 73, 96, 126, 161, 170, 173, 184, 188, 189, 197, 222, 225
喘息発作（asthma attack）　34, 59, 62, 64, 84, 147, 148, 149, 150, 159, 160, 161, 199, 227
『喘息予防・管理ガイドライン 2018』（JGL2018）　28
先天性心疾患　35
喘鳴　9, 14, 26, 32, 33, 34, 35, 36, 37, 38, 42, 43, 44, 45, 59, 62, 83, 121, 127, 129, 148, 149, 150, 151, 155, 157, 161, 169, 170, 171, 172, 174, 175, 176, 177, 197, 211, 213, 223, 229
線毛運動機能異常　35

そ

増悪因子　3, 36, 54, 58, 60, 61, 117, 125, 127, 128, 129, 132, 183, 195, 197
増悪阻止　54
早期介入（early intervention）　42, 169, 229
早期発症寛解型（early-childhood onset remitting wheeze）　45
早産児　175, 177
早産児や低出生体重児、肥満　55
増粘ミルク　197
瘙痒感　124, 239
即時型喘息反応　33
ソル・メドロール　162
ソル・メルコート　162

た

体位ドレナージ　200
退院時の患者・家族への指導内容　161
退院の要件　161
大気汚染物質　55
大血管の解剖学的異常　35
台風　61
大発作　28, 38, 126, 128, 136, 146, 147, 149, 151, 154, 155, 156, 159, 185, 214
大発作・呼吸不全　155
他覚所見　34, 79, 169
たき火　61
多職種　5, 98, 134
正しいフローボリューム曲線を得るために　78
ダニ　9, 13, 21, 31, 37, 54, 56, 57, 58, 63, 64, 73, 74, 117, 128, 135, 137, 138, 139
ダニアレルギーにおけるアレルゲン免疫療法の手引き　138
ダニアレルゲン特異的免疫療法（減感作療法）　9, 13, 21, 137, 139
タバコ　31, 32, 35, 36, 54, 60, 170, 173

247

暖房器具　61

ち

チアノーゼ　149, 151, 177, 179
チオペンタール　215
知的能力障がい　98
遅発型喘息反応　33
治癒　39
注意・欠陥多動症の不注意優位型　185
注意欠如・多動症　98, 189
中等症持続型　4, 13, 20, 28, 38, 45, 126, 132, 185
中毒作用　163
中発作　152
中発作における入院治療の適応　153
注目獲得行動　99
超音波式　102, 103, 177
長期管理における薬物療法の流れ　130
長期管理の目標　116
長期管理薬（コントローラー）　116
長期コホート研究　47, 224, 229
長期入院施設療法　100
長期入院療法　4, 134, 136, 137
腸内細菌叢　197
超微小粒子　61
調理器具　61, 64
治療意欲　95, 96, 97, 98, 99
治療ステップ　4, 28, 38, 116, 117, 125, 126, 129, 130, 131, 132, 133, 134, 136, 137, 154, 184, 185, 186, 187
治療点数　38
治療目的使用に係わる除外措置（TUE）　212
治療目標　92, 93, 94, 95, 117, 126
治療用ミルク　197

つ

追加治療　9, 13, 17, 116, 121, 124, 125, 127, 128, 129, 130, 131, 132, 133, 134, 137, 150, 152, 154, 155, 156, 159, 210
通年性アレルゲン　56
強い喘息発作のサイン　146, 147, 148, 149
「強い喘息発作のサイン」と家庭での対応　148
ツロブテロール　46, 125, 150, 161, 238, 239

て

ディーゼル排気微粒子　60
低酸素血症　146, 152, 163, 170, 189, 199
ディスアナプシス　197
低炭酸ガス血症　62
テオフィリン徐放製剤　122, 133, 134, 150, 154, 186
デキサメタゾン　25
デュピルマブ　122, 124
電動ネブライザー　9, 14, 23, 152, 164, 235

と

動悸　23, 125, 160, 177, 234, 236, 237, 238

同調操作　103
特異的 IgE 抗体産生　33, 74, 122
特発性の慢性蕁麻疹　123
ドライパウダー定量吸入器（DPI）　103, 108, 150, 217
ドライパウダー定量吸入器（DPI）の吸入方法　108
トラジェクトリー解析　43
努力性呼吸　35, 168, 169, 172, 223
トルーゾーン　80
トレッドミル　83, 84
曇天　61
頓用薬の使用　21, 138

な

生ワクチン　213
難治化　31, 98, 169, 185, 197, 198
難治化要因　194
難治性喘息　86, 99
難治性喘息の概念　137

に

西日本小学児童調査　42
二次予防　54
日内変動　72, 73, 79, 80, 81, 128, 130
日本アレルギー学会　6, 8, 81, 110, 138, 224
日本外来小児科学会　5, 6
日本小児アレルギー学会疫学委員会　45, 46, 48
日本小児アレルギー学会災害対応ワーキンググループ　216, 217
日本小児呼吸器学会　5, 6, 74, 75
日本小児呼吸器学会肺機能委員会　75
日本小児臨床アレルギー学会　6
日本小児臨床アレルギー学会災害対策委員会　217
入院回数　26, 48
入院数　2
入院治療の適応　153, 155, 156
入院率　19, 183
乳児一過性喘鳴（transient early wheeze）　43
乳児期　55, 58, 60, 61, 62, 105, 170, 177, 229
乳幼児 IgE 関連喘息の診断に有用な所見　168, 171, 174, 177
乳幼児喘息と急性喘鳴疾患の鑑別　176
乳幼児喘息の鑑別疾患　176
乳幼児喘息の診断のフローチャート　173
妊娠中の母の食事制限　62

ね

ネグレクト　100
ネコ　56, 57, 58
粘液線毛クリアランス促進作用　125
粘膜下腺過形成　30, 32

年齢　24, 31, 32, 43, 45, 80, 96, 102, 104, 105, 118, 120, 122, 131, 138, 174, 187, 224
年齢階級別喘息死亡率　48, 49

の

能動喫煙　55, 60
嚢胞性線維症　35, 176
ノーズクリップ　79, 84, 111

は

パーソナルベスト　80
パートナーシップ　92, 93, 98, 116, 117, 130, 132, 133, 188
肺炎　35, 156, 168, 175
肺炎クラミジア　55, 60
肺炎マイコプラズマ　55, 60
バイオマーカー　74, 86, 226, 229
肺音解析　86
排気ガス　55, 61
肺気量（volume）　75
肺結核　35
肺塞栓症　35
肺動脈スリング　36
肺内沈着率　108
肺の過膨張　156
ハイリスクコホート研究　59
発症寄与因子　54, 60, 61
発症予防　42, 54, 58, 59, 62, 63
発達障がい　128, 185, 198
発達段階別指導内容　97
鼻呼吸　104, 107, 111
花火　32, 61, 207
ハムスター　57, 210
パラインフルエンザウイルス　175
パラベン　162
反応性気道疾患（RAD）　169
反復吸入　9, 14, 23, 151, 161, 163

ひ

非 IgE 関連喘息　168, 171, 173, 223
非アトピー型　32, 37
鼻アレルギー診療ガイドライン　195, 196, 227
ピークフロー測定の意義　79
ピークフロー（PEF）メータ　72
ピークフローメータ使用法の指導の手順　79
ピークフロー（PEF）モニタリング　72
ピーナッツ　175
鼻炎、副鼻腔炎　35
皮下気腫　156, 199
皮下免疫療法　21
非好酸球性炎症　197
微生物成分　61
ビタミンD　61
非特異的因子　54

ヒトメタニューモウイルス　59, 175, 176
ヒトライノウイルス　59, 227
ヒドロコルチゾン　157, 215
ヒノキ　57
鼻副鼻腔炎　137, 195
皮膚テスト　35, 73, 196
肥満　37, 55, 63, 128, 136, 137, 155, 184, 195, 197
肥満遺伝子産物レプチン　56
肥満度（BMI）　56
百日咳菌　55, 60
評価・調整・治療のサイクル　116, 117
標準法（日本アレルギー学会）　73, 81, 85
ヒョウヒダニ　37
病歴調査　54
微粒子　60
頻脈　122

ふ

不安　99, 170, 198, 236
フィブロネクチン　30
フェノタイプ　37, 44, 171, 223
不穏　23
不快感　34, 96
不可逆的な構造変化（リモデリング）　28
腹式呼吸　96
副腎抑制　24
服薬状況　96, 105, 151
浮腫　29, 124, 158, 177, 184, 240
不整脈　122, 158, 160, 234, 236, 237
ブタクサ　57
フッタライト　61
ブデソニド　118, 119, 132, 133, 232, 233
不透過性カバー　58
不眠　122
プラセボ　15, 19, 21, 24, 122
プランルカスト　121, 234
プランルカスト水和物　121
フリーランニング　83, 84
プリックテスト　72
フルチカゾン　118
プレドニゾロン　25, 157, 215
フローチャート　12, 100
フローボリューム曲線　72, 73, 75, 76, 78, 128, 161
プロカテロール　23, 84, 125, 152
プロタノール　158, 162, 239
プロテアーゼ活性　57
プロテアーゼ活性型受容体（PAR）　57
プロドラッグ　109, 119
プロトンポンプ阻害薬（PPI）　197
プロポフォール　215

へ

ヘアスプレー　61
平滑筋肥厚　28

249

米国胸部疾患学会（ATS）　83, 85
米国小児科学会　213
閉塞性換気障害　72, 75
閉塞性細気管支炎　35, 176, 177
β遮断薬　62
ベクロメタゾン　118
ペリオスチン　30, 32, 73, 86, 226

ほ

ボアテックス　110, 111
保育所におけるアレルギー疾患生活管理指導表　209
保育所におけるアレルギー対応ガイドライン（2019年改訂版）　207
包括的医療（トータルケア）　93
剖検　32
防ダニ剤　58
防虫剤　61
防腐剤　162
保険適用　13, 21, 83, 118, 119, 120, 121, 122, 132, 137, 138, 139, 152, 158, 161, 162, 224, 225
保健福祉動向調査　42
歩行　84, 210
保護者　2, 35, 60, 64, 92, 93, 94, 95, 96, 97, 98, 99, 100, 101, 102, 105, 106, 116, 126, 129, 147, 170, 173, 187, 198, 206, 207, 216, 217
ホスホジエステラーゼ（PDE）阻害　122
母体への薬物投与　55, 62
発作強度の判定　34
発作強度判定　149, 151
発作性に起こる気道狭窄　28
発作治療薬（リリーバー）　116, 117
発作治療薬を使用しない日数（rescue-free days）　20
ホルムアルデヒド　61
ホルモテロール　119, 120, 133, 234

ま

マイクロバイオーム　55, 61
麻酔科医への十分な申し送り　215
マクロファージ／単球　31
麻酔における注意　215
末梢気道狭窄　125
末梢血好酸球数　20, 73, 74, 123, 135, 226
末梢循環不全　151
麻薬性中枢性鎮咳薬　164
慢性炎症　28, 29, 33, 56, 94, 211
慢性炎症性疾患　29, 189
慢性鼻副鼻腔炎　176, 177, 196

み

見かけ上の重症度　4, 38
ミニライト　80
ミネラルコルチコイド作用　157

む

無気肺　156, 195
無気肺と肺虚脱　199
無作為化比較対照試験　10
無症状　28, 38, 173, 199
無治療　31, 39

め

メタ解析　10, 15, 16, 17, 23, 62, 118, 120, 121, 122, 123, 131
メタコリン　72, 81
メッシュ式　102, 103
メポリズマブ　123, 124, 134, 135, 225, 240
免疫アレルギー疾患研究10か年戦略　228

も

モストグラフ　80
モンテルカスト　121

や

夜間睡眠点数　125
夜間喘息症状スコア　16
薬剤師　5
薬物　3, 55, 62, 72, 81, 84, 103, 117, 121, 124, 125, 129, 151, 158, 214, 215
ヤケヒョウヒダニ（*Dermatophagoides pteronyssinus*）　57

ゆ

有害事象　16, 19, 23, 25, 120
有症率　42, 43, 45
有病率　2, 43, 55
ユスリカ　57

よ

養護教諭　207
幼児後期　105
幼児前期　105
抑うつ　198
予後　16, 169, 226
予後（転帰）　39
予測値に対する%　151
予定外受診　4, 22, 78, 150, 184
予定外受診率　26
予防接種ガイドライン　212
ヨモギ　57

ら

ラリンジアルマスク　216
卵黄レシチン　215
ランニング　84, 210

り

利益相反　8
利益と害の大きさ　11
罹患年数　32
リスク/ベネフィット　119
リスクとベネフィット　15
リトドリン　62
リモデリング　28, 29, 30
リラクセーション訓練　100
リン酸エステル　162
臨床症状　3, 4, 13, 18, 33, 120, 126, 226, 228
臨床的治癒　39
リンパ球　29, 30, 31, 170

れ

冷気　32, 35, 61, 117, 173, 210
レスポンデント条件づけ　99
レセプトデータ　46
レミフェンタニル　215
連日吸入　19

ろ

ロイコトリエン　31, 121

わ

ワクチン　60, 124, 128, 213
ワンショット　162

本書の電子書籍版は、以下のスクラッチを削って、URL にアクセスしてご覧ください。
※本 URL を本書の所有者以外へ提供・開示することを固く禁じます。

小児気管支喘息治療・管理ガイドライン 2020

2020 年 10 月 31 日	第 1 版第 1 刷発行
11 月 30 日	第 2 刷発行
2022 年 7 月 4 日	第 3 刷発行

■監修　　　　　　足立雄一/滝沢琢己/二村昌樹/藤澤隆夫
■作成　　　　　　一般社団法人日本小児アレルギー学会
■編集・制作・発売　株式会社協和企画
　　　　　　　　　〒 170-8630　東京都豊島区東池袋 3-1-3
　　　　　　　　　電話　03-5979-1400
■印刷　　　　　　株式会社アイワード

ISBN978-4-87794-205-2　C3047　￥7000E
定価：7,700 円（本体 7,000 円＋税）